ゆうちょ銀行の諸問題の本質と地域金融論

宇野 輝 | 著

一般社団法人 金融財政事情研究会

はじめに

　2001年から2006年にかけて、政府はわが国の金融財政制度を本来の民業補完に戻すべく、大蔵省の預託金制度を廃止するとともに、財政投融資制度改革や政策金融民営化、郵政事業民営化を実施した。これらは多方面にわたる金融財政の構造改革となった。

　しかし、その後リーマンショック、政権交代や東日本大震災等の特殊要因が重なり、その都度法改正が行われ、当初の目的である完全民営化への期限がなくなり、具体的な着地点がみえなくなった。かかる状況にあって、政府債務残高の対国内総生産（gross domestic product、以下GDP）比率は増加の一途をたどり、個人金融資産に支えられているものの、このままでは徐々に財政破綻へと向かうと思われる。

　筆者は13年前、わが国の財政問題を意識しながら郵政事業民営化に参画し、以降、官製金融機関と民間金融機関の調達原資である個人の預貯金の運用について研究してきた。

　本著においては、わが国の官製金融機関と民間金融機関の業態別総資産（経営基盤）および総資産経常利益率（収益力：return on assets、以下ROA）を分析することによって全体を把握し、国民の金融資産（特に預貯金）に対して、如何に最適なポートフォリオ・セレクションを行うかを、ROAを評価指標として、厚生経済学的な観点を含めて理論化した。ROAは国民の預貯金を全体最適に運用し、運用収支を最大化することによって最適化されるべきものである（換言するとROA：経常利益÷総資産（預貯金）＝運用収益÷総資産（預貯金）×経常利益÷運用収益となる）。全体最適の検証は個々の銀行の実績値に基づき最適値を推定し、業態別構成を変化させることによって行った。業態間での経営統合や垂直的な業態間の経営統合が業態別総資産シェアの全体最適を形成し、その結果としてROAの全体最適が形成されれば、日本の金融機関の業態別構造は最適化されると考える。

この実証分析と理論に基づいて、官製金融機関と民間金融機関が抱える課題を挙げ、その課題を解決する方法論を第2章～第4章にて論ずることとする。本稿で官製金融民営化3行とは、ゆうちょ銀行、商工組合中央金庫（以下商工中金）、日本政策投資銀行を指す。

　本著は筆者の知る限り、官製金融民営化3行の再編と地銀再編が財政健全化に資することを歴史、現状現在、将来にわたって総合的に論じる最初の論文と考えられる。よって、先行研究は極めて少ないが関連するものを挙げておく。

　郵政改革について加藤寛［1984ａ：ｐ8、ｂ：p203］は「郵政問題をきちんと解決することが、政府の財政を立て直すことであり、ひいては行政の改革である」そして「官の資金配分には市場原理は働かない。しかも官業はもともと採算性を考えていないから、その規模が膨らめば膨らむほど補助金や利子補給も増やさなければならない。要するに郵便貯金は庶民の味方というものの、増やせば増やすほど増税という結果を招く。こうした特殊法人についての研究と理解が不足しているためではないかと思う」と述べている。全国銀行協会［2001］は「我々が考える郵便貯金の将来像として、一押しの提言として、地域分割民間銀行型」を挙げている。政策金融改革について岩本康志［2003：ｐ1、p32］は「公的部門の改革、金融『中小』以外は早く民営化すべき」と題して、「公的金融機関の改革作業は先送りになっているが、これからの民間金融機関の健全な発展を見据えた抜本改革の作業を急ぐべきだ。中小企業金融以外では危機対応の役割も薄い。その受け皿法人による実質維持につながる廃止ではなく、民営化を選択すべきである」と論じている。地銀再編については、金融庁・金融仲介の改善に向けた検討会議［2018］で地域金融機関の経営統合への対応をモデル分析によって具体的な方向性を示している。財政改革については齊藤誠［2016］はヘリコプターマネーと異次元金融緩和の比較考において政府債務残高と民間貯蓄残高の関係を分析し、政府債務は将来の備えとした貯蓄の範囲内にとどめるべきであると述べている。これらの先行研究は、本稿の各論点に視座を与えたものであ

るが、官製金融の歴史と現状の経営的課題、加えて地域金融問題との関連について総合的に分析を行ったものとしては本著が最初のものと考えられる。

目　次

序章　官製金融の諸課題の解決と地域金融改革
―財政健全化に資する総括的分析― ……………… 1

第1章　実質的な預託金制度の存続

第1節　預託金制度廃止の背景と実質的制度存続の課題 ……………… 10
1　官製金融の誕生――第1期預託金制度～明治初期から太平洋戦争終戦処理まで ……………… 11
　1)　第1期預託金制度時代の郵便貯金銀行と民間銀行の動向 ………… 13
　2)　第1期預託金制度の肥大化から終焉まで ……………… 15
2　官製金融の復活――第2期預託金制度～戦後高度経済成長からバブル崩壊後金融自由化まで ……………… 22
第2節　民営化後も存続する実質預託金―国債と日銀預け金への付け替え― ……………… 32
1　民営化のプロセスが停滞したままの官製金融民営化3行の課題 ……… 37
2　ゆうちょ銀行と商工組合中央金庫の課題 ……………… 39
第3節　預託金制度から考察される財政健全化方策 ……………… 41

第2章　業態別および業態内のROA比較分析からの課題―ゆうちょ銀行と小規模地方銀行のROA分析と理論―

第1節　金融資本市場への提言とROA分析の必要性 ……………… 48

第2節　業態別ROA比較分析とゆうちょ銀行のROAの課題 …………… 50
第3節　業態内ROA比較分析と小規模地方銀行のROAの課題 ………… 70
　1　金融庁が指摘する地域銀行の競争可能性 …………………………… 70
　2　地域再編の分析結果と理論的根拠 …………………………………… 72
第4節　地域金融の業態別動向 ……………………………………………… 83

第3章　ゆうちょ銀行が抱える諸問題

第1節　肥大化したゆうちょ銀行の課題 …………………………………… 94
　1　規制緩和と自由競争をもたらした背景 ……………………………… 95
　2　金融自由化による業態間の自由競争 ………………………………… 96
　3　諸外国の郵政民営化からみえてくるもの …………………………… 98
　　・イギリスの郵政民営化 ……………………………………………… 99
　　・ドイツの郵政民営化 ………………………………………………… 101
　　・フランスの郵政民営化 ……………………………………………… 102
　　・イタリアの郵政民営化 ……………………………………………… 103
　　・中国の郵政民営化 …………………………………………………… 104
　　・アメリカの郵政民営化 ……………………………………………… 108
　　・カナダの郵政民営化 ………………………………………………… 110
〈事例研究1〉　地域分割した日本電信電話公社（NTT）、日本国有鉄道
　　　　　　　（JR）の民営化 …………………………………………… 110
第2節　ゆうちょ銀行の金利リスク問題 …………………………………… 115
　1　ゆうちょ銀行の業績見通しシナリオ ………………………………… 115
　2　ゆうちょ銀行の収益シミュレーション ……………………………… 118
　　①　資産残高 …………………………………………………………… 118
　　②　負債残高 …………………………………………………………… 120
　　③　国内資金運用利回り ……………………………………………… 120

④　国内資金調達利回り ……………………………………………… 122
⑤　国際部門運用利回り・国際部門調達利回り ……………………… 122
第3節　ゆうちょ銀行の信用リスク問題 ………………………………… 124

第4章　地域金融の業態別経営指標による構造分析と課題

第1節　業態別総資産とそのシェア推移からみた課題―官製金融の民業補完と総資産規模の縮小― ……………………………………… 133
　・業態別総資産額の推移と1行当たりの総資産比較 ………………… 137
第2節　肥大化した商工組合中央金庫の不正融資問題 ………………… 138
　1　商工中金の危機対応融資政策の失敗および民営化対応の失敗の原因～株式会社商工組合中央金庫法の度重なる法律一部改正の問題点 … 139
　2　商工中金の経営改善策 ………………………………………… 143
第3節　地方銀行の経営統合によるALMの再構築と経営統合・再編 …… 145
　1　地銀再編についての考え方 …………………………………… 145
　2　地方銀行が目指すポートフォリオ ……………………………… 146
　3　再編と無縁だった地方銀行64行 ………………………………… 150
　4　動き出した地方銀行再編 ……………………………………… 155
　5　地方銀行の再編状況 …………………………………………… 158
　6　総資産拡大の理論を証明する地方銀行の統合・再編の実績 ……… 160
　〈事例研究2〉　アメリカおよび中国の地方銀行の経営統合のあり方 …… 164

第5章　民営化3行の経営統合によるALMの再構築

第1節　官製金融民営化3行のポートフォリオ …………………………… 172
第2節　民間金融機関の業態別ポートフォリオ …………………………… 176

第3節　民営化の成功事例としてNTT民営化後の事業再編から学ぶ
　　　　重要性 …………………………………………………………… 178
1　NTTグループの再編成 ……………………………………………… 178
　・NTT再編案について ………………………………………………… 181
　・再編の意義 …………………………………………………………… 181
2　官製金融民営化3行の事業再編シナリオ ………………………… 183
　①　官製金融民営化3行のあり方に対する基本的な認識 ………… 183
　②　官製金融民営化3行のあり方検討の満たすべき条件 ………… 186
　③　官製金融民営化3行の持株会社方式による事業再編シナリオ …… 188
3　地域分割・事業分割のための計数根拠 …………………………… 195
　①　事業再編後の地域銀行のシミュレーションによる事例検証：
　　　YSBC近畿銀行 …………………………………………………… 197
　②　全国8地域のYSBC地域銀行のシミュレーション …………… 206

第6章　財政健全化に資する官製金融民営化3行の事業再編と広域行政区域の地銀再編構想 …… 209

　おわりに ………………………………………………………………… 218

■付属資料■　わが国の広域行政区域における地銀再編構想 ………… 221
1　先行する広域大型地銀再編 ………………………………………… 221
2　その他広域行政区域の地銀再編 …………………………………… 233

　あとがき ………………………………………………………………… 245
　参考文献 ………………………………………………………………… 249
　事項索引 ………………………………………………………………… 255

序　章

官製金融の諸課題の解決と地域金融改革
―財政健全化に資する総括的分析―

世界的な経済の低成長下にあって、先進国は低金利政策をとらざるをえない状況にあり、日本もゼロ金利政策によって超金融緩和の状況下にある。特に2016年2月のマイナス金利政策導入後、銀行の金融仲介業務から得られる収益は利鞘の縮小により毎年逓減している。このような状況下にあって、地域金融機関は人口減少と相まって、経営基盤の弱体化を招いている。地域金融を主体とするゆうちょ銀行や商工中金等の民営化途上にある官製金融も、収益に重きを置いてきた経営姿勢のため、投資信託の不正販売や制度融資の不正融資に加担し、コーポレートガバナンスに問題が生じている。一方、地方銀行は総資産の規模の格差によって収益格差が顕著になり、小規模地方銀行にあっては赤字決算を余儀なくされている。信用金庫や信用組合も同様の状況下にあり、農業協同組合にあっては、かろうじて運用先の農林中央金庫への高利の運用によって支えられている現状である。

　本著はかかる状況下にある現在の官製金融民営化2行（ゆうちょ銀行、商工中金）および地方銀行、信用金庫、信用組合、農業協同組合等の地域金融の諸課題の解決方策と地域金融改革について論ずるものである。

　まず本著における官製金融の定義について述べる。一般的な公的金融は国の制度・信用を背景として、国民から預かった有償の資金を地方公共団体や民間企業等に貸し付ける財政投融資の一部と解説されている。このうち本著では2006年5月に成立した「簡素で効率的な政府を実現するための行政改革の推進に関する法律（行政推進改革法）」に基づいて行われた政策金融改革関連法（2007年5月成立）に関わる政策金融機関8行庫[1]にゆうちょ銀行を加えた9行庫を官製金融または官製金融機関とする。政策金融改革後（2010年10月）に8行庫は商工組合中央金庫、日本政策投資銀行、日本政策金融公庫、国際協力銀行、国際協力機構（JICA）の5行庫に経営統合・再編された。再編後の官製金融機関6行庫を更に分類すると、民営化3行（ゆうちょ銀行、商工中金、日本政策投資銀行）と、民業補完を目的とし政府が100％出

1　国民生活金融公庫、農林漁業金融公庫、中小企業金融公庫、沖縄振興金融公庫、公営企業金融公庫、商工組合中央金庫公庫、日本政策投資銀行、国際協力銀行の8行庫。

資する国策金融機関3行（日本政策金融公庫、国際協力銀行、国際協力機構）に分けられる。また民間金融機関は都市銀行、信託銀行、地方銀行、信用金庫、信用組合、農業協同組合の各業態に分けられる。

　本著の前半部分では、明治以来の預託金制度に支えられてきたゆうちょ銀行をはじめとする官製金融機関の諸課題について分析し、総資産、総資産経常利益率（ROA）、自己資本当期純利益率（return on equity、以下ROE）、リスク指標（不良債権比率、自己資本比率）を用いた諸課題解決のための理論を導き出すこととする。次に、地域金融機関にあっては業態間の格差を分析し、上記指標を用い、地方銀行の存続の可能性およびその要件について考察する。これらの目的を遂行するためには以下の3つの視点が重要と考える。

　第一は、自由で公正かつ効率的な金融市場を形成するために、日本の金融機関の総資産に占める民間金融と官製金融のシェアがいかなる数値であれば適正であるかを勘案することである。

　2017年3月期で日本の金融機関の総資産は1,640兆円である。うち民間金融機関のシェアは82.2％（うち農業協同組合7.1％）で、官製金融機関のシェアは17.8％（うち民営化3行14.6％）となり、毎年官製金融機関のシェアは縮小している。官製金融民営化3行が完全に民営化されれば、日本の金融機関の95％以上が民間金融になり日本の金融市場は自由な市場となる。しかし、銀行経営の根拠法としては「銀行法」と官製金融の「特殊法」とが存在し、イコールフッティングな競争条件が整っていない。官製金融機関と民間金融機関のシェア競争は預託金制度の発足から始まり、その預託金制度は2001年に廃止されるまで125年間続いた。しかし廃止後も実質的な預託金制度が続いている。この実質的な預託金制度が続いている限り、官製金融機関の完全民営化は実現されないことに注意すべきである。

　第二は、日本の金融機関の業態別のROAを考察することにより、業態間において経営基盤や収益力に格差があることを明らかにする必要性である。そのうえで、民間・官製金融機関の各業態の適正なシェアを議論する。

日本の金融機関はほとんどが上場企業であり、非上場の銀行も金融庁の監督の下、銀行法施行規則の開示項目に準拠した財務諸表を作成しているので、財務内容の透明性は極めて高い。銀行の決算短信には最初の項目に経営成績として経常利益と総資産経常利益率等が記載され、次に財政状態として総資産と純資産等が記載されている。一般に、企業の経営力を示す尺度としては経常利益が重視され、企業の総資産を活用してどれだけ利益をあげているかを測る尺度としてROAが重視される。そこで、官・民金融機関の業態別ROAのデータを軸に、業態別・地域別に時系列の動向を分析した。業態間のバランスをとり、各業態を最適成長経路に乗せるための議論は、各業態を構成している銀行の総資産とROA等の収益指標の関係を分析するミクロ的視点から、経営統合等を視野に入れたマクロ的分析へと展開する必要がある。収益力の指標であるROAを高める施策として、最適なポートフォリオ・マネジメントや資産・負債総合管理（Asset liability management、以下ALM）の構築、資産運用の効率化が挙げられる。

　後述するとおり、現状では個人預貯金（2017年3月期で932兆円）は国債の暗黙の担保となっているが、業態間のバランスがとれた成長が達成されることにより、金融市場において個人預貯金の自由で効率的な運用が取り戻されることになる。なぜなら、地域の調達資金が地域に運用される金融仲介業務を強化することによって、中央集約的な機関投資型の運用を是正することができるためである。更に、官製金融民営化3行の必ずしも効率的に運用されているとはいえない巨額の総資産を、迅速な経営判断ができる独立した経営体に事業分割或いは地域分割し、営業経費率を低下させROAを改善させることによって、収益の最大化をはかることが可能になるためである。この中央集約的な大規模企業体の地域分割とその成功事例はNTTの事業再編にみることができる。

　加えて重要なことは、少子高齢化による人口減少に直面し、長引く低成長、低インフレ、低金利政策の影響をまともに受けて、全国に105行もある地方銀行の金融仲介業務の機能は低下している現状である。特に小規模地方

銀行は消滅の危機にあり、地方銀行再編のスピードが加速していることである。全国の地方銀行105行のうちすでに3分の1は統合・再編により総資産とROAの最適化をはかっている。残る3分の1は経営基盤が強固で収益力もあり持続的に存続して行けるとみられるが、更に残る3分の1は水平または垂直的に経営統合を模索しなければ消滅する可能性が高い。地方銀行の経営基盤強化のためには、従来の「一県一行主義」を改め、広域行政区での再編を行うときに来ている。この課題を解決するためには、地域内再編が必要である。そこでまず地域再編後地方銀行が一定のROAを達成するために必要な資産規模を統計的に分析する。総資産とROAが相関関係にあることに着目し、一定以上の総資産を確保する経営統合を目指すべきであることを示す。

　官製金融民営化3行の完全民営化への事業再編と危機に瀕した地方銀行の統合・再編を完遂することによって、官製金融機関に有利となっている業態別シェアが是正されるとともに業態間のROAもその規模に応じた適正なものとなる。なお、本著では収益性の指標として、主としてROAを用いたが、ROEを指標とした分析でも同じ結果を得ている。

　また日本の金融機関の業態別の不良債権比率および自己資本比率規制の指標に基づいて、業態間の差異に着目することによって、収益力格差にどのような影響を及ぼしているかを考察する必要がある。業態間の収益力格差と同じように不良債権比率にも格差があり、その格差は官製金融機関の不良債権比率が4％台で推移し民間金融機関の同比率が2％で推移していることに表れている。この格差が業態間の官・民の収益力格差に影響を及ぼしている。一方、自己資本比率規制についてはゆうちょ銀行の例外的に大幅な自己資本比率の低下があったものの、過去10年間の自己資本比率に業態間の格差はなく業態間の収益力格差に影響を及ぼしていない。

　このように収益力指標（ROAとROE）、および不良債権比率、自己資本比率規制のリスク指標による業態別比較分析から、日本の官・民金融機関の構造について最適化の理論を構築したい。

第三は、低金利政策下におけるゆうちょ銀行の抱えるリスクを定量的に分析することである。ゆうちょ銀行の総資産は運用調達のミスマッチにより、金利上昇の局面に入ると、負債サイドの定額貯金の金利変動リスクが顕在化し、資産サイドの大半の国債が金利変動や価格変動等のリスクにさらされるというALM上の大きな問題を抱えていることをシミュレーションによって分析する。加えて高い配当率を維持するために外国債券が運用資産に占める割合が増加していることが、信用リスク問題を高めていることも重要な視点である。

　本著の後半部分（第5章以降）においては、上記の分析結果を踏まえ、各業態の課題を解決するための方法を具体的に述べる。例えば、ゆうちょ銀行のROAを向上させるためには、ポートフォリオの多様化とALMによる運用体制の最適化を図ることが重要な課題であるが、この課題を解決するために官製金融民営化3行の経営統合によりALMを再構築するべきであることを提案する。
　一方、地域経済にあっては、人口の東京一極集中によって地方の人口減少が加速されているため地方銀行の資金調達力は縮小し、資産規模の小さな地方銀行の経営基盤は弱体化している。十分な資産規模を維持するために広域に統合された地方銀行が資産・負債規模の拡大に見合ったALM体制を築く必要性があるが、その具体的な方策を検討する。終章においては、日本経済の成長と財政健全化に資する官製金融民営化3行の事業再編と、広域行政区域における地方銀行再編が共存共栄を果たしうるかを検証する。

　2018年3月時点の政府債務残高の対GDP比率は230％と先進国のなかでも独歩高の状況にある。2018年7月、政府は「中長期経済財政運営の試算」を発表したが、目標の名目GDP600兆円は達成できず、更に基礎的財政収支も黒字化できず、財政健全化の目標は2023年まで先延ばしにされてしまっている。

異次元の金融緩和政策や規律なき財政政策と、構造改革がともなわない成長戦略、社会保障費の増大によって政府債務残高は今も増え続けている。日本銀行は国債買いオペによる金融緩和政策を継続しているが、国債の売却代金は貸出金に回ることなく日本銀行への預け金となったままである。

　この政府債務残高の高止まり状況は、太平洋戦争終戦時の財政状況と類似している。明治初期の第1期預託金制度がもたらした政府債務残高は当時の国民総生産額対比200％の比率となった。戦争により財政破綻を迎えた日本の政府債務残高は、GHQの統制経済の下、100％を超えるインフレによって一旦は解消された。同時に郵便貯金の預託金制度も廃止された。この歴史的事実と現在のわが国の財政状況は類似している。この類似した財政状況は歴史的、原理的な教訓として特筆されるべきものと考える。

　この課題を解決するために、第一に官製金融機関・民間金融機関の業態間の全体最適化と金融構造改革を行わなければならない。固定化した個人の預貯金を、構造改革により地域銀行の金融仲介業務を通じて地域企業へ供給し地域経済を活性化させる。県内総生産額と県内貸出金残高は極めて高い相関関係にあるため、地域経済の活性化に主たる役割を果たす地方銀行のROAが改善されれば、県内総生産額は増加する。とりわけROAの低い官製金融民営化3行および資産規模の小さな地銀の統合・再編を行うことによって、地域のROAを改善し税収を増やすことが不可欠である。

　第二に危機的な水準にある政府債務残高を逓減させる方法として増税がある。消費税率は先進国のなかでも比較的低い水準にありまだ引き上げ余地がある。資産税等においても税率の引き上げ余地が残されている。国民は「政府債務残高は増税によって返済されるべきもの」と覚悟する必要があるが、政府は世代間の不公平を是正する措置をとることが急務となる。例えば政府債務の100年債を発行するというような長期化による回収と経済成長による3〜5％の適度なインフレを続けることによって税収を増やし、長期的な政府債務残高縮小計画を立てるべきある。

　ここまでの議論を要約すると、本著は経済全体の最適化に資するよう国民

の預貯金が運用されるために、官・民の金融機関の業態間バランスおよび業態別の成長戦略を考察し、将来必然とみられる地域金融再編の具体的な設計を試みるものである。

　本著の構成は以下のとおりである。

　前半にあたる第1章から第4章までは、「官製金融機関と民間金融機関が抱える課題」を「業態別ポートフォリオおよび業態内収益格差の是正」という視点から分析する。

　まず第1章では、預託金制度の歴史的背景と制度廃止後も実質的に存続している事実を指摘し、そこから考察される財政健全化方策を探る。

　第2章では、前章の指摘による国債偏重の運用体制がわが国全体でみた場合に、極めて深刻な資金効率の悪化を招いていることについてROA分析を交えて示す。

　第3章でゆうちょ銀行に固有の問題である運用・調達のアンバランスが、今後予想される長短金利の上昇局面で収益にどのような影響を与えるかを分析し、信用リスクについても分析する。

　続く第4章では、第2章、第3章で構築した理論に基づいて、地域金融の現状分析を行い各業態の課題を明確にする。

　本著後半の第5章から第6章までは、前半で分析した論理から明確になった課題を「財政健全化に資する民営化3行と地方銀行再編」という視点から分析し、官製金融民営化3行と地方銀行の今後のあり方を考察する。

　すなわち第5章では、官製金融民営化3行および民間金融機関の業態別ポートフォリオの分析により事例研究を含めた事業再編構想を模索する。

　第6章では、重要課題である官製金融民営化3行と地方銀行の再編構想実現に向けての、官・民イコールフッティングの競争条件を検討し、その制度設計について述べることとする。

　最後の「おわりに」において、財政健全化に資する民営化3行と地方銀行再編構想の実現に向けた筆者の考え方を中心に本著を総括する。

第1章

実質的な預託金制度の存続

第1節

預託金制度廃止の背景と実質的制度存続の課題

　わが国の公的金融制度は、郵便貯金制度が1875（明治8）年に始まり、1878（明治11）年から郵便貯金が大蔵省国債局に預けられ、国債での運用が本格化したことから始まった。1885（明治18）年に大蔵省は預金部を設置し、国債中心から特殊銀行債等への運用へと多様化を図った。こうして郵便貯金→大蔵省預託金→国債・特殊銀行債という預託金制度の仕組みがつくられた。

　この預託金制度は2001（平成13）年に廃止されるまで、途中中断するものの123年間続いた。1878年から1945年の67年間を第1期とし、終戦後1951年に復活し2001年の廃止に至る50年間を第2期とする。同制度が廃止されても実質的な預託金制度が存続状態にあることの検証をもとに、預託金制度がわが国の官製金融と民間金融に及ぼした影響と課題を考察する。

　第1期預託金制度（1878～1945年）下で、政府は国民の零細貯金（郵便貯金）を国家主導で、常に民間金融機関より有利な条件（金利）や商品性（定額貯金等）で調達してきた（逓信省［1935］、戸原［2001］）。その結果、当初は「殖産興業」への運用であったが、太平洋戦争に至って軍需資金に充当され、政府債務が国民総支出（gross national expenditure、以下GNE）の200％を超え、国民の金融資産の資産・負債のポートフォリオのバランスが崩れた。終戦とともに、100倍を超えるインフレに見舞われ国民の金融資産は減価し、国民の預貯金も実質価値が減価した。郵便貯金も1946年の大蔵省預金部等損失補償特別処理法によって引き当て財源とされ国民負担となり、預託金制度は終焉を迎えた。

　しかし、1951年に復活した第2期預託金制度は戦後復興および高度経済成

長とともに、郵便貯金の定額貯金の商品改定をてこに零細貯金を調達し、国家主導の財政投融資制度や政策金融制度を創設し急速に肥大化していった。

この国家的ポートフォリオ・マネジメントは日本経済の低成長とともに結果的に政府債務残高を増加させ、制度疲労を起こした預託金制度は2001年に廃止されることになる。

その後も政府債務残高はGDP比200％を超え財政悪化は続いているが、同時に個人金融資産が増えているため、「自国通貨による国債の引き受けが可能なため国債の信用力は維持されている」（佐藤隆文［2008］）とされる。

この構図は現在も変わっておらず、預託金制度が廃止されても、官製金融機関の民営化が遅滞したままの状態で暗黙の政府保証が残ったままであることに鑑みれば、第3期の実質的な預託金制度が存続していると考えられる。

問題は自由で公正かつ効率的な金融市場において、わが国の個人金融資産が最適なポートフォリオ・マネジメントされているかである。この実質的な預託金制度が温存され存続していることが、財政健全化の課題が解決しない原因であることを、次項以降でわが国の預託金制度の歴史を検証することによって解明したい。

官製金融の誕生──第1期預託金制度～明治初期から太平洋戦争終戦処理まで

わが国の郵便貯金制度は1870（明治3）年に前島密（1835～1919）がアメリカおよびイギリスの郵便事情視察を命ぜられ、明治4年に郵便事業を開始したことによってもたらされた。1875（明治8）年5月2日に郵便貯金業務は世界で3番目の国として、東京18カ所、横浜1カ所に「郵便預所」と称する店舗で開始された。年末の貯金残高は1万5,224円で預金者は1,834人であった。

郵便貯金創設の目的はイギリスに倣い近代国家作りのため「殖産興業」「富国強兵」政策の原資となる資金を調達することにあった。加えて、民生

安定のため社会政策としても貯蓄を奨励した。1875年に郵便局数はすでに3,815局になり、貯金者数、貯金残高ともに急増した。1876年には、貯金者数は4,442人、貯金残高4万4,000円（増加率144％）となり、大蔵省は「準備金取扱規則」にて、貯金を預かり運用する規定を設けた。1878年に貯金者数は1万4,137人、貯金残高28万6,000円となり、2年で6倍となった。

しかし、郵便貯金は当初預入限度額を500円とし、小口貯金を集める施策として少々高めの金利を付与した。この施策はイギリスの例に倣ったもので大口貯金者を排除するものであった。郵便貯金は将来巨額になると予想されたので、内務・大蔵両省の協議の結果、駅逓局長前島密と国債局長郷純造の間で『貯金預リ高ヲ国債局ヘ相預クル儀ニ付約定書』が取り交わされ、増加した駅逓局貯金（郵便貯金）を大蔵省国金局に預入させ国債への運用を本格化させた。ここに官製金融の仕組みが定着した。

郵政省［1971］によれば、1885（明治18）年5月大蔵省は「預金規則」を制定し、預金部を設置した。預金部が預託資金の運用に当たることになり、運用権は逓信省からなくなり、郵便貯金→大蔵省預金部→国債運用の仕組みが制度化された。現在の財務省［2017］はこの時期の仕組みを「財政投融資の沿革」で、財政投融資の原型と説明している。

しかし、石井寛治［2013：p4］は「郵便、電信・電話からなる郵政事業が中央政府にとって有力な財源となったことは、郵便貯金という郵便局が集めた巨額の資金が大蔵省預金部に集中管理されたことと並んで、郵便事業が官業であり続けた最大の理由である」と論じている。この構図は現在の郵政事業に存続しているといえよう。

預託金制度の仕組みは広義では財政投融資制度であり、狭義では官製金融制度という。官製金融は政策金融を対象とした。明治の後期以降預託金は国債から特殊銀行債や地方債、一般会計・特別会計に対する貸付にも幅広く運用された。

1) 第１期預託金制度時代の郵便貯金銀行と民間銀行の動向

　逓信省貯金局［1935］によって編録された『郵便貯金経済史観』によると、当時は貨殖を卑しむ思想から醒めるに至らず、いわゆる宵越しの金はもたないといった民情であった。政府は殖産興業のため、資金創出を喫緊の課題としていた。

　政府は国立銀行を創設し、民間銀行の設立にも取り組み、1877（明治10）年には26行となり、1879（明治12）年には153行まで増え、この時点で設立を中止した。廃藩置県によって1875（明治８）年には59県の行政区となっていたが、この時各県に設立された国立銀行が「一県一行主義」の原型である。これが、今日の地銀再編の遅れの一因となっている。

　1880（明治13）年、東京貯蓄銀行が貯蓄専業銀行として誕生し、東海貯蓄銀行等16行が設立された。民間の貯蓄預金残高は明治13年で６万3,000円であったが、明治28年の日清戦争時には1,200万円（200倍）となった。貯蓄銀行は332行まで増えていた。

　国立銀行設立を中止した政府は、近代国家作りのためこの時期に東京海上火災保険や東京共済生命保険会社を創立するとともに、特殊銀行の横浜正金銀行や民間銀行の三井銀行、安田銀行、三菱為替店の開設を促した。そして、1882（明治15）年10月中央銀行として日本銀行を設立した。明治26年５月、銀行条例や貯蓄銀行条例が制定され民間銀行は合計833行が設立された。

　いち早く近代国家作りを目指した前島密は1881（明治14）年内務大輔兼駅逓総官を退官した後、再び1887（明治20）年逓信次官に就任し、郵便電信局を創設し、1892（明治25）年鉄道庁を逓信省に移管した（現在のJR、NTT、JP事業をひとまとめにした）。1906（明治39）年鉄道国有化法が成立し、南満州鉄道が創立された。金融財政面で郵便貯金の預託金制度が重要な役割を果たしたという意味では、前島密によって近代国家のインフラ作りが行われたといっても過言ではない。そして、太平洋戦争後逓信省は運輸省鉄道局、郵政省、電気通信省に分離され、紆余曲折を経て民営化の道をたどることに

なった。小林正義［2009］は前島密が『日本文明の一大恩人』と称される所以であると献辞を述べている。

　1894（明治27）年大蔵省預金部は郵便貯金での日清戦争の戦費調達のための国債１億7,800万円の募集に応じ、明治27年５月から28年９月までに、4,959名が購入し5,200万円を払い込んだ。郵便貯金は「富国強兵」のための軍費調達資金となった。

　西欧列強諸国のアジア侵略に対抗するため、日清戦争以降植民地主義的な政策をとるようになった政府は、1895（明治28）年５月日清講和条約批准後台湾総督府を置き、そして1910（明治43）年には韓国を併合した。この植民地主義時代、西欧諸国は文明開化（成長戦略）の名の下、郵便制度や郵便貯金、鉄道、電信などの国家インフラ整備を植民地国に持ち込み、当該諸国を支配する道具とした。

　明治の後半から大正にかけて、日本は欧米の列強と肩を並べるために、富国強兵、殖産興業のために郵便貯金の預託金制度を一段と強化した。

　政府は長期産業金融の専門銀行として、政府の保護のもと特別な便宜が与えられた特殊銀行を郵便貯金の運用先として設立した。1897（明治30）年に日本勧業銀行、1898年に農工銀行を設立し、1902年に日本興業銀行を設立した。これら特殊銀行設立にともなう産業金融制度の充実は、官製金融制度と商業銀行、貯蓄銀行、中央銀行の創立と相まって、明治30年代にわが国の銀行制度の原型となった。同時に郵便貯金→大蔵省預託金→政策金融の仕組みが構築されたのである。

　1904（明治37）年の日露戦争開戦にあっては、戦費15億円のうち外債で８億円、国債と増税で７億円を調達したが、軍費郵便貯金制度や集配人取集貯金を開始した。更に据置貯金の創設や金利引き上げ等で貯金の増強に努めた。この結果、1903（明治36）年には3,100万円だった郵便貯金残高は1906年に7,200万円と倍増した。1910年郵便貯金は貯蓄銀行の貯蓄預金を追い越した。この理由は都市銀行が零細貯金の吸収に消極的で全国的な貯金吸収網を築いた郵便貯金が主として農民から預入されたと考えられている。

明治から大正時代になると、国内事業資金や対外投資資金に運用するため、特殊銀行への貸し付けや債券の引き受けが大幅に増加した。これらの運用の監督を強化するため、1925（大正14）年に「預金部預金法」および「大蔵省預金部特別会計法」が制定された。制定の目的は運用の基本原則「有利確実な方法」「国家公共の利益のため」ということを明文化し、経理の明確化をはかるためであった。しかし、宮本憲一［1974］は預金部改革によって運用委員会が諮問を受けるだけで、大蔵省による一元的運用は変わらず、地方資金も地主制の救済が目的であって、改革は真の民主化ではなかったと述べている。

2) 第1期預託金制度の肥大化から終焉まで

　官製金融の特徴は郵便貯金を調達（入口）とし、政策金融で運用（出口）とする仕組みにある。郵便貯金の増加の要因は、店舗数と適用金利にあり、民間金融よりも店舗新設の認可は優遇され、高い金利が適用された。これらの郵貯優遇政策に歯止めをかけるため、郵便貯金には預入限度を設定してきた。一顧客当たりの郵便貯金の預入限度を制限することによって、貯金量を肥大化させないようにした経緯は先述した。

　店舗面での特徴は、三等局（1940年以降特定局の呼称）制度である。一、二等局（普通局）は郵便の集配機能をもつ逓信省が所有した。明治初期から太平洋戦争までの店舗数の増加状況は図1－1に示す如くである。この三等局は一挙に郵便局数を増やすために、地主や地元名士が請け負う制度（国から業務請負料を支給）として、明治、大正期に普及した。

　杉浦勢之［1986］は郵便貯金が大衆的零細貯蓄機関に再編されたのは、三等郵便局長を含めた地方有力者が中小銀行・貯蓄銀行を設立し大口預金を奪ったため、余儀なく小口化したものであると述べている。1927（昭和2）年の金融恐慌以降、不況のため政府保証のある郵便貯金が飛躍的に伸びたが、結果として軍費支出も増えたため、国債の引き受け原資として郵便貯金の重要性が増した。郵便局は特に昭和恐慌時の9,114局から太平洋戦争終戦

図1−1　明治から平成の郵便局数推移

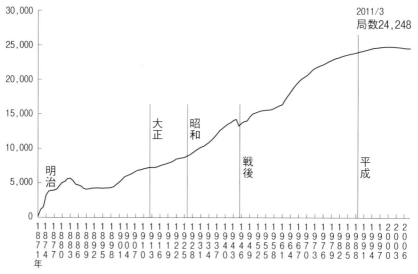

資料：郵政省編『郵政百年史資料第30巻（資料編）』より筆者作成

時には1万3,281局となり、4,167局も増加した[2]。

　金利面での特徴は、表1−1に示すように通常貯金（普通預金）の金利が据置貯金（定期預金）の金利とほぼ同じであった。日露戦争（1904〜05（明治37〜38）年）時には戦費の調達のため郵便貯金金利を長期国債と同等まで引き上げたので、郵便貯金は大幅に増加し財政面を支えた。1922（大正11）年に郵便貯金が据え置き期間を設けて定期性貯金を創設し、民間の定期性預金と同等の商品性をもつことになった。近代化を急ぐわが国にとって、特に不況期や戦争時において、貯蓄奨励は必要な財政資金を補完するための重要な政策であり、郵便貯金優遇策はその有効な手段の1つであった。

　1931（昭和6）年満州事変が勃発し、円安、低金利、財政膨張の政策がとられた。1932年歳入補填国債の日本銀行引き受け発行が開始されインフレと

---

[2]　郵政省編［1971］『郵政百年史資料第30巻、郵政統計資料・駅逓局統計書・郵政百年史資料総目次』第1表　郵便局数p13。

表1-1　郵便貯金利率沿革表

(単位：%)

年月日	通常貯金	据置貯金	定額貯金
明治37.9.1	5.04		
43.4.1	4.2		
大正4.4.1	4.8		
11.9.1	4.8	新商品　5.04	
昭和5.10.1	4.2	4.44	
7.10.1	3.0	3.24	
12.4.1	2.76	3.036	
16.7.1	2.76	3.036	新商品　3.4
19.4.1	2.64	2.904	3.4

資料：郵貯資金研究会発行「郵便貯金の経営動向（平成18年版）」第3部統計

なった。その結果、陸軍によるクーデター、二・二六事件が起こり、翌年日中戦争が勃発し、「国家総動員法」による戦時体制に移行した。この間、特殊銀行として1936（昭和11）年、商工組合中央金庫[3]が設立され、不況対策として輸出産業のため中小企業振興策がとられた。軍需資金需要に応ずるため逓信省は1941（昭和16）年10月から長期資金調達のため「定額貯金」を創設した。その商品性は固定金利で預入期間は最長10年、一定の据え置き期間後、随時元利を払い戻すことができるというものであった。約定金利は預入期間により順次高めに設定され、複利で供給されるという民間にはない特別な高金利商品であった。

戸原つね子［2001：p15］は「定額貯金は定期性預金としては類のない特殊性を持っており、固定金利と据え置き期間後随時元利払い戻しの商品性は、国にとって大きなリスクを潜在させることになった」と指摘している。このことについては第3章にて、肥大化したゆうちょ銀行が抱える金利リス

---

[3] 中小企業金融疎通の任務を負う。

ク問題として論ずる。

　戦時体制に移行してから郵便貯金は軍費のための国債と国策会社に運用された。戦中戦後の財政状況と郵便貯金の関係は表1－2に示すように、満州事変勃発（1931（昭和6）年）とともに赤字国債の日本銀行引き受けが開始され、郵便貯金残高が1935年の32億円から1940年79億円、終戦時1945年に471億円と急増した。1934年から1944年の10年間に無集配特定局が3,547局増え、郵便貯金が増える要因となった。

表1－2　政府債務残高および郵便貯金残高推移

	名目GNE（億円）	政府債務残高（億円）	郵便貯金残高（億円）	無集配特定局
1930年	139	68	24.9	4,240
1931	125	71	28.1	4,367
1932	130	79	27.7	4,469
1933	143	89	29.1	4,639
1934	157	98	30.6	4,785
1935	167	105	32.3	5,027
1936	178	113	34.8	5,337
1937	234	134	38.9	5,750
1938	268	179	47.3	6,073
1939	331	236	61.5	6,372
1940	394	310	79.1	7,516
1941	449	418	99.7	7,803
1942	544	572	130.4	7,983
1943	638	851	189.7	8,226
1944	745	1,520	303.7	8,332
1945	―	1,995	471.5	7,532

資料：日本銀行百年史資料より筆者作成

名目国民総支出および政府債務残高が急増した状態を分析した先行研究として、日本銀行調査局が1966（昭和41）年に出版した「わが国の金融制度」の67ページに第5表「国債残高と国民総生産の比率」（表1－3）がある。この表は戦中から終戦後までのわが国の国債残高と国民総生産との関係がどのように推移したかを分析し、戦後復興時に両者の関係が如何に正常な姿になったかを示したものである。表1－3が示すように、終戦直後のわが国の負債超過状態が、正常な財政状態に回復した要因は、預貯金の実質価値が1945年から51年にかけて、100分の1になった激しいインフレに見舞われたことや、1946年の日本銀行券預入令公布（預金封鎖）が施行され日銀券500億円が強制的に金融機関に預け入れられたこと等であった。更に1946年の「大蔵省預金部等損失補償特別処理法」によって、損失62億円が処理されたことも要因であった。1878（明治11）年から続いてきた第1期預託金制度の時代が終焉を迎えたのである。郵便貯金も一部引き当て財源とされ、その後1959年になって払い戻しされることになったものの、インフレで減価し、実質価値はゼロに等しいものとなった。三和良一［1993：pp169～170］は「戦後インフレの基本的な原因はすでに戦時中に形成されていたが、敗戦後カネとモノのアンバランスが、臨時軍事費の大量放出や、日銀借り入れを主要財

表1－3　国債残高と国民総生産の比率

（単位：億円）

〈間隔〉	昭和5年度末	11年度末〈6年〉	19年度末〈8年〉	24年度末〈5年〉	34年度末〈10年〉	37年度末	38年度末	39年度末〈5年〉
国債残高（A）	61	110	1,095	5,104	11,197	11,290	10,227	11,497
うち長期内国債（B）	44	92	1,067	2,908	4,598	4,137	4,245	4,332
短期証券	1	4	19	1,190	5,782	6,671	5,516	6,555
外国債	14	13	8	1,006	816	482	463	610
国民総生産（E）	138	178	745	33,752	133,772	210,515	246,889	282,360
比率（A/E）（％）	44.2	61.8	147.0	15.1	8.4	5.4	4.1	4.1
比率（B/E）（％）	31.9	51.7	143.2	3.6	3.4	2.0	1.7	1.5

資料：日本銀行調査局「わが国の金融制度」（1966年）

表1－4　戦中戦後の財政状況
(単位：億円)

〈間隔〉	昭和5年度末	11年〈6年〉	19年〈8年〉	24年〈5年〉	34年〈10年〉	39年〈5年〉
長期内国債A	44	92	1,067	2,908	4,598	4,332
名目国民総生産B	138	178	745	33,752	133,772	282,360
A/B（％）	31.9	51.7	143.2	8.6	3.4	1.5
一般歳出C	15.5	22.8	198.7	6,994	14,953	33,109
C/B（％）	11.5	12.8	26.6	20.7	11.1	11.7
郵便貯金残高D	23.4	34.8	303.7	1,220	9,866	22,000
D/B（％）	16.9	19.6	40.6	3.6	7.3	7.8

資料：日銀統計局「本邦主要経済統計」

源とした銀行貸出しの急増、預貯金引出による換物運動の激化等が直接の原因となって、インフレが爆発的な勢いで進行した」と分析している。なお、表1－4は表1－3をベースに一般歳出額と郵便貯金残高を加え、各々名目国民総生産額に対比する比率を算出し、年度ごとの推移を示したものである。A/B、C/B、D/Bの比率は終戦を境に大幅に低下し、正常な比率に戻っている。

　GHQの経済財政政策は強力に推進された。1949年にはドッジライン[4]が制定され、日本経済の自立と安定のために財政金融取引引き締め政策が導入された。主たる実施策は、①インフレ抑制のため国内消費抑制と輸出振興、②超均衡予算、③日銀借り入れ返済優先、④単一為替レート1ドル360円の固定相場制の制定、⑤戦時統制の緩和、自由競争の促進であった。次に、翌年シャウプ税制改正[5]が行われた。主たる政策は、①税負担の公平性、②直接

---

[4] 1949年2月占領下の日本経済の自立と安定のための、財政金融引き締め政策のこと。GHQ経済顧問であるデトロイト銀行頭取ジョセフ・ドッジ氏の立案によるもの。
[5] 1949年コロンビア大学教授カール・シャウプを団長とする使節団が日本の租税制度改革を行ったもの。

税中心主義（所得税の累進課税：贈与税相続税の最高税率引き上げ等）、③地方自治の独立性の強化（地方税源の拡充、国地方自治体間の徴税と行政責任の明確化）とした。

　この結果、戦後間際まで増え続けた郵便貯金は、1945年471億円から1951年2,008億円と増えたが、インフレにより実質価値は100分の1となり2,008億円は20億円となった。471億円から22分の1になったことになる。1951年の民間金融の全国銀行の預金は1.5兆円で郵便貯金の7.5倍もあり、戦後経済復興は民間金融主導となり、郵便貯金の役目は一旦終えていた。国民の犠牲（国民負担）によって、官製金融機関が終焉の時期を迎えたといえよう。この日本銀行調査局が指摘した掲題書［1961］第3章1(2)に記載した課題解決のプロセスは歴史的、原理的な教訓として特筆されるべきものである。

　明治初期から太平洋戦争までの郵便貯金残高の推移と民間貯蓄預金残高の推移を、図1－2に示すように鳥瞰すると、「市場と政府」「小さな政府と大きな政府」という関係を読み取ることができる。日本の近代化は列強の欧米諸国のはざまで国家の威信をかけて押し進められたため、特にその流れは戦争や経済危機・災害時に顕著に現れる。政府のバックアップは財政・金融面では政府保証が前面に押し出され、官製金融は国家財政と一体となった。そして国家の敗戦によって政府債務は国民負担となり、インフレにより国民の資産は実質ゼロからのスタートとなった。

　日清戦争までの日本の近代国家作りに重きを置いた郵便貯金の第1期預託金時代に創設されたわが国の金融制度は、今日の金融財政制度に類似した5つの課題を残したと考えられる。その第一の課題は3メガバンクに残る財閥制度の名残、第二は第一地銀に残る一県一行主義、第三はゆうちょ銀行に残る肥大化した郵便貯金残高、第四はゆうちょ銀行とかんぽ生命に残る巨額の国債引き受け残高（含む日銀預け金）、第五は政府の財政赤字に残る巨額の政府債務残高である。

　これら5つの課題は太平洋戦争終結によって第1期預託金制度の時代が強制的に終わりを告げたことで一旦は解消したようにみえた。しかし、第2期

図1-2　郵便貯金残高と民間貯蓄預金残高の推移

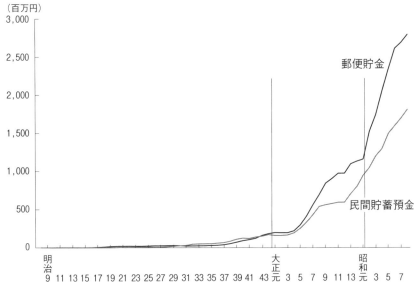

資料：『郵政百年史資料第15巻　六十年間における郵便貯金経済史観、続郵便貯金経済史観』より筆者作成

預託金制度の復活によって再び課題となっていくのである。

 官製金融の復活──第2期預託金制度～戦後高度経済成長からバブル崩壊後金融自由化まで

　太平洋戦争終戦後、大蔵省の財政資金の運用はGHQの指揮下にあり、運用先は国債や地方債にのみに限定された点は、明治初期の預託金制度のスタンスと同じであったが、郵便貯金は公共の利益のためにという大義名分もあり国債や地方債は長期産業資金として運用されることになった。

　1949（昭和24）年郵政省は郵便貯金復活のために、定額貯金の商品性を改定した。その内容は民間金融に対抗するために据え置き期間を1年から6カ月に短縮し、最長10年まで固定金利の半年後利払いで元加される高利回りの

商品となった。また通常貯金の金利は2.76%と民間の1.83%より高く決められた。また、郵便貯金には利息の非課税制度も設けられ優位性があった。このため郵便貯金は急増し、大蔵省は産業界の要望である長期設備資金への供給体制を整えるため、1951（昭和26）年「資金運用部資金法」を制定した。郵便貯金は再び大蔵省の第2期預託金制度の仕組みに組み込まれ、第1期とは違った郵便貯金→大蔵省預託金→財政投融資という資金の流れになった。郵貯資金研究協会 [2006] によると、資金運用部資金法では郵便貯金や政府の特別会計の積立金等の政府資金を資金運用部に統合し、一元的に運用することになった。預託利率は法定とされ当時貯金利子は年6.3%であったのに対し、預託金利子は年5.5%と逆ザヤとなっており、一般会計から郵便貯金特別会計に繰り入れる規定を設けた。運用先は国（一般会計・特別会計）や地方公共団体、その他全額出資法人に限定した。郵便貯金が預託金を通じて自動的に「国の第二の財布」といわれる所以である。

　明治初期に近代国家作りのため、郵便貯金の預託金制度がその金融財政政策の主導的役割を果たしたように、郵便貯金は再び、戦後復興という目標の下、その預託金制度に則って国の財政と深く関わることになった。規制金利下において、郵便貯金は国家の金融政策の庇護の下にあり、政府保証という民間金融より資金調達において有利な競争条件を備えた再スタートであった。

　「資金運用部資金法」の制定により政策金融機関として、1951（昭和26）年に日本開発銀行（日本政策投資銀行の前身）が設立され、1953年に農林漁業金融公庫、中小企業金融公庫が設立された。同年、財政投融資計画が予算化され、長期産業資金として運用された。更にインフラ整備のため、1955年に日本住宅公団、1956年に日本道路公団や森林開発公団が設立され、財政投融資制度は拡大し続けた。

　経済成長とともに財政投融資資金需要は増え、これを賄うために政府によって郵便貯金増加策がとられた。郵便局数を増やして、個人顧客数を増加させ、更に一人当たりの預入限度額を拡大することによって郵便貯金残高は

増えていった。そして、金利においても、郵便貯金は、規制金利下にある民間金利よりも、高い金利を設定することができた。

具体的には、郵便局数は1955（昭和30）年の1万5,566店から10年間で3,174店の増加となった。預入限度額については昭和30年6月に10万円から20万円に引き上げ、昭和32年30万円へ、昭和37年に50万円へと引き上げられた。更に1965（昭和40）年には100万円に引き上げられ、預入限度額は10年間で10倍増となった。この結果、1955（昭和30）年には5,381億円であった郵便貯金残高は、1965（昭和40）年には2兆7,000億円と5倍になった。筆者は1966（昭和41）年に住友銀行に入行し、その後の起伏に富んだ経済動向や金融政策の展開などを身をもって体験したが、それは本著の執筆においても重要な知見となっている。

官製金融機関に対して、民間金融機関は高度経済成長の波に乗って、製造業を中心に産業設備資金を供給するため、より個人預金の増強に注力した。しかし、店舗網や金利、商品性（定額貯金）で郵便局との競争には勝てず、資金調達に苦労した。大手都市銀行は企業系列やメインバンク制度を活用し、取引先企業の従業員を囲い込み、個人の預金を企業に還流させることに専念した。企業の資金需要が旺盛であったため、資金調達力が資金運用力を決めるという、異常な経済成長時代であった。図1－3に示すように、官・民金融機関の預貸金残高はバブル崩壊までパラレルに増加した。日本の名目GDPは1955年の8,538億円から1965年には33兆円となり1969年にはついに西ドイツを抜いてアメリカに次ぐ世界第2位の経済大国になった。

1971（昭和46）年のニクソンショック[6]と1973年の第1次オイルショックによってわが国の経済は低成長期に入る。この時代、日本は石油の調達問題や公害問題に直面し、産業構造の転換をせまられた。しかし、省力化・自動化・IT化等、先端技術を取り入れ、自動車産業・電気産業・精密機械産業

---

[6] アメリカのニクソン大統領がドルの金兌換の停止を、議会にも諮らずドル防衛のため、宣言したことをいう。1985（昭和60）年プラザ合意による再度の円高を経て日米貿易戦争は収束に向かう。

図1−3　昭和28年〜平成21年　官製金融、国債と全国銀行の残高推移

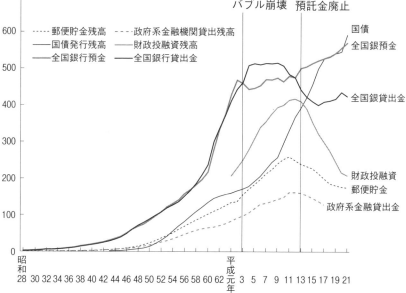

資料：財務省、全国銀行協会、日本郵政等の資料より筆者作成

等を核として、低成長ながらも見事に成長を続けた。その間、個人金融資産や対外資産も増え、国力は厚みを増していった。そして、官製金融も民間金融も持続的な経済成長を支える金融・財政制度の車の両輪となり順調に走り続けたのである。

　先進国として実力をつけた日本の経済は貿易立国の要である為替に問題を抱えることになった。1971（昭和46）年8月、アメリカのニクソン大統領はドルの金との交換停止と輸入課徴金賦課等ドル防衛策をとった。そして、固定相場制から変動相場制に移行した。1973年2月、円も変動相場制に移行し、1ドル360円が264円となり、この円高は輸出関連企業にとって大打撃となった。

　同年10月に、第4次中東戦争勃発により第1次オイルショックが起きた。

原油価格は、1バレル2ドル台が一挙に翌年1月には11ドルに跳ね上がった。原油価格の高騰はエネルギー、石油製品の値上りとなり、先進国の経済成長は生産コストの上昇やドルショック、オイルショックに見舞われ低迷した。しかし、日本は「日本列島改造論」[7]に端を発する公共工事ブームが続き、通貨供給量も増加したことで一時「狂乱物価」と称されるインフレが高進、給与のベースアップも相まって名目GDPは拡大した。

　この間、郵便貯金と民間金融機関の預金は伸び率の差はあるもののそれぞれ増え続けた。昭和46年の郵便貯金残高は9兆6,000億円で、全国銀行の預金残高は50兆6,000億円、貸出金残高49兆円であり、名目GDPは80兆円であった。1985（昭和60）年にはそれぞれ郵貯残高102兆円（10.6倍）、全国銀行預金残高217兆円（4.3倍）、貸出金残高237兆円（4.8倍）、名目GDPは327兆円（4.1倍）となった。個人金融資産残高は、1979（昭和54）年の332兆円から1989（平成元）年の982兆円へと3倍になった。

　1985（昭和60）年9月、先進5カ国蔵相・中央銀行総裁会議において、プラザ合意がなされ「ドル高是正の協調政策実施合意」が発表された。その結果、ドル安（円高）が進み1ドル230円台が168円となった（図1－4参照）。

　その後も円高が進んだことから、政府は内需拡大政策を打ち出した。その結果、民間の不動産投資や公共事業投資が活発になり日本はバブル期に突入していった。経済成長政策が主役から降り、金融政策が主役となった時であった。

　不動産売買等により政府の一般会計の税収は、1985（昭和60）年に38兆2,000億円であったが、1988（昭和63）年50兆8,000億円、1990（平成2）年60兆1,000億円と急増した。2011（平成23）年の一般会計税収40兆9,000億円と比べるとバブルの大きさがわかる。

　プラザ合意後の1987（昭和62）年から、バブル崩壊の1991（平成3）年ま

7　1972（昭和47）年田中角栄内閣が提唱した政策構想。高速道路、新幹線など高速交通網の建設を中心に地方都市建設、地方への工場移転等の新しい国作り政策。日本の高度経済成長はピークに向かう。

図1-4　日本の為替の自由化と戦後の円／ドル相場の推移

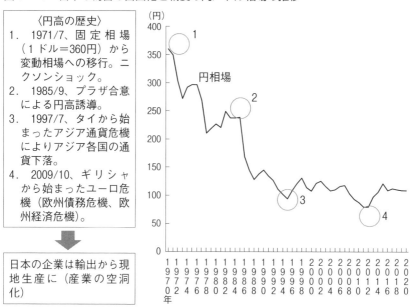

資料：IMF Exchange Rate Archivesのデータより筆者作成

での4年間に全国銀行は貸出金162兆円を増やし同年の残高を462兆円としている。預金も187兆円増え残高を459兆円とした。一方、政府金融機関は貸出金30兆円を増やし、財政投融資は45兆円増加するにとどまった。残高は、政府金融機関で97兆円、財政投融資で250兆円であった。郵便貯金は、この間55兆円増え同年の残高は155兆円となった。株価は、1989（平成元）年末に3万8,915円の史上最高値をつけた。振り返れば大蔵省公認による民間金融機関の異常な貸出競争であった。

　岩本康志・大竹文雄・齊藤誠［1999：p136］は「円高不況対策として日本銀行は5回にわたる公定歩合を引き下げた。この間財政再建も政策課題となっており、財政政策によって景気対策を積極的に展開することができなかった。そのために金融政策に一層景気対策の比重がかけられた」と論じている。

このほか、わが国の出来事を俯瞰的に分析した、ハーバード大学のアンドリュー・ゴードン教授[8]［1993：p７、p12、p33］の「戦後日本の定義と時期区分および戦後の位置づけ」が『歴史としての戦後日本』に収められている。この著作において「日本の戦後は1945年から1990年までであり、本著に収録した各論文のあいだには、三期間に分けたことについて合意が成立している。そして、1990年のバブル経済の崩壊が日本の戦後期が終わった、とする人は今日では皆無だろう」と述べている。更に、「戦後日本の位置づけとして、明治維新と太平洋戦争とそれに続く占領体験は、日本の近代史における大変革期であり、その後の戦後日本の歴史をより長い歴史過程の一環として、理解することが重要である」と論じている。これを前提にゴードン教授は京都大学東アジア経済研究センターの講演会において「バブル経済崩壊後の日本経済は、戦後経済成長の終焉を認識できないまま、内需拡大政策をとり続け市場がアジアや新興国に移行しつつあることを読めなかった。すなわち、国内総生産（GDP）から国民総所得（gross national income、以下GNI）を増やす政策に転換すべきであった」と述べている。このゴードン教授が指摘したGNIを増やす政策は歴史的、原理的な教訓として受け止めるべきである。

　1991（平成３）年のバブル崩壊以降、過剰融資等によって巨額の不良債権処理に困窮し信用を喪失した民間金融機関から多額の預金が郵便貯金へ流出した。1998（平成10）年に政府は「金融機能安定化緊急措置法」を制定し、都市銀行17行に１兆4,200億円の公的資金を優先株・劣後債で注入し、自己資本の増強をはかった。更に、「金融機能再生法と早期健全化法（公的資金による資本の増強）」が公布された。これによって民間金融機関は抜本的な不良債権処理を行い健全化に向かった。信用不安に陥った民間金融機関から流出した個人預金は、郵便貯金残高を増加させ、平成２年の残高136兆円は平成12年に249兆円となり10年間で113兆円増加した。

---

[8]　Andrew Gordon、ハーバード大学歴史学部教授、専門は日本近現代史、労働史。

吉川洋［2003：p46］は「もっとも不良債権問題は決して日本固有の問題ではない。1980年代以降に限ってもアメリカ、スウェーデン、韓国など多くの国が深刻な不良債権問題を抱えた。こうした国々では一時的に危機的な状況に陥ることがあっても、問題を大胆に処理し経済をV字回復させることに成功した。残念ながら日本経済は不良債権問題の処理に失敗し、問題を深刻化させることになった」と述べている。

　信用不安に伴う預金の預け替えに加えて、公定歩合の引き上げが続いた結果、定期預金金利の先安観がみえ始め、郵便貯金のなかでも長期固定で高金利の定額貯金へのシフトが急速に進んだ。1991年の定額貯金の金利は6.33％で10年据え置いた後の最終利回りは8.65％となり、10年後の満期時には元利で倍近くになるという極めて魅力的な商品であった。

　このため、GDPに対する郵便貯金残高の比率が急上昇し、2004年まで同比率は40％台となった。同時に、政策金融機関の融資残高は1990年の91兆円から2000年には162兆円と、10年間で71兆円増加した。財政投融資残高も1990年の228兆円から2000年に417兆円と、10年間で189兆円の大幅な増加となった。表1－5に示すように1996（平成8）年政策金融機関の貸出金と財政投融資残高の合計は、GDP対比100％となった。

　不良債権処理によるマクロ経済への影響を緩和するため、1992年から1999

表1－5　全国銀行残高と官製金融残高の推移

（単位：兆円）

	全国銀行残高		官製金融残高				名目GDP (b)	GDP比 (a/b)
	預金	融資	郵貯	政策金融	財投融資	融資計 (a)		
昭和40年度	20.6	19.2	2.7	3.3	5.1	8.4	33％	25.4％
平成元	429	412	134	83	207	290	414	70.0
8	469	513	224	137	377	514	513	100
12	476	475	249	162	417	579	504	114
25	631	447	176	72	172	244	492	49.6

資料：全国銀行残高は全銀協財務諸表、郵便貯金残高はゆうちょ財団

年まで、8次にわたる総合経済対策が行われ、事業規模合計118兆円の財政出動が行われた。一般会計や特別会計を通じて赤字国債や建設国債で、基礎的財政収支の赤字を埋めてきた結果、国債残高は1990年度の166兆円から2000年度には367兆円と、10年間で201兆円増加した。肥大化した郵便貯金は財政投融資の肥大化を通じて、地域振興整備公団や宅地開発公団等163の政府系特殊法人の乱立を招き、市場規模を硬直化させてきた。

政府(橋本内閣)は、1997(平成9)年12月「中央省庁等改革基本法」において、急速に財政投融資残高と政策金融残高がGDP対比100%になるまで増加したことを問題視し、調達サイドである郵便貯金の預託金制度の廃止と自主運用を決めた。そして、1999(平成11)年12月大蔵省は「財政投融資制度の抜本的改革案(骨子)」を発表し、郵便貯金、年金保険料の預託金制度の廃止、および財政投融資の民業補完、国債償還の確実性を謳った。2000(平成12)年財政投融資残高は417兆円とピークを迎えた。

2001(平成13)年の「財政投融資改革」「特殊法人整理合理化計画」について述べる。この2つの制度改革によって官製金融のメカニズムである預託金制度が廃止され、郵便貯金を「入口」とし、財政投融資や政策金融を「出口」とする資金の流れが出入り自由になり、わが国の金融市場は規制された

表1-6　日本の一般収支対GDP比率および長期債務残高対GDP比率推移

		1993年	1998	2000	2001	2002	2003
一般歳入	(兆円)	54.1	49.4	50.7	47.9	43.8	43.3
一般支出	(兆円)	76.1	84.4	89.3	84.8	83.7	82.4
一般収支	(兆円)	▲22	▲35	▲38.6	▲36.9	▲39.9	▲39.1
収支対GDP比率	(％)	▲6.6	▲6.6	▲38.6	▲7.1	▲7.7	▲7.5
長期債務残高	(兆円)	333	552	645	673	698	691
GDP	(兆円)	482	526	528	519	514	517
対GDP比率	(％)	69	105	122	130	136	134

資料:財務省

市場から自由な市場に変わった。

同時に金利の自由化によって、郵便貯金は自主運用となり運用先を自由に選択できるようになった。鹿野嘉昭［2006］は金融制度改革について規制緩和の遅れが、日本版ビッグバンを促し金融の自由化をもたらしたと分析している。

2000（平成12）年のゼロ金利政策により、郵便貯金は、不良債権処理を終え、バランスシートを改善し、信用力を取り戻した民間金融機関に再び預け替えられた。政府は財政投融資計画を減少させ、財政投融資残高をピークの2000年の417兆円から10年後の2010年に189兆円まで大幅に減少させた。

しかし、財政投融資残高は半減したものの、一般会計の基礎的財政収支の赤字が続き、赤字国債が発行され、更に巨額の公共投資によって建設国債が発行された。政府の債務残高は増え続けた。その結果、政府債務残高はGDP対比200％を超え先進国のなかで突出し、危機的な状況にある。第2期預託金制度時代後の政府債務残高と対GDP比率の推移および一般会計と対GDP比率を示したものが表1－6である。

第1期預託金制度が太平洋戦争によって、政府債務残高対GNE比率が200％になり終焉を迎えた教訓が生かされず、2012（平成24）年の政府債務

2004	2005	2006	2007	2008	2009	2010	2016
45.6	49.1	49.1	51	44.3	38.7	41.5	55.5
84.9	85.5	81.4	81.8	84.7	101	95.3	97.5
▲36.3	▲36.4	▲32.3	▲30.8	▲40.4	▲62.3	▲53.8	▲41
▲6.9	▲6.9	▲6.1	▲5.8	▲7.9	▲12.6	▲10.7	▲7.6
732	758	761	766	770	819	861	1,056
521	525	529	530	509	492	499	539
141	144	144	14	151	167	173	196

残高対比GDP比率は229％と増え続けている。米澤潤一［2013：p137］は国債残高増加の要因分析において「昭和40年度から平成24年度までの48年間の国債発行額累計は852兆円で、PB赤字累計343兆円と国債費509兆円の合計である。本来国債残高はPB赤字と国債費のうち利払い費の合計だけ増加するはずである。PB赤字累計343兆円と利払い費累計320兆円の合計、プラス不突合38兆円で、国債残高が701兆円増加した」と明解に分析している。

次節では、実質的な預託金制度が続いていることを明らかにする。

第2節
民営化後も存続する実質預託金
―国債と日銀預け金への付け替え―

　2001年以降も日本の名目GDPは500兆円前後と横這いが続き、税収を増やすことができなかったため、膨大な国債残高となった。そして国債の引き受けを支えたのが、2012年時点の1,500兆円から増え続ける国民の個人金融資産であった。長引くゼロ金利政策にあっても、預貯金は増加している。郵便貯金についても毎年0.5兆円の規模で増加している。増え続ける預貯金の運用先がない民間金融機関は、自己資本比率規制（以下BIS規制[9]）上、リスクウェイトがゼロの国債運用に偏重し、短期国債を中心に国債保有残高を増やした。一方、ゆうちょ銀行や年金保険資金は長期国債を引き受けた。このため国・地方の財政は赤字国債であるものの、海外からの資金流入に頼らず、国内の資金で国債の引き受けが可能となっている。わが国の個人金融資産は2001年以降も増加し、2018年3月で1,829兆円に及んでいる。うち預貯金961兆円、年金・保険522兆円で預貯金は全体の52.5％を占め、ゆうちょ銀行や

9　Bank for International Settlements（国際決済銀行）の頭文字。

地方銀行等の金融機関が国債を引き受けている。以上に述べたことは表1－7に示すゆうちょ銀行の預貯金残高や預託金残高、国債保有残高、日銀預け金残高の推移からも読み取ることができる。本節では、預託金制度は廃止され、郵便貯金が自主運用となったとはいえ、ゆうちょ銀行の大半が国債と日銀預け金に運用されている実情について検証してみたい。

預託金制度がなくなり、政府債務残高は縮小したかにみえたが、個人金融資産の預貯金が国債を引き受け、その後国債残高は増え続けている。図1－5はこの資金フローを示したものである。

2013年より、日本銀行は金融緩和策として既発国債の購入を行っている。銀行が保有する国債が日本銀行に買い取られるが、その売却代金は市中には

表1－7 郵便貯金、預託金、国債、預け金残高推移　　　　　　　　　　　（単位：兆円）

		調達		運用					
		郵便貯金	うち定額貯金	預託金①	国債②	預け金③	①+②+③	外債④	①～④計
郵政公社（郵貯）	2004年3月	227	159	156	89	7	252	4	256
	2005年3月	214	146	118	113	6	237	3	240
	2006年3月	200	135	80	133	7	220	3	223
	2007年3月	187	120	52	147	7	206	3	209
ゆうちょ銀行	2008年3月	182	119	21	157	9	187	1	188
民営化	2009年3月	177	105	9	156	6	171	1	172
	2010年3月	176	97	2	156	4	162	5	167
	2011年3月	175	99	0	146	5	151	10	161
	2012年3月	176	102	—	145	3	148	12	160
	2013年3月	177	101	—	138	9	147	16	163
	2014年3月	177	105	—	126	19	145	23	168
	2015年3月	178	106	—	107	33	140	33	173
15/11上場	2016年3月	178	104	—	82	46	128	45	173
	2017年3月	179	104	—	69	51	120	53	173
	2018年3月	180	99	—	63	49	112	59	171

資料：日本郵政公社およびゆうちょ銀行の各年度の財務諸表より筆者作成

図1-5　家計の預貯金はどこに運用されているのか？

家計の預貯金 ▶ 金融機関の預貯金 ▶ 金融機関の運用 ▶

家計のB/S（2017/3）　　　　　　　　　　　　　　　　（単位：兆円）

資　産		負　債	
預貯金	932	ローン	296

資料：日銀資金循環統計

金融機関のB/S（2017/3）　　　　　　　　　　　　　　（単位：兆円）

		資産（運用）		負債（調達）	
ゆうちょ銀行	国債 外債等 日銀預金	69 53 51		貯金	166
農協＝農中	国債 外債等	13 45		貯金	62
小計	国債 外債等	82 98		貯金	228
全国銀行 （個人）	国債 ローン 日銀預金	97 209	ローン 296	預金	447
信用金庫	国債 ローン	10		預金	138
信組・労金	ローン			預金	38
合計	国債 外債等 ローン 日銀預金	189 98 296 260	843	預貯金	851

資料：ゆうちょ銀行のB/S、農協・農林中金のB/S、全銀協・全国銀行のB/S、信金・信組・労金のB/Sより筆者作成

政府・日銀の債務

政府のB/S（2017/3） （単位：兆円）

資　産		負　債	
社会保障基金	562	国債	935

資料：財務省

日本銀行のB/S（2017/3） （単位：兆円）

資　産		負　債	
国債	417	発行銀行券	99
上場投資信託	12	預金（当座）	350 (342)
貸出金	44	その他	37
その他	17	純資産	17
合計	490	合計	503

資料：日本銀行

出回らずに日銀預け金350兆円[10]として運用されている。この資金の流れについて日本経済新聞［2013.10.6］は「日銀、消えた国債購入ルール―引き受けの先はどこに―」という見出しをつけ「気になる動きもある。銀行などに財務省の新規発行入札で落札した国債を、すぐに日銀に売る取引が広がっている」と詳細にその資金の流れの問題点を報じた。

日銀預け金350兆円のうち、ゆうちょ銀行が預け入れている金額は51兆円に上っている。預託金制度の郵便貯金→大蔵省預託金→国債運用という従来の資金フローは、現在ゆうちょ銀行（郵便貯金）→日銀預け金→国債運用となり、実質的には変わっていない。具体的にみてみると、①ゆうちょ銀行の運用は国債購入に偏重しており、加えて②ゆうちょ銀行は金融緩和政策下における国債売却代わり金を日銀預け金としてもっている。この51兆円が更に日銀による国債買い取りのための原資となり国債発行を促すこととなる。そして、ゆうちょ銀行は発行された国債を追加購入することとなる。この2つのルートにより官製金融機関（ゆうちょ銀行はまだ完全に民営化されていないことに注意）が国債運用を行っているが、この資金の流れが従来の預託金制度と実質的に変わらないことがわかる。

財務省と日本銀行は別の組織といえども、現在の日銀の金融政策はアベノミクス[11]の第2の矢「大胆な金融政策」と密接に関連しており、この資金フローの類似性は実質的に預託金制度が存続していることを示しているといえよう。

以下このような実質的な預託金制度が存続している状態が生じている原因を分析し、これに関連して官製金融民営化3行の課題を明らかにしたい。

10　2014年11月3日付日本経済新聞「日銀が10月31日に決めた追加金融緩和で、2015年度末時点のマネタリーベースは350兆円を突破し約450兆円の米国に迫る」
11　アベノミクス：2012年12月に決定した安倍内閣の経済政策。アベとエコノミクスをかけ合わせた造語。「財政出動」「金融政策」「成長戦略」という3本の矢で長期デフレ脱却を目指す政策。

民営化のプロセスが停滞したままの官製金融民営化3行の課題

　実質的な預託金制度が存続していることの根本的な原因は、政府が日本郵政や商工中金、日本政策投資銀行の株式を保有し続け、この3機関の全株式を売却しないことにある。加えて、政府はこの3機関の完全民営化後のあり方を示さず、そのロードマップを示していない。

　政策金融改革のあるべき姿とその道筋は、2001年の預託金制度廃止とともに「特殊法人等整理合理化計画」を策定し、2006年6月に決定された。郵政事業改革については2005年に郵政民営化法が成立し、日本郵政公社は2007年4月に日本郵政株式会社および傘下にゆうちょ銀行等4事業会社をもつ特殊持株会社になることが決まった。この一連の改革は郵便貯金銀行が調達する巨額の個人貯金を金融市場に還流させ、民間企業への運用により、低成長下にある経済を活性化させようとするものであった。更に政府は財政健全化のために、国債残高や政策金融残高、財政投融資残高等を削減し、政府債務残高を対GDP比において半減させることを目標とした。この金融構造改革は2007年の民営化スタートから7〜10年を経て3行の完全民営化を2017年に終える計画であった。

　郵政民営化について、加藤寛［1984：p8］は「郵政問題は単に事業運営の効率化といった小さなテーマではない。郵政問題をきちんと解決することが、政府の財政を立て直すことであり、ひいては行政の改革である」と述べている。また、全国銀行協会［2001：p1］は「わが国の郵便貯金は制度本来の目的を逸脱し、両・質ともに著しく肥大化を続ける一方で、納税義務の免除等といった『隠れた補助金』の存在を通じて、国民の実質的負担を強いているとともに、国家保証等の『官業ゆえの特典』などを有したまま、市場における資金フローを歪め、効率的な金融市場の形成を大きく阻害している」と指摘している。郵便貯金の将来像としては、①国民経済的な観点②日本ビッグバン推進上の観点③財政改革の観点④国際的な整合性の観点等の大

きな方向性から判断して、「郵便貯金事業の民営化」が目指すべき姿と述べている。具体的なあり方としては、地域分割型と規模の縮小を前提に全国一体型を挙げている。このほか分割民営化後の上部運用機関設置についても言及している。

　岩本康志は政策金融機関の民営化について、「法人の組織改革には、廃止、民営化、独立行政法人化等の選択肢がある。民営化すれば当該分野への介入から政府は完全に撤退することができ、蓄積された経営資源は新しい場で活用できる。従って、政策目的を失った機関を民営化することが改革の基本線である。産業政策にかかわる政策金融は、現在では役割を終えており日本政策投資銀行は民営化すべきである。輸出入金融も民間に委ね、国際協力銀行の旧日本輸出入銀行の部分を民営化する。商工組合中央金庫はもともと民間に近い組織形態であること、補給金に依存しない財務体質から民営化が容易である。従って、中小企業金融分野では健全な民間金融機関が必要とされており、民営化の先陣を切るのが望ましい。当面の危機対応は国民生活金融公庫と中小企業金融公庫にまかせればよい」と明確な方向性を示している。

　2007年10月ゆうちょ銀行の民営化および2008年10月に商工中金、日本政策投資銀行の民営化がスタートした。しかし、2008年10月のリーマンショック、2009年9月の政権交代、2011年3月の東日本大震災等、経済・政治・社会の情勢が大きく変わり、官製金融3行の民営化ロードマップを変更する事態が発生した。商工中金と日本政策投資銀行に関する法律は、上記の事態に対応すべく、以下のように度重なる法律の改正が行われ、危機対応業務や特定投資業務を口実に完全民営化へ厳しい条件がつけられた。

・2007年5月株式会社商工組合中央金庫法が成立し、商工中金は特殊会社として発足後、おおむね5～7年を目途として政府保有株式の全部（46.6％）を処分する。移行期の特例を廃止し、完全民営化として2008年10月1日民営化がスタートした。
・2009年6月リーマンショック後、危機対応業務強化に対応するため、商

工中金法の一部が改正され、2012年3月末まで政府は出資が可能とされ、2012年4月からおおむね5〜7年後を目途として完全民営化するものとした。

・2011（平成23）年3月11日東日本大震災が発生、それに対処するため、2013年5月財政援助を行う「財特法」が成立した。これにより政府出資可能期限が3年延長（2015年3月末まで）され2015年4月からおおむね5〜7年後を目途として完全民営化するとした。政府は2014年度末を目途として、政府による株式保有のあり方を含めた組織のあり方等を見直すとした。

・政府は2014年度末に見直しを行い、2015年5月商工中金法の一部を改正した。その要旨は「商工中金の完全民営化の方針は維持しつつ、危機対応及び成長資金供給に対し、投融資機能を活用すること」であった。具体的に、政府は当分の間危機対応業務実施のため商工中金に出資することができ、2020年度末までの間、特定の投資業務により、成長資金の供給を集中的に実施し、2025年度末までの同業務の投資資産をすべて処分し、同業務を完了するよう努めること、特定投資業務のために政府は商工中金に出資することができること、政府の保有する株式について、会社の目的の達成に与える影響および市場動向を踏まえつつ、その縮減を図り、できる限り早期に全部を処分すること、危機対応業務、特定投資業務に関する措置を講ずる間、政府に対し発行済み株式3分の1超、2分の1以上を保有することを義務づけること、とした。

ゆうちょ銀行と商工組合中央金庫の課題

日本郵政関連株式については2009年12月、民主党政権により「郵政株式の売却凍結法案」が可決された。その後、東日本大震災の復興財源のために発行された復興債の償還財源とすべく、日本郵政関連株式の凍結を廃案とし、

日本郵政、ゆうちょ銀行、かんぽ生命保険の日本郵政関連３社は2015年11月に同時上場した。

　当初の計画では2017年10月までに完全民営化される予定であった。民営化対象３社のうちゆうちょ銀行は上場を果たしたが、一般株主への株式売却は11％で、親会社である日本郵政株式会社が89％を所有したまま、上場後４年半経過しているのは異常事態である。

　2015年２月東京証券取引所は日本郵政グループ３社の上場に関わる特例を制定した。その特例は、通常市場第１部に直接上場する場合、流通株式比率に係る基準が35％以上となる見込みがあることなどが求められるが、これを適用しないものとした。理由は2012年４月26日参議院総務委員会の付帯決議「可能な限り株式が特定の個人・法人へ集中することなく、広く国民が所有できるよう努めること」や日本郵政グループ３社の会社規模が大きいことを踏まえると、株式の円滑な流通と公正な価格形成を担保するのに十分な流動性が必要であると考えられたことである。

　ゆうちょ銀行が４年半も流通株式比率を11％にしたままにしているため、親会社の日本郵政株式会社は引き続きゆうちょ銀行の配当政策に関わり、３％の高配当を享受している。ゆうちょ銀行は低金利政策の下、減収減益傾向にありながら、日本郵便への委託手数料の引き下げや支出の削減を行わず、結果としてゆうちょ銀行の少数株主である一般株主の権利を阻害していると指摘されても仕方がない。ゆうちょ銀行の経営者なかんずく社外取締役は、コーポレートガバナンスを発揮して、日本郵政グループの親子間取引の精査と一般株主保有比率35％以上の早期実現を、少数株主の権利擁護のために行う必要がある。

　一方、商工中金は、度重なる法律改正によって危機対応業務や特定投資業務に深く関わってきたが、政府による金利補填や保証付き融資であり、融資をする商工中金にとっても融資を受ける側にとってもリスクのないものであったため、不正融資が横行するという結果を招いた。2007年10月政府は商工中金に行政処分命令を下し、2018年１月には「商工中金の在り方につい

て、4年間の事業改革の成果を踏まえ完全民営化の実行の移行を判断する」として、社長を更迭し民間からの社長を選任した。商工中金の社長は民営化以前の2008年まで通産省（現在の経産省）の出身者が就任してきたが、民営化時点で、民間人の元新日鉄の副社長関哲夫氏が就任した。ところが2013年以降再び経産省の出身者が2代続けて社長に就任するなど、民営化が逆戻りする状況となっていた。

　官製金融民営化3行の完全民営化へのあり方や、そのロードマップがあいまいなまま、世界に類をみない肥大化した郵便貯金が存在し、政府や日本銀行が国債や預け金の運用に深く関わっている構図は、実質的な預託金制度が存続しているといわざるをえない。

第3節　預託金制度から考察される財政健全化方策

　本節では戦中戦後と、現在を比較した政府債務増加と郵便貯金肥大化の類似性、および財政悪化状況と郵便貯金肥大化の類似性から、考察される金融構造改革による財政健全化の方策を探ることとする。

　図1－6は「戦中戦後の国債残高と国民総生産に関する分析表」における一般歳出と郵便貯金残高および政府債務残高と郵便貯金の関係を示したものである。

　以下、戦中戦後の財政状況と現在の財政状況の類似性についてみていくこととする。図1－6は1930年から2016年まで85年間の政府債務残高の対名目GDP比率と郵便貯金の対名目GDP比率の推移を示している。まず、1931年の満州事変以後、日本銀行引き受けによる戦費調達のための国債が急増していく時期から、太平洋戦争終戦直前の軍費調達がピークとなる15年間を示し

図1-6 戦中・戦後期とバブル経済崩壊後・金融自由化期の類似性を政府債務残高と郵便貯金残高GNE/GDP比率からみた課題

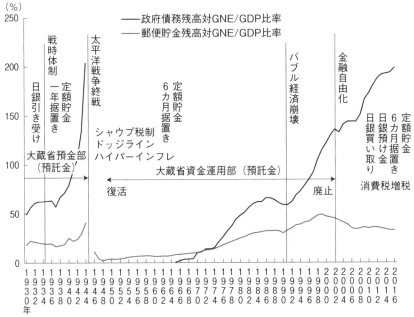

資料：『日本郵政百年史』、日本郵政公社、ゆうちょ銀行のデータより郵便貯金残高推移を筆者作成
『日本銀行百年史』、大蔵省、財務省のデータより政府債務残高推移を筆者作成

ている。政府債務残高の対GDP比率のピークは200％となり、郵便貯金残高の対GDP比率は40％となった。そして、1945年の終戦処理においては、日本銀行券預入令や財産税法の施行等戦後処理策と猛烈なインフレ、急激なGDPの増加にともなって、国民が引き受けた政府債務やゆうちょ銀行預金が減価してしまった。つまり政府財政と郵便貯金制度は破綻することなく、結局国民負担となってしまったのである。

次に、1951年の預託金制度の復活によって第2期預託金制度になるが、結果として、政府債務残高対比名目GDP比率は200％弱、郵便貯金残高の同比率は40％台と太平洋戦争終戦直前と同様の状態になった。郵便貯金残高の同

比率は2001年以降の財政投融資改革や特殊法人改革等の効果もあり30％台に低下したが、その後同水準にとどまったままである。

表1－8は日本銀行調査局「わが国の金融制度」[1966：p67]の第5表の一般歳出に、筆者が郵便貯金残高および政府債務残高を加え郵便貯金との関係を示したものである。(1)は第1期預託金制度下であり、(2)は第2期預託金制度下の財政悪化へ向かう状況を数値で示した。この2表の類似性がもつ

表1－8　戦中戦後の財政状況と現在の財政状況の類似性
(1)　戦中戦後の財政状況　　　　　　　　　　　　　　　　　　　（単位：億円）

〈間隔〉	1930年度末	1936年度〈6年〉	1944年度〈8年〉	1949年度〈5年〉	1959年度〈10年〉
政府債務残高A	68	113	1,519	2,908	4,598
長期内国債	44	92	1,067	2,908	4,598
名目国民総生産B	138	178	745	33,752	133,772
A/B（％）	49.3	63.5	204.0	8.6	3.4
郵便貯金残高D	23.4	34.8	303.7	1,220	9,866
D/B（％）	16.9	19.6	40.6	3.6	7.3

資料：日銀統計局「本邦主要経済統計」をもとに筆者作成

(2)　バブル崩壊後失われた20年の財政状況　　　　　　　　　　　　（単位：兆円）

〈上記と同じ間隔〉	1997年度末	2003年度〈6年〉	2011年度〈8年〉	2016年度〈5年〉	2026年度〈10年〉
政府債務残高A	373	630	865	1,012	1,178
国債残高	257	456	669	845	1,178
名目国民総生産B	521	501	470	539	732
A/B（％）	72	125	184	188	160
郵便貯金残高D	240	227	175	179	179
D/B（％）	46.0	45.3	37.2	33.2	24.4

資料：日本銀行調査統計局資料、政府公表資料（2018/1）をもとに筆者作成

課題を見つけることによって、財政の健全化をはかる方策を見出してみたい。

この類似性に注目した論文としては、齊藤誠［2016］および［2018］がある[12]。齊藤は、これらで「戦中・終戦期のヘリコプターマネー狂想曲」と称して論じている。戦中に政府債務残高が増加していた状況を名目GNE対比で示し、終戦時までの異常な財政悪化状況を分析している。そのうえで、バブル崩壊後から20年間のデータをもとに、政府債務対名目GDP比率および民間貯蓄対名目GDP比率を用いて、現在の日本経済が抱えている社会保障負担や景気対策は国民にとって「戦争」であると述べている。その結果、齊藤誠［2016：p10］は「国家が「戦争」で負う政府債務の拡大は、私たちが将来の備えとした貯蓄の範囲内に止めるというのが、私たちが将来世代に対して守るべき節度なのだと思う」と論じている。

齊藤と筆者の視点の違いは民間貯蓄と郵便貯金（預託金と国債）がGDPに対して、いかなる状況にあるかであるが、比較考として齊藤と筆者の考え方の結論は同じである。

齊藤がいうバブル崩壊後の不況対策や社会保障による財政規律の悪化は、国債の新発債を増大させた。一般歳出赤字の穴埋めをしてきた国債の新規発行は郵便貯金に支えられてきた。そして、この構図はいまだに絶ちがたく、一般歳出問題もこの状況を解決するためには、基礎的財政収支を黒字化するほかない。この課題解決方法として、齊藤の言う低成長、低インフレ、低金利政策のもと経済を安定させ長期に税収を増加させ、歳出を抑制し一般歳出収支を黒字化し、債務を返済する方法と高度経済成長、ギャロッピングインフレ、高金利政策のもと資産価値の減価をはかりながら債務の返済を短期的に行う方法がある。現実的な解決方法として、齊藤が言う「国債は税金で返済するもの」という原則論に従えば、わが国は個人金融資産約1,800兆円を保有し、対外純資産350兆円を保有する等リスク吸収能力は高い。更に消費

---

[12] 齊藤誠：一橋大学国際公共政策大学院における2017年4月19日同趣旨の講演録も参照。

税等に増税の余地もあり、長期にわたって政府債務を返済する仕組みを持ち合わせている。

この猶予期間に持続的な経済成長ができる国力を備え、「殖産興業」のための金融財政制度改革を行う必要がある。その1丁目1番地として、上場による官製金融機関の完全民営化を行い、自由で公平で効率的な金融市場において国内の低成長、低金利、低インフレの環境に耐えうる経営基盤を作り上げるための金融構造改革を行う必要がある。海外市場への戦略を展開し、収益力を強化し、GDPのみならずGNIを増加させることが課題解決の最善の方策であると考える。

第 2 章

業態別および業態内の ROA比較分析からの課題
―ゆうちょ銀行と小規模地方銀行の ROA分析と理論―

第1節 金融資本市場への提言とROA分析の必要性

　第1章第2節では、大規模な金融緩和政策のもとで、ゆうちょ銀行のバランスシートにある国債、日銀預け金が2017年3月末に130兆円に達し、戦前・戦後の預託金制度と実質的に同じ状況にあることを指摘した。本章ではこの国債偏重な運用体制はわが国全体でみた場合に極めて深刻な資金効率の悪化を招いていることを示す。

　まず現在までの流れを振り返ることとする。財政投融資制度改革後、2002年政府[13]は「わが国の政策金融は諸外国に比べ規模が大きく、かつ時系列的に増大傾向に有り、このことが金融市場の資源配分機能を歪めてきた。わが国にとって、金融資本市場の効率化は最重要課題である」とした。このことは金融資本市場を構成する官民の業態ごとの資源配分が、適正かどうかという課題を提起している。

　三菱総合研究所［2005：p3］は郵政民営化に関するレポートで「郵政民営化は、まさに公的ビッグバンである。経済の供給構造をより効率化しわが国全体の資金フローを改革することにより、より成長性の高い民間セクターに、資金が流れる仕組みへ改革しなければならない」と述べている。この提言は銀行のALMを見直し、特に郵貯銀行のポートフォリオ・マネジメントを見直すことを示唆している。

　全国銀行協会［2010：p2］は郵政民営化委員会において、「官業による金融仲介が引き起こす弊害として、『暗黙の政府保証』がもたらす民間金融機関との不公正な競争条件となっている。それは政府出資を背景とした資金

13　2002.12.13　経済財政諮問会議「政策金融改革の趣旨」p1

調達や、それを原資とする貸出し業務において、民間金融機関との競争条件を不均衡にする懸念がある」と主張している。その後、官有民営の商工中金の不正融資にその懸念が的中し、また日本政策投資銀行のメガバンクを圧倒する高収益体質に（競争の不均衡が）表れている。官・民の金融機関がイコールフッティングの競争条件下にないことを示している。

日本の上場企業の決算短信[14]には重要な項目が記載されているが、とりわけ経営成績と財政状態が重視されている。経営成績を示すものとしての経常利益と、企業の総資産を活用してどれだけ利益をあげているかをみる指標としての総資産経常利益率（ROA）が重視される。企業の財政状態については総資産に占める自己資本比率が重視されるものの、その企業の業界での地位や経営基盤をはかる尺度として、総資産額そのものが評価の対象となる。特に企業が合併により再編する場合は、規模拡大による業界での将来性を展望し、まず総資産の大きさによって経営基盤を確保することを考える。そして、資産の活用による営業力の強化や負債の圧縮による効率化等、合併効果を早期に発揮しようとする。

そこで、次節では、企業の重要指標である総資産およびROAを基礎データとして分析する。同時に金融機関を業態ごとに捉え、各業態のROAを一定の水準に引き上げることが金融市場の健全な競争をもたらすという視点から議論する。この水準に達成する過程で、資産規模の拡大や経営の効率化をはかるために、金融機関の合併・経営統合が促進され、わが国全体での資金配分の効率化と金融機関の業態ごとの利益格差が是正されることが期待される。

まず以下次節において、官民金融機関の業態ごとのROAデータを基に現状分析を行う。特に官製金融3行（ゆうちょ銀行、商工中金、日本政策投資銀行）について考察する。更にゆうちょ銀行に固有の問題である運用・調達のアンバランスが、今後予想される長短金利の上昇局面で同行の収益にどのよ

---

14 決算短信（日本基準）　業績⑴経営成績：経常利益、総資産経常利益率（ROA）、⑵財政状態：総資産、⑶キャッシュフローの状況

うな影響を与えるかを第3章で分析する。この分析からも資産内容の再構成が急務であることがわかる。

一方、地方創生政策の核となっている地域金融の活性化を議論する上では地方銀行の合併・経営統合を含む地域内再編が重要である。そこで第3節では、地域再編後、地方銀行が一定のROAを達成するために必要な資産規模について統計分析を行う。加えて、地域ごとにそれぞれの業態の動向を分析する。この分析は地域再編を考察する上で重要な示唆を与えるものとなる。

第2節
業態別ROA比較分析とゆうちょ銀行のROAの課題

2015年3月県民経済計算および日本銀行により開示されているデータによって作成された図2-1に示すように県内総生産額と県内貸出金残高の相関関係図について森棟・照井［2008：p61、p310］によれば、わが国における県内総生産額と県内貸出金残高との相関関係は0.949と極めて高い。

そして、図2-2に示すように地方における地方銀行および信用金庫が県内貸出金に占める割合[15]は80％と高く、県内総生産額に対する地域金融機関の貢献度は高いと考えられる。

次にゆうちょ銀行に預入されている貯金が貸出に回された場合、県内貸出金残高を潜在的にどの程度増加させるかを推計する。各都道府県における預貸率（＝県内貸出金残高÷県内預貯金残高）を求め、都道府県の郵便貯金残高にこの預貸率を乗ずることによって、潜在的な貸出余力を算出した。2017年

---

15 『金融ジャーナル増刊号　金融マップ、2018年版』より算出。

3月末の郵便貯金残高165.8兆円を基に計算すると、潜在的な貸出余力は73.7兆円となる。この資金が県内総生産額を増加させる可能性は十分にあるが、課題は「運用先が本当にあるのか？」である。長年にわたり地方で集められた資金が、地域での金融仲介の機能を果たさず中央集権的に外債や国債に運用されるという、表２－１が示すゆうちょ銀行と農林中金のALMを見直す必要がある。

　ゆうちょ銀行と農協から運用委託を受けた農林中金は、２行庫合計で241兆円（全国の個人預金の27％）の貯金を抱え（2017年３月末）、それを国債で82兆円、外国投信で43兆円、外国債で54兆円、貸出金で16兆円を運用している。

　ここで業態別金融機関の利益率をROAでみてみる。ゆうちょ銀行のROAは表２－２に示すように推移しており、2017年３月期でROA0.211％と低く、地方銀行の0.370％の約２分の１となっている。完全民営化されたゆうちょ銀行の貯金を企業に融資し、地方銀行並みの収益率を達成することが可

表２－１　ゆうちょ銀行と農林中央金庫の資金調達と運用（2017/3期）

（単位：兆円）

	調　達	運　用
ゆうちょ銀行	貯金　179.4	貸出金　4.1 国債　68.8 外国投信　32.6 外国債　20.1
計	179.4	125.6
農林中金	系統預け金　61.9 譲渡性預金等　10.3	貸出金　11.9 国債　13.2 外国投信　10.0 外国債　34.6
計	70.2	69.7
合計	251.6	195.3

両行庫の合算・調達と運用

（単位：兆円）

調　達	運　用
貯金　179.4 系統預け金　61.9	貸出金　16.0 国債　82.0 外国投信　42.6 外国債　54.7
計　241.3	計　195.3
譲渡性等　10.3	日銀預金　51.0
合計　251.6	合計　246.3

資料：決算書より筆者作成

図2－1　県内総生産額と県内貸出金の相関関係

（各都道府県：県内総生産／県内貸出金、単位：兆円）

- 茨城 11.6／7.5
- 京都 10.1／9.7
- 宮城 8.9／7.1
- 栃木 8.7／5.6、新潟 8.7／6.4
- 群馬 8.0／5.9
- 長野 7.7／5.8
- 福島 7.4／4.8
- 山口 6.0／4.1、岐阜 7.2／5.9
- 滋賀 5.9／4.1、岡山 7.2／5.7
- 熊本 5.6／4.3
- 鹿児島 5.3／4.3
- 岩手 4.6／3.0、石川 4.6／4.0、愛媛 4.8／6.3
- 青森 4.4／3.0、富山 4.5／4.0
- 宮崎 3.1／2.7、長崎 4.3／3.0
- 和歌山 3.6／2.4、大分 4.1／3.1、沖縄 4.1／4.0
- 秋田 3.4／2.5、香川 3.7／3.1
- 徳島 3.0／2.1、山形 3.7／3.0
- 佐賀 2.7／1.9、福井 3.1／2.6、奈良 3.5／3.3
- 島根 2.4／1.8、山梨 3.1／2.1
- 高知 2.3／1.9
- 鳥取 1.8／1.7

資料：地銀各行の決算書より筆者作成

(単位:兆円、都道府県名(総生産額/貸出金))

								埼玉21/20.6
			千葉20/15.4					
					兵庫19.8/16.1			
			北海道18.0/14.1					福岡18/20.4
						枠外の都府県 東京(94/201) 大阪(38/45) 愛知(36/28) 神奈川(30/25)		
			静岡15.4/15.4					
	広島11.2/11.5							
10兆円				15兆円				20兆円(貸出金)

図2-2 各県における地銀と信金の貸出金シェア (2017/3)

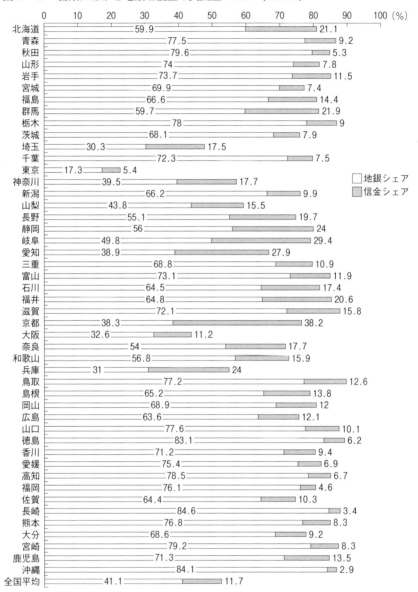

資料:各行の決算書より筆者作成

能になれば、利益は倍増することになる。官製金融民営化3行のROAが0.253％と低水準にある理由は、ゆうちょ銀行の運用先のウェイトが国債や外債に依存しているためROAが0.211％と低いからである。

商工中金のROAが0.397％であり、日本政策投資銀行のROAが0.683％と高水準にあるものの、ゆうちょ銀行と合算すると官製金融民営化3行のROAは0.253％と低くなる。参考までに都市銀行のROAは0.389％となっている。業態間のROAは異なっているが、これを同水準にすることが、官製金融改革の数値目標根拠となる。2009年度から2016年度までの業態別ROAの推移は、業態間で一定の格差を維持しながら推移している。このことは業態間の収益構造が硬直化していることの表れであり、水平的或いは垂直的な業態再編によって構造改革を行う必要性を示している。

ROA基準で最下位にあるゆうちょ銀行の0.211％を民間金融機関のROA0.330％まで0.119ポイント増加させることは、総資産209兆円×0.119％＝0.25兆円の経常利益の増加が必要となる。このような収益率の改善を行えば、親会社である日本郵政は企業価値が増加したゆうちょ銀行の株式を処分し、政府は日本郵政株式会社の株式売却益により政府債務返済を行うことができる。繰り返しになるが、ゆうちょ銀行がポートフォリオの多様化等により、持続的な収益拡大を続け、ROAの水準を上昇させることが重要である。

更に図2－3は、2017年3月期の民間金融機関のROA0.330％より低い地域金融は業態別に、信用金庫・信用組合（ROA0.250％）、ゆうちょ銀行（ROA0.211％）、農業協同組合（ROA0.139％）であることを示している。

信金・信組のROAを民間金融機関のROAに引き上げるためにはROAを0.080％、0.14兆円（総資産172兆円×0.08％）の経常利益を増加させなければならない。同様の理由から、農協はROAを0.191％引き上げるためには経常利益を0.22兆円（総資産115兆円×0.191％）増加させなければならない。これら3業態のROAを民間金融機関のROAレベルに引き上げ、地域金融の業態間のROAの格差を是正するには、3業態合計で経常利益を合計0.61兆円増加させる必要がある。とりわけゆうちょ銀行の収益力の増加が重要である

表2-2 過去10年〈2007/3〜2017/3〉の業態別ROA(単体)の推移

		都市銀行	地方銀行	信託銀行	信金・信組	農業協同組合	民間金融計	ゆうちょ銀行
2017/3	利鞘縮小	0.389	0370	0.350	0.250	0.139	0.330	0.211
2016/3	16/1マイナス金利	0.460	0.476	0.538	0.292	0.140	0.420	0.231
2015/3	日銀国債買い入れ	0.542	0.466	0.637	0.315	0.135	0.462	0.277
2014/3	消費税8%へ	0.578	0.443	0.613	0.318	0.182	0.472	0.282
2013/3	円安12/12自民党政権	0.475	0.368	0.514	0.226	0.148	0.386	0.298
2012/3	復興増税	0.475	0.383	0.463	0.174	0.194	0.377	0.297
2011/3	東日本大震災	0.425	0.331	0.431	0.151	0.194	0.339	0.273
2010/3	09/9民主党政権	0.297	0.276	0.460	0.168	0.206	0.274	0.251
2009/3	リーマンショック	▲0.141	▲0.207	▲0.32	▲0.156	0.198	▲0.127	0.191
2008/3		0.457	0.386	0.820	0.930	0.222	0.387	注 0.117
2007/3		0.559	0.454	1.108	0.273	0.237	0.490	0.423

注:2007/10ゆうちょ銀行民営化、2008/10日本政策投資銀行、商工中金民営化
資料:全銀協、信金信組協会、農協研究所、政府系金融機関の財務諸表より筆者作成

が、各業態における個々の金融機関は少なくともROA0.330%の達成を目標とすべきであると考えられる。逆にいうと、一定の目標値を達成できない状況においては合併・統合による規模の利益を追求することが必要となる。

以上、業態別にROA(総資産に対する経常利益率)指標によって収益構造について論じてきた。一方で業績をあらわす財務指標として他人資本を含む総資産を区別して、ROE(自己資本に対する利益率)による分析も有益であ

(単位：%)

日本政策投資銀行	商工中金	民営化3行計	日本政策金融公庫	国際協力銀行	国際協力機構(JICA)	国策金融計	官製金融計	官・民合計
0.683	0.397	0.253	▲0.452	0.221	0.598	0.192	0.215	0.315
1.063	0.240	0.288	0.217	0.221	0.869	0.363	0.301	0.397
0.926	0.317	0.340	▲0.165	0.689	0.973	0.380	0.268	0.420
0.926	0.242	0.326	▲0.119	0.584	1.161	0.375	0.335	0.445
0.692	0.244	0.310	▲0.912	0.417	0.811	▲0.230	0.212	0.352
0.658	0.246	0.320	▲0.773	0.472	0.811	▲0.225	0.201	0.341
0.592	0.250	0.270	▲2.431	0.406	1.518	▲0.110	▲0.036	0.268
0.338	0.870	0.248	▲3.522	0.278	1.711	▲1.673	▲0.127	0.190
注▲0.902	注▲0.93	0.132	▲2.357	0.422	0.844	▲1.081	▲0.10	▲0.115
0.156	0.185	0.122	—					
0.168	0.258	0.402	—					

るが、その前に総資産分析について追記しておきたい。

　日本の金融機関（民間および官製金融機関）の総資産は図2－4に示すように、2017年3月期で1,640兆円となり、内訳は民間金融機関1,347兆円、官製金融機関293兆円となる。ここで官製金融機関とは政府が認定する財政融資資金対象先の4行（日本政策金融公庫、国際協力銀行、有償分国際協力機構、日本政策投資銀行）と政府の実質支配下にあるゆうちょ銀行と商工組合中央金

図2－3　地域金融・業態別ROAの推移と最適化目標函数（2010/3～2017/3）

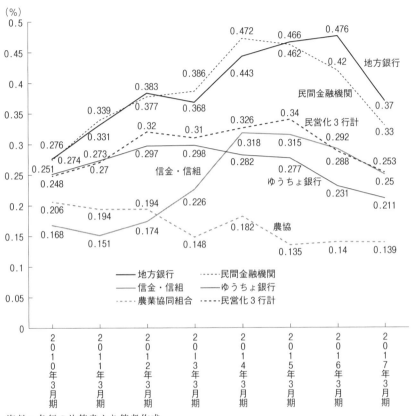

資料：各行の決算書より筆者作成

庫の合計6行である。

　2006年5月行政改革推進法に基づき「政策金融改革」において、日本政策投資銀行および商工中金が株式会社化され、郵政民営化法によってゆうちょ銀行が株式会社化され民営化された。この3行が完全民営化されれば、日本の金融機関の総資産は民間金融機関95％程度、官製金融機関5％程度となる。そして、農協法の特殊法に加え民営化3行の特殊法が銀行法に代わり、民間金融機関とイコールフッティングの競争条件下に置かれることが重要で

図2-4 日本の民間金融と官製金融のバランス

2005/3末の金融機関総資産1303兆円 (( ) は業態別資産のシェア)

民間金融機関 (66.6%)	民営特殊法金融機関 (7.3%)	特殊法金融機関 (22.3%)	国策金融機関 (3.8%)
都市銀行 (31.2%)、地方銀行 (20.9)、信託銀行 (4.4)、信用金庫・信用組合 (10.2)	農業協同組合 (農林中金)	郵便貯金銀行 (0.9) 商工中金 (0.9) 日本政策投資銀行 (1.1)	国民生活金融公庫、 国際協力銀行、 海外協力機構

→ 2007/10～08/10民営化

2017/3末の金融機関総資産1640兆円

民間金融機関 (75.1%)	民営特殊法金融機関 (7.1%)	民営化機関 (14.6%)	国策金融機関 (3.2%)
都市銀行 (34.9%)、地方銀行 (23.5)、信託銀行 (6.1)、信用金庫・信用組合 (10.6)	農業協同組合 (農林中金)	ゆうちょ銀行 (12.8%) 商工中金 (0.8) 日本政策投資銀行 (1.0)	日本政策金融公庫、 国際協力銀行、 国際協力機構

〈完全民営化後〉 特殊法 → 民業補完
銀行法
国策金融機関
(5%程度以下)

民間金融機関 (75%程度) +民営化・特殊法金融機関 (20%程度) ⇒民間金融機関 (95%程度)

資料：筆者作成

表2－3　民間金融機関と官製金融機関の総資産比較（2017/3期）

	ゆうちょ銀行	日本政策投資銀行	商工中金	民営化3行計（A）	日本政策金融公庫
預金・預け金	51	1	2	54	4
有価証券	139	2	1	142	0.1
（うち国債）	(69)	(0.2)	(0.9)	(70)	(0.1)
貸出金	4	13	9	26	18
その他	16	1	1	18	0
資産合計	210	17	13	240	22
預金	179	0	5	184	0
借用金	0	8	1	9	14
その他負債	19	6	6	31	3
負債合計	198	14	12	224	17
純資産合計	12	3	1	16	5
負債・純資産合計	210	17	13	240	22

（全体の14.6％）

	都市銀行 5行	地方銀行 64行	第二地銀 41行	地銀小計 105行
預金・預け金	141	33	6	39
有価証券	102	76	16	92
（うち国債）	(44)	(25)	(5)	(30)
貸出金	254	193	51	244
その他	76	9	2	11
資産合計	573	311	75	386
預金	390	255	66	321
その他負債	156	38	5	43
負債合計	546	293	71	364
純資産合計	27	18	4	22
負債・純資産合計	573	311	75	386

（全体の34.9％）　　　　　　　　　　（全体の23.5％）

資料：財務省統計資料、政府系金融機関決算書、全国銀行協会、全信金、全信組、全農連

(単位：兆円)

国際協力銀行	国際協力機構(JICA)	国策金融機関計（B）	官製金融機関合計（A＋B）	民間金融機関・官製金融機関合計
2	0.2	6	60	381
0.3	0	0.4	142	408
(—)	—	(0.1)	(70)	(159)
14	11	43	69	715
3	0.2	4	22	136
19	12	53	293	1,640
0	0	0	184	1,198
10	2	26	35	35
6	0.5	10	41	292
16	2	36	260	1,525
3	10	17	33	115
19	12	53	293	1,640

（全体の3.2%）（全体の17.8%）

信託銀行4行	信用金庫	信用組合	農業協同組合	民間金融合計
27	36	7	71	321
21	43	4	4	266
(5)	(7)	(1)	(2)	(89)
46	69	11	22	646
6	3	0	18	114
100	151	22	115	1,347
49	138	20	96	1,014
46	4	1	1	251
95	142	21	97	1,265
5	9	1	18	82
100	151	22	115	1,347

（全体の6.1%）　（全体の10.6%）　（全体の7.1%）（全体の82.2%）
（ただし2016/3）の統計より筆者作成

ある。

　本著がROA分析を中心にしている理由は、官製金融機関の運用・調達両面にみられる特殊性のためである。総資産は自己資本と他人資本から構成されるが、特に官製金融機関の調達機関であるゆうちょ銀行の貯金は、2017年3月期で総資産の90.4％を占める。また、2015年11月の株式上場までゆうちょ銀行の自己資本7.6兆円は、日本郵政がその資本金3.5兆円と資本剰余金4.4兆円から100％出資していた。一方、日本郵政には政府が100％出資していたため、その資本勘定の原資は国民の税金であった。上場後に日本郵政に対する政府の持株比率は57％に低下したが実質支配の状態は変わっていない。

　したがって、ゆうちょ銀行の総資産は国民の預貯金と国民の税金が原資の自己資本でほぼ構成されているといってもよい。同様に他の官製金融機関は財務省の財政融資資金の貸借対照表に示すように、2019年3月期で公債残高92兆円から政府関係機関貸付金17.3兆円と、日本政策投資銀行への貸付金4.3兆円、合計21.6兆円を貸し付けているので、官製金融機関の総資産もほぼ国民から拠出された資金で形成されているといってもよい。

　なお、郵貯資金の預託義務がなくなった現在、郵貯資金が貸付金へのひも付きとはいえないが、本著の論点である預託金制度が実質的に存続することに鑑みれば、郵貯資金が公債と位置づけられ、その公債により調達された資金が官製金融機関への貸付金となっているとみることができる。

　表2－3は官製金融機関6行の2017年3月期の貸借対照表の合計である。6行の負債・純資産合計は293兆円で、他人資本260兆円のうち、ゆうちょ銀行の貯金179兆円と財政投融資資金等35兆円が大宗を占めており、純資産33兆円のうち30兆円が自己資本である。資産側をみると、預け金（日銀）60兆円（シェア20％）、有価証券142兆円（同48％）うち国債70兆円（同24％）、貸出金69兆円（同22％）に運用されている。

　このように官製金融機関の他人資本、自己資本とも国民から拠出された資金であるため、資産全体のパフォーマンスを示すROAによる官・民金融機

関との比較の方が、官製金融機関が国民から拠出された資金を効率的に運用しているか否か、つまり社会的な利益（国益）となっているかの検証に適していると考える。

しかし、官製金融機関の自己資本に特殊性があるものの、自己資本利益率ROE分析の重要性は首肯すべきであり、以下に業態別ROE分析を行いROA分析との比較を行う。表２－４、図２－５は2010年３月期から2017年３月期の業態別ROEの推移を示したものである。

民間金融機関のROEは５～７％を維持し、民営化された官製金融機関３

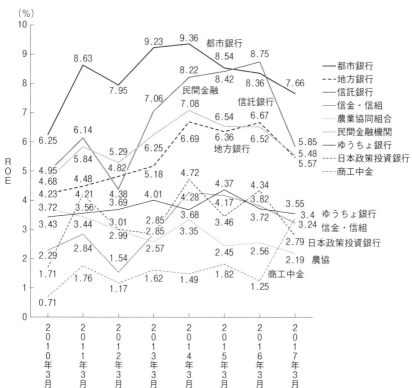

図２－５　業態別自己資本当期純利益率（ROE）推移（2010/3～2017/3）

資料：全国銀行協会、全信連、全信組、全農連、政府系金融機関の決算書より筆者作成

表2−4　業態別自己資本当期純利益率（ROE）推移（2010/3〜2017/3）

	都市銀行	地方銀行	信託銀行	信金・信組	農業協同組合	民間金融機関	ゆうちょ銀行	日本政策投資銀行
2010年3月期	6.25	4.23	4.95	2.29	3.72	4.68	3.43	1.71
2011年3月期	8.63	4.48	6.14	2.84	3.44	5.84	3.56	4.21
2012年3月期	7.95	4.82	4.38	1.54	2.99	5.29	3.69	3.01
2013年3月期	9.23	5.18	7.06	2.85	2.57	6.25	4.01	2.85
2014年3月期	9.36	6.69	8.22	4.28	3.35	7.08	3.68	4.72
2015年3月期	8.54	6.36	8.42	4.17	2.45	6.54	4.37	3.46
2016年3月期	8.36	6.67	8.75	3.82	2.56	6.52	3.72	4.34
2017年3月期	7.66	5.48	5.85	3.24	2.19	5.57	3.55	2.79

資料：全国銀行協会、全信連、全信組、全農連、政府系金融機関の決算書より筆者作成

行のROEは3％台となっている。政府系（国策）金融機関を加えた官製金融機関全体のROEは1〜2％となり、民間金融機関の3分の1程度と低い水準にある。ROA分析（表2−2、図2−3を参照）と比較すると、民間金融機関と官製金融機関の格差は変わらず民間金融機関の方がいずれの分析でも収益性は高い。民間金融機関の業態別ROAとROEを比較すると都銀・信託・地銀・信金信組・農協の収益性の序列は変わらない。しかし、官製金融民営化3行においてゆうちょ銀行は他人資本の比率が高く、外国債券と投資信託へのポートフォリオシフトによる収益寄与によって、ROAよりもROEの方が若干優位にある。ゆうちょ銀行以外の官製金融機関は政府出資の資本金・資本準備金が多額で、自己資本比率が高くROE分析では他業態に対して低い水準となった。

　官製金融機関の政策的特殊性は資本金等が税金から拠出され、資本コストが低い点にみられるが、経営の安定性と無利息運用からの収益を期待し、出

(単位：％)

商工中金	民営化3行計	日本政策金融公庫	国際協力銀行	国際協力機構（JICA）	国策金融機関計	官製金融機関計	官製金融機関・民間金融機関合計
0.71	2.94	▲25.10	1.79	2.27	▲6.12	▲2.11	2.24
1.76	3.61	▲20.94	3.12	1.90	▲4.52	▲0.88	3.47
1.17	3.34	▲4.95	2.46	1.08	▲0.89	0.90	3.70
1.62	3.59	▲6.84	2.85	1.06	▲0.86	1.15	4.51
1.49	3.72	▲0.80	2.85	1.38	1.14	1.04	5.01
1.82	4.02	▲2.92	5.29	1.22	0.64	1.33	4.80
1.25	3.67	1.06	1.82	1.09	1.19	2.25	5.12
3.40	3.36	1.98	1.67	0.77	1.27	2.15	4.43

来るだけ資本金等を大きくする傾向にある。また、国策金融機関にあっては赤字決算を資本の増強によって穴埋めする傾向にある。

　以上述べたように、官製金融機関については資産・負債・自己資本の特殊性から政策面が色濃く反映されているので、資産運用の健全性に焦点を当てるという目的からすれば、金融機関全体を分析する指標としてはROEよりROA分析が適正かと考える。なお、ROE分析の過程において、明確になったゆうちょ銀行の経営の本質に関わる課題を以下に述べる。

　ゆうちょ銀行は2015年11月東証１部に上場した。日本郵政グループ３社が上場した契機は、東日本大震災の復興増税の財源に郵政株式の売却代金を当てるためであった。2011年11月30日「復興財源確保法」が成立し、この法律の附則第14条に郵政株式の売却が記載された。

　2013年２月財務省は2022年３月までに３回にわたり、郵政グループ３社の株式合計で１回当たり１兆3,000億円を売却し合計４兆円の売却収入を得

表2−5　ゆうちょ銀行の運用状況推移（2010/3〜2019/3）

	2010年3月期	2011年3月期	2012年3月期	2013年3月期
国債	155.8	146.4	144.9	138.1
社債	12.2	12.9	12.7	11.8
外国債券	3.7	7.3	9.4	11.6
投資信託	1	2.6	3	4.1
貸出金	4	4.2	4.1	3.9
リスクアセット	9.1	11.5	12.9	13.8
住宅ローン（媒介）				
新規媒介額	740	618	315	240
新規媒介累計	1,302	1,921	2,236	2,477

資料：ゆうちょ銀行の各年度決算書より筆者作成

表2−6　ゆうちょ銀行の資金運用利回り・資金調達利回り推移（2010/3〜2019/3）

	2010年3月期	2011年3月期	2012年3月期	2013年3月期
資金運用利回りA	1.09	1.11	1.1	1.02
資金調達利回りB	0.24	0.2	0.19	0.19
資金粗利鞘A−B	0.84	0.91	0.91	0.82
貯金経費率	0.68	0.68	0.66	0.63
経費率	71.4	70.4	70.33	68.42

内訳：国内・国際部門別の資金運用利回り・資金調達利回り推移（2010/3〜2019/3）

		2010年3月期	2011年3月期	2012年3月期	2013年3月期
国内	資金運用利回り	1.07	1.05	1.01	0.9
	資金調達利回り	0.24	0.2	0.18	0.17
国際	資金運用利回り	1.29	1.56	1.67	1.9
	資金調達利回り	0.24	0.26	0.33	0.46
合計	資金運用利回り	1.09	1.11	1.1	1.02
	資金調達利回り	0.24	0.2	0.19	0.19

資料：ゆうちょ銀行の各年度決算書より筆者作成

(単位：兆円)

2014年3月期	2015年3月期	2016年3月期	2017年3月期	2018年3月期	2019年3月期
126.3	106.7	82.2	68.8	62.7	58.3
11.3	10.9	10.5	10.7	10.5	9.7
14.5	18.8	19.8	20.1	20.2	22
8.2	13.9	25.5	32.7	39	40.4
3	2.7	2.5	4.1	6.1	5.3
16.5	21.5	32.2	38.8	50.3	56

(単位：億円)

244	348	363	399	356	媒介中止
2,721	3,669	3,433	3,832	4,189	―

(単位：％)

2014年3月期	2015年3月期	2016年3月期	2017年3月期	2018年3月期	2019年3月期
0.93	0.95	0.86	0.78	0.74	0.67
0.19	0.18	0.19	0.18	0.17	0.17
0.73	0.76	0.66	0.6	0.57	0.49
0.61	0.62	0.59	0.58	0.57	0.57
69.86	68.19	73.42	74.89	71.46	78.18

(単位：％)

2014年3月期	2015年3月期	2016年3月期	2017年3月期	2018年3月期	2019年3月期
0.82	0.74	0.64	0.53	0.43	0.38
0.16	0.15	0.15	0.13	0.09	0.06
1.31	1.81	1.33	1.23	1.34	1.18
0.48	0.41	0.4	0.37	0.41	0.55
0.93	0.95	0.86	0.78	0.74	0.67
0.19	0.18	0.19	0.18	0.17	0.17

て、復興債の償還財源とした。すでに２回、２兆6,000億円を償還しているが、残り１兆3,000億円売却する必要がある。現在問題になっているかんぽ生命の不適切な保険商品販売やゆうちょ銀行の投資信託販売のノルマ営業は、上場維持のために収益を確保しなければならないという圧力の下に起こった問題であると考えられる。

　ゆうちょ銀行は上場以来低金利政策下にあって、資金運用利回りの低下の影響を受け収益は逓減している。表２－５の運用状況推移にみられるように国債の運用比率は低下し、外国債券や投資信託への運用比率が大幅に増加した。

　また、表２－６によれば、部門別資金運用利回り・資金調達利回りは毎年低下し、資金粗利鞘も逓減していることがわかる。国際部門の収益が国内部門の収益低下を支え、全体として一定の利益を確保している状況にある。この急激な運用構成の変化を分析するとゆうちょ銀行の配当政策に原因があると考えられる。

　表２－７はゆうちょ銀行の当期純利益と年間配当金、配当性向の推移を示したものである。2016年３月期は上場後半期決算でもあり１株当たり半期25円の配当となっているが、その後１株当たり年間50円の配当を行い、配当性向50％以上の配当政策を続けた。2019年３月期は配当性向70.4％となり、他行比較でみても３倍程度の高率となっている。上場時に公表した年配当50円と配当利回り３％維持は、利益確保と株価維持への足枷となっていることがみてとれる。この配当政策は新たな経営課題である。また、ROEが一定の水準を維持していることは、ゆうちょ銀行が運用政策や配当政策と関連しハイリスク・ハイリターンのポートフォリオ・マネジメントを選択しているものと考えられる。

表2-7 ゆうちょ銀行の当期純利益、配当金（年）、配当性向の推移

		2015年3月期	2016年3月期	2017年3月期	2018年3月期	2019年3月期
当期純利益	（億円）	3,694	3,250	3,122	3,527	2,661
配当金総額	（億円）	1,847	937	1,874	1,874	1,874
配当性向	（％）	54.9	28.8	60	53.1	70.4
配当金（年）	（円）	50	25	50	50	50
1株当たり当期純利益	（円）	89.58	86.69	83.28	94.09	71
ROE	（％）	4.37	3.72	3.55	3.94	3.01
一般株主への配当（11％）	（億円）	0	103	206	206	206
日本郵政への配当（89％）	（億円）	1,847	834	1,668	1,668	1,668
他行比較						
SMBC 配当性向	（％）	26.2	32.7	29.9	32.7	34.6
配当金（年）	（円）	140	150	150	170	180
ROE	（％）	11.2	8.9	9.1	8.8	8.2
MUFG 配当性向	（％）	24.8	28.3	26.4	25.5	32.9
配当金（年）	（円）	18	18	18	19	22
ROE	（％）	8.74	7.63	7.25	7.53	6.45
千葉 配当性向	（％）	23.6	21.9	24.7	23.7	25.6
配当金（年）	（円）	13	14	15	15	16
ROE	（％）	7.03	7.75	6.86	6.76	6.15
静岡 配当性向	（％）	23.37	27.91	49.83	28.74	30.38
配当金（年）	（円）	20	20	20	21	22
ROE	（％）	5.06	5.18	3.15	5.21	4.67

資料：ゆうちょ銀行、SMBC、MUFG、千葉銀行、静岡銀行の決算書より筆者作成

第3節
業態内ROA比較分析と小規模地方銀行のROAの課題

　前節において、ROAを経営指標とする必要性について述べたが、本節ではROAと資産規模には相関関係があることを詳しく分析する。ゆうちょ銀行を完全民営化する場合、従来からの強みである地域密着型の銀行経営を行うことが地域金融経営の基本である。この場合は地方銀行等と共存をはかりつつ競争することとなる。その地方銀行は低金利の経済情勢のなか、収益確保が難しくなってきている。

　これらの点を踏まえ、地域の金融機関が安定的な成長を達成し、地域経済の発展に資するためには、地域金融機関のあるべき姿の把握、および最小限どの程度の規模が必要であるかを分析したい。地域密着型の銀行としてのゆうちょ銀行が地方経済においてどのようにあるべきかを考えるうえでの重要な知見となるためである。

　なお、地方銀行のROAは0.370％であり、民間金融機関の0.330％より高い水準である。しかし、0.330％より低い地銀も多数あり、これらの地銀は再編等によってボトムアップさせ最適化する必要がある。そのためには地銀という業態において総資産の拡大とROAの改善が重要な関係にあることを以下に分析する。

 金融庁が指摘する地域銀行の競争可能性

　まず金融庁が地域銀行の存続可能性についてどのような見解をもっているかについて述べる。2018年4月金融庁が支援する〈金融仲介の改善に向けた

検討会議[16]）が「地域金融の課題と競争のあり方」という報告書を発表した。この報告書の第2項「人口減少下での地域金融機関の競争と経営の安定性」において、各都道府県における地域銀行の本業での存続可能性（モデルによる試算）を検討している。その試算によると、

　イ．2行での競争は困難であるが、1行単独であれば存続可能な都道府県が13[17]。

　ロ．1行単独であっても不採算な都道府県が23[18]存在する。このような地域では、今後金融機関の撤退や淘汰が生じる可能性が高い。

　ハ．2行での存在が可能な都道府県は10[19]。

としている。

　この試算は地域金融関係者に衝撃を与えた。このモデルによる試算では全地方銀行105行のうち35行の地銀しか存続できないことになる。

　モデル試算の要因となる地方銀行の現状について概観したい。地方銀行は企業の工場の海外移転や少子高齢化に伴う人口減少等で、地域経済の衰退を余儀なくされている。そのうえ、日本銀行の長引く低金利政策によって、金融仲介業務から得られる資金収支の悪化を招いている。図2－6は地方銀行および第二地方銀行の資金収支状況をグラフにしたものである。この10年間ゼロ金利政策が続き資金収支は悪化の一途をたどっている。地方銀行105行の2007年度の資金運用収益は545億円であったが、2016年度は405億円となり140億円（▲26％）減少した。資金利ザヤは436億円から374億円となり62億円（▲14％）減少した。

16　「金融仲介の改善に向けた検討会議」メンバーは、村本孜、冨山和彦、増田寛也ほか5名。

17　イ．県名は北海道、岩手、山形、福島、茨城、新潟、長野、滋賀、京都、兵庫、愛知、熊本、沖縄（13）。

18　ロ．県名は青森、秋田、群馬、栃木、山梨、岐阜、三重、富山、石川、福井、奈良、和歌山、島根、鳥取、山口、岡山、香川、徳島、高知、大分、宮崎、佐賀、長崎（23）。

19　ハ．県名は宮城、埼玉、千葉、神奈川、静岡、愛知、大阪、広島、福岡、鹿児島（10）。東京は例外。

図2-6　地方銀行の10年間の資金収支状況推移

地方銀行64行

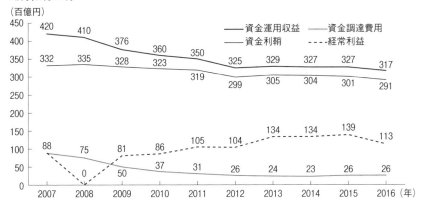

第二地方銀行41行

資料：全国銀行協会業態別決算書資料より筆者作成

  地域再編の分析結果と理論的根拠

　本項において、総資産と総資産経常利益率（ROA）分析並びに総資産営業経費率分析により地銀再編分析の理論構築を行う。金融庁のモデル分析では、人口減少を中心に県単位における地域銀行の存続可能性を論じている

が、筆者は広域行政区（道州制）における経済指標と同域内の金融機関の指標をベースに存続可能性を論じることとする。「広域行政区」とは2つ以上の地方公共団体の区域を超えて行政を共同で広域的に行うことをいうが、地銀再編でも県境を超えた経営統合が行われているため、広域行政の経営統合についても存続可能性を論ずるものである。

　表2－8は本著の基礎データとなっている広域行政区の経済指標の推移を示すものである。2010/3対2017/3の各マーケット指標（筆者がマーケット指標として地域の経済活動において重要と判断した指標9項目のことをいう）のシェアの増減はほとんど横這いの状況でシェアに変化はない。しかし、金融関係のマーケット指標（銀行預金残高、銀行貸出金残高）は関東のシェアが高く、東京一極集中を示しているが、他のマーケット指標の地域別シェアはほぼ同じで変わらない。

　9項目の経済指標にみる広域行政区の平均シェアは、北海道3.7％、東北6.5％、関東36.6％、中部18.5％、近畿15.8％、中国5.8％、四国3.1％、九州・沖縄10.0％である。これに比べて同域内の金融機関の資産に関する銀行預金残高と郵便貯金残高、銀行貸出金残高の3項目の平均シェアは関東においては42.7％のシェアと非常に高く、全体の半分弱のシェアを占める。都市型地域としては中部のシェアは16.4％、近畿のシェアは16.0％となり、3つの広域行政区の合計で75％のシェアを占める。一方、産業集積度を示す指標である法人数、県内総生産、従業員数の3項目の平均シェアは上記9項目の経済指標の平均シェアとほぼ同じ数値を示している。換言すると、産業の集積度に合わせて現在の金融機関の構造を産業構造に合わせれば、特に金融の東京一極集中は正される可能性がある。

　この分析は、第5章で述べる官製金融民営化3行の完全民営化後の、事業分割と地域分割の理論的根拠参照（表5－5、表5－6）となっている。金融機関が金融仲介業務を行うことによって、殖産興業してきた金融機関の原点に立ち返れば、企業活動は活発になり仕事が増えることにより、人口減少は止まり増加に転じることになる。金融機関を業態別に捉えた場合のバラン

表2−8 地区別・マーケット指標シェアの推移

		人口	法人数	県内総生産	就業者数	個人保険契約残高
北海道	2010/3	4.3	4.2	3.6	4.1	3.6
	2017/3	4.2	4.1	3.6	3.9	3.4
東北	2010/3	7.4	5.7	6.3	7.5	6.8
	2017/3	7.0	5.6	6.3	7.1	6.8
関東	2010/3	32.8	39.6	37.0	32.6	34.8
	2017/3	33.5	39.9	37.8	33.8	34.9
中部	2010/3	18.6	17.5	19.8	19.8	19.6
	2017/3	18.3	16.8	19.0	20.2	19.4
近畿	2010/3	16.3	15.7	15.6	15.6	16.3
	2017/3	16.3	16.0	15.7	15.3	16.4
中国	2010/3	5.9	5.3	5.7	6.2	5.7
	2017/3	5.9	5.2	5.6	5.8	5.8
四国	2010/3	3.2	3.0	2.6	3.2	3.2
	2017/3	3.1	2.9	2.7	3.0	3.1
九州・沖縄	2010/3	11.5	9.0	9.4	11.1	10.0
	2017/3	11.7	9.5	9.3	10.9	10.2

資料:『金融ジャーナル』2017年12月号より筆者作成。①人口は2017.1.1（総務省）②法残高は2017/3末（生命保険協会）⑤預貸金計数は国内銀行勘定のみ2017/3末⑥店舗

スの是正は、総資産およびROAの不均衡の是正であると、先に述べたとおりである。

　以下の図2−7および表2−9は2017年3月期における地銀105行の総資産と経常利益の相関を分析したものである。

　総資産3兆円未満の地銀は46行（44％）、経常利益1億円未満の地銀は62行（59％）であり、うち総資産2兆円未満で経常利益5,000万円未満の地銀

(単位：%)

銀行 預金残高	ゆうちょ 銀行	銀行貸出 金残高	銀行 店舗数	9項目 平均	銀行関係 3項目平均	産業関係 3項目平均
3.0	4.1	2.6	5.2	—	—	—
2.9	4.2	2.5	5.1	3.7	3.2	3.8
4.7	5.8	4.0	9.9	—	—	—
5.1	6.2	4.3	10.3	6.5	5.2	6.4
42.2	33.3	50.6	21.8	—	—	—
43.4	33.9	50.9	22.0	36.6	42.7	37.1
17.8	19.2	14.3	22.0	—	—	—
17.2	18.4	13.8	22.1	18.5	16.4	18.6
16.9	17.8	15.0	14.0	—	—	—
16.4	17.6	14.1	13.9	15.8	16.0	15.7
5.1	6.6	4.3	8.6	—	—	—
4.9	6.5	4.4	8.5	5.8	5.3	5.6
3.0	3.3	2.4	5.0	—	—	—
2.8	3.1	2.3	4.8	3.1	2.8	2.9
7.3	9.9	6.8	13.5	—	—	—
7.3	10.1	7.7	13.2	10.0	8.4	9.9

人数は2016/3末（国税庁）③県内総生産・就業者数は2014年度（内閣府）④個人保険契約数は国内の本・支店・出張所の合計2017/3末

は33行もある。総資産が10兆円以上の地銀は4行であり、静岡は518億円、福岡は601億円、千葉は700億円、横浜は873億円の経常利益を計上している。以上より総資産の拡大が規模の利益を生むことは相関係数[20]0.973をみても明らかである。

20　総資産と経常利益の2つを変数とし、相関係数の定義に示されている数式（森棟公夫ほか著『統計学』有斐閣2008年p61を参照）でExcelを用いて算出したもの。

図2−7 地方銀行105行の総資産と経常利益の関係（2017年3月期）

経常利益							
500百万円以上	相関係数：0.973						
300~400百万円							
200百万円								阿波3.1/189
						東京スタ2.5/151	もみじ3.2/157
100百万円					宮崎2.9/123		
				東和2.2/104	栃木2.8/121	四国3.0/103	
					親和2.5/94	みなと3.5/99	
					千葉興業2.6/83	大分3.1/91	
					山形2.6/72	山梨中央3.2/89	
					北越2.7/83	岩手3.5/75	
			富山第一1.3/69			愛知3.0/73	
			西京1.4/65	沖縄2.1/78	福井2.5/61	名古屋3.6/65	
			香川1.5/76	琉球2.2/74	青森2.8/67	近畿大阪3.5/65	
			徳島1.5/61	愛媛2.4/68	十八2.9/65		
			中京1.9/49	筑波2.3/53	東日本2.2/60		
50百万円			三重1.9/43	第三2.0/53	秋田2.9/58		
	東北0.8/21	トマト1.3/28	大光1.4/45	みちのく2.1/49	東京都民2.7/47		
	筑邦0.7/12	高知1.0/28	北日本1.4/39	八千代2.3/42			
	福岡中央0.5/10	鳥取1.0/19	清水1.5/34	佐賀2.3/33			
	豊和0.5/8	但馬1.0/17	荘内1.5/24				
	富山0.4/15	宮崎太陽0.6/25	熊本1.7/26				
	島根0.4/16	静岡中央0.6/36	北都1.3/26				
	大正0.4/10	南日本0.7/29	北九州1.2/32				
	福邦0.4/10	沖縄海邦0.6/21	仙台1.1/28				
	神奈川0.4/9	大東0.7/18	長野1.0/32				
	佐賀共栄0.2/5	福島0.4/14	きらやか1.4/21				
	長崎0.2/5						
0					2兆円台		3兆円台

資料：地銀各行の決算書より筆者作成。縦軸は経常利益。表示軸の基準：1億～2億円は
横軸は総資産。表示軸の基準：1兆円は2兆円の3/2倍、3兆～4兆円は2兆円の

4兆円台	5兆~6兆円	7兆~8兆円	9兆円台	10兆円以上	
					横浜16.3/873
					千葉14.0/700
スルガ4.4/571				静岡11.0/518	福岡14.0/601
		広島8.8/432			
		群馬7.9/345			
		八十二8.6/342	常陽9.6/356		
	足利6.4/332	伊予8.8/330	西日本9.2/339		
		中国8.2/289			
	山口5.8/269	京都8.8/251			
		北陸7.3/248			
		七十七8.6/216	北洋9.0/204		
	山陰合同5.3/194				
	大垣共立5.6/192				
	滋賀5.5/192				
関西ア4.5/177	池田泉州5.5/163				
京葉4.5/172	南都5.8/160				
百十四4.9/171	北海道5.1/154				
鹿児島4.3/161	第四5.6/152				
	十六5.9/119				
北國4.3/140	百五5.5/117				
紀陽4.8/121	肥後5.2/123				
武蔵野4.5/116	東邦5.9/106				

1億円未満の2倍。3億円以上は基準外。
1/2倍、5兆~8兆円は2兆円の1/4倍、9兆円は2兆円の1/8倍、10兆円以上は基準外。

表2-9 総資産と経常利益の相関性

経常利益＼総資産	2兆円未満 37行	4兆円未満 32行	7兆円未満 21行	7兆円以上 15行
2億円以上　　　　　　　18行			3行	15行
1億～2億円未満　　　　25行		7行	18行	
5,000万～1億円未満 25行	4行	21行		
5,000万円未満　　　　　37行	33行	4行		

注：上記表の縦軸区分、横軸区分は図2-7の相関性をよりわかりやすくしたものである。
資料：各行の決算資料より筆者作成

表2-10 総資産と営業経費率の相関性

営業経費率＼総資産	2兆円未満 37行	4兆円未満 32行	7兆円未満 21行	7兆円以上 15行
60％以上　　　　　42行	26行	12行	3行	1行
50～60％未満　　　46行	9行	18行	13行	6行
40～50％未満　　　14行	2行	2行	4行	6行
40％未満　　　　　 3行			1行	2行

注：上記表の縦軸区分、横軸区分は図2-8の相関性をよりわかりやすくしたものである。
資料：各行の決算資料より筆者作成

　次の図2-8および表2-10は、総資産と営業経費率（経常収益に営業費用が占める割合）の相関関係を分析したものである。

　総資産の規模を拡大すれば営業経費率が低下し、コスト低減となり経常利益を増やす収益構造になる。なお、総資産と経常利益の相関係数は0.973であるのに対し、総資産と営業経費の相関係数は0.866にとどまっている。

　総資産1兆円未満の地銀20行中16行（80％）が営業経費率60％以上となっている。これらの地銀はすでに効率化の余地が少なくなっているといえよう。

　この点を更に詳細に分析することとする。資産規模によるROAの相違を

表2－11 閾値を7兆円とした総資産・ROA分析

	7兆円以上　A	7兆円未満　B
銀行数	14	91
総資産平均	101,410（億円）	26,809（億円）
総資産標準偏差	26,186（億円）	17,536（億円）
ROA平均	0.419%	0.300%
ROA標準偏差	0.176%	0.149%

資料：各行の決算資料より筆者作成

分析する際には、閾値を設定する必要がある。10兆円以上の総資産をもつ銀行は前述のとおり4行しかなく10兆円を閾値とすることは現実的な比較としてはやや不適切である。そこで閾値を下げていってどの程度の規模で統計的に有意な相違がみられるかを分析した。そこで7兆円を閾値としてみたところ表2－11のとおりである。

表2－11のように総資産7兆円以上のグループをAとし、総資産7兆円未満のグループをBとする。AのROAの平均は0.419％でBのROAの平均は0.300％であるが、統計的に検定を行ったところ有意水準1％でAの平均はBの平均より大きいことが証明できた。よって7兆円以上の総資産をもつ銀行は、そうでない銀行に比べてROAが相対的に高いと考えられる。加えて2つのグループの分散には統計的な差異がないことから、規模を大きくすることによって収益率に大きなバラつきが生じる危険も少ないということになる。

更に、この105行を総資産5兆円以上の28行、5兆円未満の77行の2つのグループに分けて、同じ検定を行ったところ、「2つのグループのROAの平均が同じである」という帰無仮説を棄却することはできなかった。よって閾値を5兆円とした場合には有意なROAの違いは認められず、規模のメリットを享受するためには7兆円以上の総資産を必要とすると考えられる。

これらの分析から総資産と経常利益、総資産と営業経費率の相関関係が明

図2－8　地方銀行105行の総資産と営業経費率の関係（2017年3月期）

営業経費率							2兆円台		3兆円台
80%未満	相関係数：0.866								
			但馬1.0/77.1						
75%		神奈川0.4/75.0							
			大東0.7/73.8						
		大正0.4/71.4				八千代2.3/71.0			
70%									
		富山0.4/69.3	沖縄海邦0.6/69.2	きらやか1.4/69.9			東京都民2.7/69.8		近畿大阪3.5/68.0
		福岡中央0.5/68.7	鳥取1.0/68.9	三重1.9/67.1	筑波2.3/68.4				
		佐賀共栄0.2/67.2	東北0.8/67.3	清水1.5/66.5					
		福島0.4/66.9	筑邦0.7/67.4	仙台1.1/66.8					
65%			高知1.0/67.0	北九州1.2/65.9	第三2.0/65.0				
									名古屋3.6/64.5
		福邦0.4/62.9		長野1.0/63.2	東日本2.2/63.0				岩手3.5/64.2
		島根0.4/62.3		北日本1.4/62.6			青森2.8/62.1		みなと3.5/64.4
		長崎0.2/62.2		中京1.9/61.6					大分3.1/62.2
60%				トマト1.3/60.6					愛知3.0/60.5
				北都1.3/60.2			千葉興業2.6/59.0		阿波3.1/51.6
		豊和0.5/58.4	宮崎太陽0.6/58.9	熊本1.7/59.9			福井2.5/58.4		
				大光1.4/58.9	琉球2.2/57.4		親和2.5/57.7		
			静岡中央0.6/56.2		沖縄2.1/56.6		秋田2.9/56.2		
55%				荘内1.5/55.0	みちのく2.1/56.5		宮崎2.9/55.0		山梨中央3.2/55.2
			南日本0.7/54.8		佐賀2.3/54.7		十八2.9/54.4		
				徳島1.5/52.1	愛媛2.4/54.2		栃木2.8/53.9		
				香川1.5/52.0			山形2.6/52.7		
					東和2.2/104		北越2.7/51.0		四国3.0/51.5
50%							東京スタ2.5/49.7		
									もみじ3.2/47.9
45%				富山第一1.3/44.1					
				西京1.4/42.5					
40%									
35%									
30%									

資料：地銀各行の決算書より筆者作成。縦軸は営業経費率。表示軸の基準：5％刻みの等横軸は総資産（図2－7と同じ基準）。表示軸の基準：1兆円は2兆円の3/2倍、10兆円以上は基準外。

4兆円台	5兆~6兆円	7兆~8兆円		9兆円台	10兆円以上
			北洋9.0/62.1		
百十四4.9/61.1					
武蔵野4.5/60.5	百五5.5/60.7				
	第四5.6/59.7				
京葉4.5/58.9	東邦5.9/59.1	七十七8.6/57.6			
関西ア4.5/57.2	南都5.8/57.0	京都8.8/57.3			
	滋賀5.5/56.5				
紀陽4.8/55.4	大垣共立5.6/56.2				
	北海道5.1/54.6		西日本9.2/54.3		
北國4.3/53.4	池田泉州5.5/53.6	北陸7.3/53.8			
	肥後5.2/52.6				
	十六5.9/52.4			常陽9.6/51.4	
		群馬7.9/50.7			
鹿児島4.3/49.2	山陰合同5.3/49.6	伊予8.8/49.5			
	足利6.4/47.5				
		中国8.2/45.2			
	山口5.8/43.3				
					横浜16.3/42.0
		広島8.8/41.2			千葉14.0/41.9
					福岡14.0/41.0
				静岡11.0/38.6	
スルガ4.4/35.3		八十二8.6/35.6			

間隔。

3兆~4兆円は2兆円の1/2倍、5兆~8兆円は2兆円の1/4倍、9兆円は2兆円の1/8倍、

図2－9　総資産と営業経費率、総資産とROAの最適化

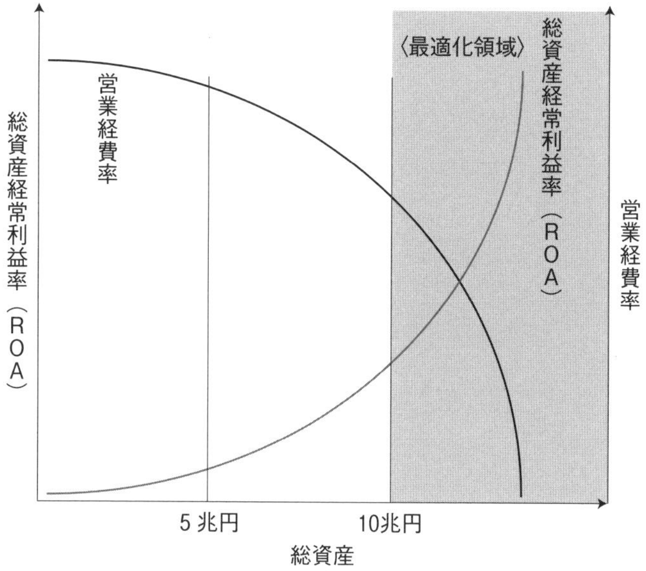

〈最適化領域〉

総資産経常利益率（ROA）

営業経費率

5兆円　　　10兆円

総資産

資料：筆者作成

確に証明され、地銀再編の理論的根拠が示された（図2－9参照）。現実的には47都道府県に105行もの地銀がオーバーバンキング状態にあり、すでに3分の1が持株会社方式で経営統合されている。マーケット指標からみれば、1行当たりの総資産の拡大が必要であり、そもそも県単位のマーケットではなく、広域行政区のマーケットで統合・再編される必要がある。地方銀行にも金利リスクはあるが、もともと短期・長期の調達はそれぞれ短期・長期で運用されているので、ALMは健全であるといえる。金利上昇局面においても、タイムラグが多少生じるものの、短期、長期のミスマッチを起こすことはない。しかし、総資産の増加とコストカットが収益力を生む原動力となる。もともと、金融庁（大蔵省）の護送船団方式によって保護されていた地方銀行の経営環境が、「ルールベースの事後チェック型」への監督行政の転換と低金利政策による体力消耗戦へと変わり、小規模金融機関は金融市場か

ら退場せざるをえなくなってきた。

　生き残り施策は多々考えられるが、オーバーバンキング状態から抜け出し、強靱な経営基盤と人材強化をはからなければ、将来の金利上昇局面において競争に打ち勝つことはできない。

第4節　地域金融の業態別動向

　前節で示したように地域金融機関が0.35〜0.4％程度のROAを確保するために、総資産で7兆〜10兆円程度の規模を有することが必要である。本項では地方金融の現状を把握するため、地域別、業態ごとに預貸資金の動向を分析し、どのような構造的変革が必要かについて検証する。

　「骨太の方針2018」［内閣府・第8回経済財政諮問会議　資料：34、36］において、政府は次のように述べている。「活性化したネットワークを結ぶことにより東京一極集中を是正し、これからの時代にふさわしい国土の均衡ある発展を目指す。人口減少の克服と地方創生を実現するためには、同一地方自治体における政策を検討するだけでなく、東京一極集中是正に向けて中枢中核都市の機能強化を図り、地方自治体間の連携を深め、広域的な経済圏を念頭に置いた政策を推進することが不可欠である」。更に「地方自治体の創意工夫を提起するためにも、地方分権改革を着実かつ強力に進める。企業活動が活性化し人や大学が集積する魅力ある拠点にしていくための方策について検討し、年内に成案を得る」としている。地銀再編においても、県単位の経済圏ではオーバーバンキングであったり、経済規模が小さすぎたりで、地方銀行自体が広域行政区における統合・再編を指向するようになってきている。このように広域行政区におけるスーパーリージョナルバンク構想を推進

表2−12 業態別・預貸金残高推移と預貸金シェアの推移

(単位：兆円、%)

		都銀・信託等	地方銀行	第二地銀	信用金庫	信組・労金	農業協同組合	ゆうちょ銀行	預貯金合計
預貯金残高	2000/3	283	175	60	102	31	70	260	982
	2010/3	344	213	57	117	33	84	168	1,017
	2017/3	431	263	68	138	39	98	166	1,203
	(2000年比増減)	148	88	8	36	8	28	▲94	221
預貯金シェア	2000/3	28.8	17.9	6.1	10.4	3.2	7.2	26.5	100
	2010/3	33.8	20.9	5.6	11.5	3.2	8.3	16.5	100
	2017/3	35.9	21.9	5.6	11.5	3.2	8.2	13.8	100
	(2000年比増減)	7.1	4	▲0.5	1.1	0	1	▲12.7	0
貸出金残高	2000/3	279	134	51	69	21	22	—	576
	2010/3	222	155	43	64	20	23	—	527
	2017/3	235	191	51	69	23	20	—	589
	(2000年比増減)	▲44	57	0	0	2	▲2	—	13
貸出金シェア	2000/3	48.4	23.3	8.8	11.9	3.8	3.8	—	100
	2010/3	42	29.3	8.2	12.2	4	4.3	—	100
	2017/3	39.8	32.5	8.6	11.7	3.9	3.5	—	100
	(2000年比増減)	▲8.6	9.2	▲0.2	▲0.2	0.1	▲0.3	—	0

資料：各行の決算書より筆者作成

する土壌となりうるものである。

　地域経済は県単位を更に地方ごとにまとめて関東や中部という漠然とした範囲で捉えられてきた。広域経済圏として地域総生産額目標が設定されたわけではなく、その目標達成のために諸政策が実施されたものでもなかった。地域金融についても同様に広域の金融機関が存在しないため、県単位の金融政策目標値のみを追ってきた。ところが、実際には地銀の広域大型統合が実現し、県境を超えた持株会社方式のフィナンシャルグループが明確な業績目

図2-10 預貯金残高推移

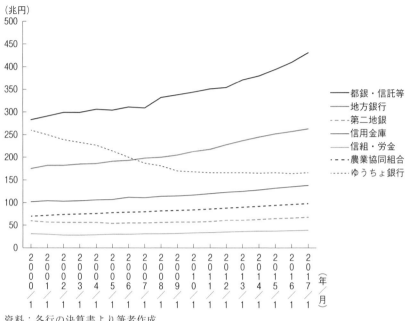

資料：各行の決算書より筆者作成

標を設定し経営を行うようになってきている。

　表2-12、図2-10、図2-11からは次のような特徴を読み取ることができる。第一に、都銀・信託等は預金残高を大幅に増加（148兆円）させ、貸出金残高を減少（▲44兆円）させている。地方銀行は預金残高を増加（88兆円）させ、貸出金残高を増加（57兆円）させている。預金残高の増加の要因としては、肥大化していた郵便貯金が減少し（▲94兆円）、都市銀行や地方銀行に戻ってきたということ、経済の回復によって個人金融資産が増加し、大手銀行に預けられたという2つが推測される。

　貸出金残高については全体として17年間ではほぼ横這い状態であり、都銀・信託等の貸出金減少額（▲44兆円）が地方銀行に移行（57兆円）した状況になっている。表2-13は道州制特区法[21]や道州制基本法案（骨子案）[22]にある

図2-11 貸出金残高推移

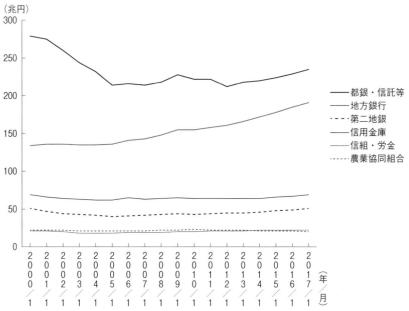

資料:各行の決算書より筆者作成

道州を、8地域に区分した業態別預貸金残高および残高の増減である。都銀・信託の貸出金が減少し地銀に移行した状況を、地域別業態別預貸金残高推移によって分析すると、首都圏・東海地方・近畿圏の3大都市圏において増減の90%のシェアを占めていることがわかる。都会型の第一地銀が貸出金を増やしており、地方においては横這いである。しかし、都銀・信託等は収益性の高い海外での貸出金を増加させているので、単に都銀・信託から地銀に貸出金が移行したものでもない。その他の業態の預金残高については、第二地方銀行と信組・労金は横這い（8兆円）で、信金（38兆円）や農協（28兆円）は直近の経済回復の恩恵を受けて、応分の増加となっている。貸出金残

21　道州制特別区域における広域行政の推進に関する法律（2006.12.20成立）
22　2012.9.6自民党道州制推進本部による「道州制基本法案（骨子案）」

高についてはすべての業態で横這いのままである。

　2017年3月期における関東の預金残高のシェアは43％で、貸出金残高のシェアは50％を占める。表2－14の人口や法人数、県内総資産等の9項目の地域別マーケット指標でみても関東のシェアは36％程度であり、預貸金残高の東京一極集中度は高い。これに比べ、中部、近畿の同シェアはマーケット指標のシェアと同等であり、北海道、東北、中国、四国、九州・沖縄の同シェアはマーケット指標のシェアに比べて低い。このように金融市場における東京集中が地方の金融市場を弱体化させていることが課題となっている。

　更に、地域ごとに業態別シェアを分析すると、表2－15に示すように預貯金シェアにおいて、ゆうちょ銀行は15～20％、農協は10％前後と一定のシェアを平均的に確保していることがわかる。この預貯金が中央集権的に調達され、直接的ではないが国債や外債に運用されている。都銀・信託等が地域において調達したものは地域で運用していることが、地域別預貸金シェアを検証し明らかになった。地方銀行および第二地方銀行合計の預金残高シェアは関東、近畿で低いが、東北、中国、四国、九州・沖縄では50％以上のシェアを有している。貸出金シェアでも地方銀行および第二地方銀行は同様の構図である。東北のシェアは71％、中国67％、四国75％、九州・沖縄75％と高い。

　この地域別・業態別預貸金シェアを2000年3月期と比較すると、預貯金シェアの増減では都銀・信託等が関東で大幅に増加し（10.3％）、その分、ゆうちょ銀行が全国的に10～15％シェアダウンしている。地方銀行は東北で震災復興により、また九州・沖縄は地銀再編の加速により大幅なシェアの増加（15.4％）となり、第二地銀ほか他業態は多少の増減にとどまっている。貸出金については地方銀行が各地域においてシェアアップ（9.2％）し再編効果を出している。その分都銀・信託等がシェアダウン（▲8.6％）している。その他の業態はほとんど変化がない。

　このように現状と時系列的な動向を分析すると、表2－1において示したように、ゆうちょ銀行と農協の中央集権的な資金調達方法が構造的な問題と

表2－13 2017/3地域別・業態別預貸金残高および残高の増減

(単位：兆円)

		都銀・信託等	地方銀行	第二地銀	信用金庫	信組・労金	農業協同組合	ゆうちょ銀行	預貯金合計	都銀・信託等	地方銀行	第二地銀	信用金庫	信組・労金	農業協同組合	貸出金合計
北海道	2017/3残高	2.1	5.4	8.2	7.2	1.6	3.4	6.9	34.7	1.1	3.6	5.2	3.1	1	0.7	14.7
	2000/3対比増減	0.3	1.2	2.5	2	0.2	1	▲3.5	3.6	0.2	0.3	0.2	0	0	▲0.1	0.5
東北	2017/3残高	2.4	29.3	4.8	5.3	3.1	6.5	10.2	61.6	1.6	15	3.1	2.5	1.7	1.3	25.2
	2000/3対比増減	0.6	12.2	0.8	1.3	0.6	1.9	▲4.8	11.6	▲0.4	3.1	0.3	0	▲0.1	▲0.5	2.4
関東	2017/3残高	307.4	63.6	16.8	45	11.2	21.9	56.4	522.3	184.6	63.9	15.5	23.6	6.6	5.4	299.6
	2000/3対比増減	121.9	20.4	3.8	10	0.9	6.7	▲22.9	140.8	▲10.2	23.8	3	▲0.6	▲0.6	▲0.4	15
中部	2017/3残高	31.3	55.7	13.6	38	8.9	28.6	30.5	206.6	10.1	33.9	8.6	18.1	5.2	5.6	81.5
	2000/3対比増減	4	19.8	0.6	11.8	2.6	8.5	▲21.0	28.4	▲6.3	8.7	▲0.5	1.1	0.1	▲0.2	2.9
近畿	2017/3残高	77.7	30.5	8	28.6	6.1	16.4	29.2	196.5	31.3	23.5	7	14.7	3.7	2.6	82.8
	2000/3対比増減	13.3	11	▲0.9	8	0.6	5.6	▲19.7	17.1	▲24.1	7.9	▲1.8	3	▲0.2	0	▲17.9
中国	2017/3残高	4.1	22.4	5.8	5.9	2.8	7.2	10.7	58.9	1.9	13.6	4.2	3.2	1.9	1.6	26.4
	2000/3対比増減	1.6	7.1	1.6	0.9	▲7	2.5	▲7.5	3.5	▲0.8	1.9	0.5	▲0.1	0.4	0.1	3
四国	2017/3残高	1.4	13.2	5.1	2.8	0.7	5.4	5.3	33.9	1.1	7.2	3.2	0.9	0.6	0.7	13.6
	2000/3対比増減	0.3	3.3	1.2	1.1	0.1	1.3	▲4.7	2.6	0	1	0.2	▲0.3	0.3	▲0.1	1
九州・沖縄	2017/3残高	5	43	4.9	5.1	3.6	9.3	16.7	87.6	3.3	30.7	3.3	2.9	2.3	2.5	45
	2000/3対比増減	1.6	17.1	▲2.4	0.9	0.9	2.5	▲9.3	10.8	▲1.4	10.5	▲2.9	▲0.1	0.2	0.1	6.4
全国	2017/3残高	431	263	68	138	37	98	166	1,203	235	191	51	69	22	20	589
	2000/3対比増減	148	87	8	36	7	28	▲94	221	▲44	57	0	0	1	▲2	13

資料：各行の決算書より筆者作成

表2-14 地域別マーケット指標のシェア一覧

(単位：％)

	人口	法人数	県内総生産額	就業者数	個人保険契約残高	全銀行預金	ゆうちょ貯金	全銀行貸金	全国店舗数	9項目平均
北海道	4.23%	4.10%	3.58%	3.98%	3.38%	2.88%	4.16%	2.49%	5.15%	3.73%
東北	7.03	5.63	6.32	7.19	6.75	5.12	6.15	4.26	10.29	6.52
関東	33.55	39.93	37.77	33.72	34.83	43.43	34.02	50.87	22.05	36.58
中部	18.29	16.84	19.05	20.09	19.44	17.16	18.39	13.83	23.16	18.47
近畿	16.29	15.97	15.72	15.28	16.35	16.35	17.61	14.07	13.97	15.79
中国	5.91	5.19	5.57	5.81	5.79	4.90	6.45	4.43	8.45	5.83
四国	3.11	2.86	2.67	2.99	3.13	2.83	3.13	2.34	4.78	3.09
九州・沖縄	11.58	9.47	9.31	10.96	10.23	7.31	9.95	7.69	13.23	9.98
全国計	125.2 (百万人)	2,755 (千社)	513.3 (兆円)	60.2 (百万人)	861.5 (兆円)	1,202.6 (兆円)	165.8 (兆円)	589.1 (兆円)	54.4 (千店)	100%

資料：『金融ジャーナル』2017年12月号より筆者作成。①人口は2017.1.1（総務省）②法人数は2016/3末（国税庁）③県内総生産・就業者数は2014年度（内閣府）④個人保険契約残高は2017/3末（生命保険協会）⑤預貸金計数は国内銀行勘定のみ2017/3末⑥店舗数は国内のみ本・支店・出張所の合計2017/3末

第2章　業態別および業態内のROA比較分析からの課題　89

表2－15　2017/3地域別・業態別預貸金シェアおよびシェアの増減（2000/3対比）

		業態別預貯金シェア					
		都銀・信託等	地方銀行	第二地銀	信用金庫	信組・労金	農業協同組合
北海道	2017/3	6.1	15.5	23.6	20.7	4.6	9.7
	2000/3対比増減	0.3	2	5.3	4	0.1	2
東北	2017/3	3.9	47.6	7.8	8.6	5	10.5
	2000/3対比増減	0.3	11.4	▲0.2	0.6	0	1.3
関東	2017/3	58.9	12.2	3.2	8.6	2.1	4.2
	2000/3対比増減	10.3	0.9	▲0.2	▲0.5	▲0.6	0.2
中部	2017/3	15.2	26.9	6.6	18.4	4.3	13.8
	2000/3対比増減	1.7	5.1	▲0.7	2.7	0.7	2.5
近畿	2017/3	39.5	15.5	4.1	14.6	3.1	8.3
	2000/3対比増減	3.6	4.6	▲1.3	3.1	0	1.7
中国	2017/3	7	38	9.8	10	4.8	12.2
	2000/3対比増減	2.4	9.3	2	0.6	▲1.4	3.4
四国	2017/3	4.1	38.9	15.1	8.3	2.1	15.9
	2000/3対比増減	6	7.3	2.7	2.9	0	2.8
九州・沖縄	2017/3	5.7	49.1	5.6	5.8	4.1	10.6
	2000/3対比増減	1.3	15.4	▲4.4	0.3	0.4	1.7
全国	2017/3	35.9	21.9	5.6	11.5	3.2	8.2
	2000/3対比増減	7.1	4	▲0.5	1.1	0	1

資料：各行の決算書より筆者作成

なってくる。更に、この間の地銀の統合・再編は県境をまたぐ営業基盤を拡大し、事務部門の効率化を図ってきた。持株会社方式のフィナンシャルグループ化は、新たなALMを構築し収益強化につながっている。このことは、規模を拡大した地銀（主として第一地銀）の経営改革が正しかったことを証明している。一方、第二地銀はもともと経営基盤が弱く収益力も低いので、総資産と経常利益の相関関係の分析からも予測される統合・再編のシナリオが現実味を帯びてくる。そのシナリオとは、金融市場における一定のマー

(単位：%)

ゆうちょ銀行	預貯金合計	業態別貸出金シェア							貸出金合計
		都銀・信託等	地方銀行	第二地銀	信用金庫	信組・労金	農業協同組合	
19.8	100	7.5	24.5	35.3	21.1	6.8	4.8	100
▲13.6	0	1.2	1.3	0.1	▲0.7	▲0.3	▲0.8	0
16.6	100	6.3	59.5	12.3	9.9	6.8	5.2	100
▲13.4	0	▲2.5	7.3	0	▲1.0	▲1.1	▲2.7	0
10.8	100	61.6	21.3	5.2	7.9	2.2	1.8	100
▲10.0	0	▲6.8	7.2	0.8	▲0.6	▲0.3	▲0.2	0
14.8	100	12.4	41.5	10.6	22.2	6.4	6.9	100
▲14.1	0	▲8.5	9.4	▲1.0	0.6	0	▲0.5	0
14.9	100	37.8	28.3	8.5	17.8	4.5	3.1	100
▲12.4	0	▲17.2	12.8	▲0.2	3.5	0.6	0.5	0
18.2	100	7.2	51.8	15.9	12.1	7.2	6.1	100
▲15.9	0	▲4.3	5.8	0.1	▲2.0	0.7	▲0.3	0
15.6	100	8.1	52.9	23.5	6.6	3.7	5.2	100
▲16.3	0	▲0.6	3.7	▲0.3	▲2.9	1.3	▲12	0
19.1	100	7.3	68.2	7.3	6.5	5.1	5.6	100
▲14.7	0	▲5.0	16	▲8.8	▲1.3	▲0.3	▲0.6	0
13.8	100	39.8	32.5	8.6	11.7	3.9	3.5	100
▲12.7	0	▲8.6	9.2	▲0.2	▲0.2	0.1	▲0.3	0

ケットシェアを確保しなければ、金融機関の各業態として地位を確保できなくなり、いずれ各業態間の垣根を取り外し、新たな業態としてのシェアを確保しなければならないというものである。

　ゆうちょ銀行は完全民営化後、新たな業態としてシェアを確保するために、現在抱えている諸問題を解決する必要がある。ゆうちょ銀行の諸問題については次章で述べる。

第3章

ゆうちょ銀行が抱える諸問題

第1節

肥大化したゆうちょ銀行の課題

　欧米諸国において1800年代後半から始まった郵便貯金制度は各々独自の役目を果たしてきたが、わが国の郵便貯金も明治以来拡大し続け、高度経済成長まで一定の役割を果たした。

　ヨーロッパ諸国では1990年代後半から郵政事業の民営化が始まり、郵便貯金制度の民営化も同時に行われた。イギリスやドイツの郵便貯金制度はすでに完全民営化され、民間銀行となっている。フランスやイタリア等では郵便貯金制度は残っているものの規模は日本の10分の1程度で国内金融機関のなかに占めるシェアも5％程度である。アメリカやカナダでは早くから郵便貯金制度は廃止され公的金融に依存していない。アジアにおいて中国郵政貯蓄銀行はゆうちょ銀行の半分程度の規模であり、韓国、ASEAN諸国の郵便貯金銀行は小規模である。世界に類をみない肥大化したわが国のゆうちょ銀行は総資産210兆円で日本の金融機関に占めるシェアが現在でも13％であることは異常な状態ともいえる。

　そこで、以下に欧米諸国の郵政事業および郵便貯金制度の歴史と、1990年代から始まった民営化の経緯を振り返り、特に中国との比較において肥大化したゆうちょ銀行の諸問題を浮き彫りにしたい。諸外国の郵便貯金制度の民営化の実情を調査し、ゆうちょ銀行との比較において、規模の縮小やゆうちょ銀行の代理店となっている郵便事業との関わり方、完全民営化へのプロセス等を探ることとする。

規制緩和と自由競争をもたらした背景

1980年、イギリスではサッチャー政権（1979〜90年）がとった経済政策は「規制緩和」と「民営化」による「大きな政府」から「小さな政府」への転換であった。これを「サッチャリズム」という。加えて当時のスタグフレーションを解消するため、インフレの鎮静化と国債の償還に尽力した。

アメリカのレーガン大統領（1981〜89年）は「レーガノミックス」と称し、富裕層の減税によって消費を増大させ、企業減税と規制緩和によって投資を増やし、供給力を向上させる経済政策を推進した。そして強いアメリカを復活させた。

日本では中曽根康弘首相（1982〜87年）が公営企業である日本国有鉄道[23]や、日本電信電話公社[24]、日本専売公社[25]を民営化し、行財政改革に取り組んだ。先進国の規制緩和と自由競争、税制改革と財政支出削減の一連の流れがわが国における金融の自由化や公営企業の民営化につながった。しかし、郵政事業の民営化は取り上げられず、加藤寛・山同陽一［1984］は『郵政は崩壊する』という著書のなかで、「郵政問題をきちんと解決することが、政府の財政を立て直すことであり、公社・特殊法人の基盤を見直すことであり、ひいては行政の改革なのである」と力説した。

わが国の官製金融はバブル崩壊後制度疲労を露呈し、財政投融資改革や郵政民営化へと向かったが、その背景にはアメリカ・イギリス等の市場主義経済（自由主義経済）の考え方に基づく金融の自由化があった。

23　JR 6地域の旅客鉄道と1貨物鉄道会社に1987年4月1日に分割民営化。
24　日本電信電話株式会社法により、1985年4月1日に民営化。
25　日本たばこ産業株式会社法に基づき、1985年4月1日に民営化。日本たばこ産業株式会社は専売公社の権利義務を継承した。

金融自由化による業態間の自由競争

　金融の自由化とは具体的には、第一に金利の自由化、第二に業態間（銀行・証券・保険）の規制緩和・撤廃、第三に合併・統合の自由化であった。

　表３－１はアメリカ・イギリス・日本の金融自由化の推移を示すものである。アメリカでは金利の自由化が1970年代から始まり1982年までに完了した。1987年のグラス・スティーガル法（銀行・証券業際間の規制）の緩和に始まった業態間の業務自由化は、1999年同法の廃止によって完了した。そして、全国規模での合併・統合の足枷となっていたマクファデン法（州際業務規制）は1994年に廃止され、1997年には他州の銀行を買収・合併することが可能となった。

　イギリスでは1972年に金利の自由化が完了し、1986年金融ビッグバンを実現するための金融サービス法が制定され、銀行窓口での年金保険商品の販売等も可能となった。1990年代に入ると銀行は生き残りをかけた買収・売却を本格化させ、HSBC、バークレイズ、RBS銀行の３大銀行に集約されていった。

　日本ではアメリカ・イギリスに遅れること10年、1985（昭和60）年に大口定期預金の金利自由化が始まり、1994（平成６）年の当座預金を除くすべての流動性預金金利自由化によって金利自由化は完了した。1996年には日本版金融ビッグバンが橋本内閣のもとで提唱された。1998年12月に金融システム改革法が施行され、銀行窓口における投信販売や保険商品の窓販が段階的に可能となった。

　バブル崩壊後、企業金融から個人金融ビジネスに軸足を移した都市銀行は、信用力を回復させる狙いもあって経営規模の拡大を目指し、合併・統合を進めた。そして、三井住友フィナンシャルグループ（2002年）、みずほフィナンシャルグループ（2003年）、三菱UFJフィナンシャル・グループ（2005年）のメガバンクグループとりそなホールディングス（2002年）に集約され

表3−1　米・英・日、金融自由化と合併・統合の流れ

	1980年代			1990年代				2000年代	
	70　80	80　82　82	87	94	97　98　99	00　01	08
アメリカ	自由化（10年間で段階的緩和）／禁止解除／市場金利連動型大口定期	市場金利連動型普通預金／預金金利自由化完了	州間業務規制の緩和（州際業務規制の自由化）・グラス・スティーガル法の自由化（銀行証券業の国際化）		可能に（他州の銀行買収・合併）／【ネーションズバンクがバンカメリカを買収】／グラス・スティーガル法廃止	【チェースがJPモルガンを買収】／【ファーストユニオンがワコビアを買収】	サブプライムローン…リーマンショック
	71　72　78		86	92　　　89	96　97	00	08
イギリス	新金融調節方式をベースにしたインターバンク市場／金利の自由化／短期市場金利の自由化		ビッグバン開始／金融サービス法制定（年金・金融窓販）	【ミッドランドBCをHSBCが買収】／【バークレイズがBZWの投資銀行部門売却】	【ナットウエストをRBSが買収】	リーマンショック
		79　85　89		93　94	96　97　98	00　01 02　04	06　07 08
日本		譲渡性預金導入／無担保コール市場導入／金利10百万円未満の小口定期自由化／金利10百万円以上の大口定期自由化		定期性預金金利自由化完了／流動性預金金利自由化・当座を除くすべて	日本版ビッグバンの策定／【北拓の破綻】／投資信託窓販解禁	【一体発行・富士・興銀合併】みずほカード／【住友銀行合併】さくら・住友銀行／年金保険窓販解禁／株取次解禁	【三菱UFJ銀行合併】東京三菱・UFJ銀行／金融商品取引法／保険窓販全面解禁／リーマンショック

資料：筆者作成

た。

　一方、地方銀行では、ほとんど合併・統合が行われていない。バブル崩壊後のデフレ環境のなか、政策金利は低下し、2000年からはゼロ金利政策がとられた。短期プライムレートは1.5％、1年定期預金金利は0.15％に低下し、銀行経営は低利鞘経営を強いられることになった。地方銀行の経営統合はバブル崩壊後、救済合併型が主であり、2012年頃まで経営危機に陥った小規模地銀を救済する合併が続いた。その後、資金利鞘の低下により収益環境がますます厳しくなるなか、規模の利益を追求するため、県境を超えた地域統合型の大型経営統合が行われるようになった。2014年の鹿児島銀行と肥後銀行の持株会社方式の経営統合がその一例である。

　金利の自由化は金融制度の規制緩和をもたらし、金融制度改革をもたらす引き金となった。筆者は30〜40代の頃銀行の営業企画部門に所属し、仕事を通じて英米および日本の金融自由化を体験することができた。

諸外国の郵政民営化からみえてくるもの

　諸外国の郵便貯金制度は郵政事業を主とし、物品販売を行うなど郵便局の利便性を生かして発展してきた。しかし、ヨーロッパ諸国は1990年代後半から2000年代前半にかけて行財政改革のため郵政事業を民営化し、それにともない郵便貯金制度を完全民営化した。郵便貯金銀行は上場によって完全民営化を達成したが、その後大手民間銀行に買収されたり存続しても規模を縮小したりした。その結果、郵便貯金制度が消滅した国もある。一方、郵便事業においては郵便のユニバーサルサービス提供を義務化することによって郵便局を存続させている。そして、郵便事業の生き残り策として郵便局ネットワークを維持するために、複数の民間銀行から金融商品販売（住宅ローン等）などの業務委託を受け収益を得ている。

　その他大洋州やアジア諸国の郵便貯金制度は、1900年代に宗主国に倣って

設立された。総じて規模は小さく、細々と郵便ネットワークを維持しているが、郵便貯金制度は縮小傾向にある。一方、日本と中国は郵便貯金残高が諸外国の10〜15倍の規模であり、近年まで国有企業として国家財政に関与してきた。両国の郵便貯金銀行はほぼ同時期に上場し、形は民営化したが、完全民営化への道筋はみえない。中国郵政および中国貯蓄銀行は完全民営化しても国家の体制からすれば実質的な国有企業であろう。

アメリカやカナダでは完全に郵便貯金制度をなくしたものの、郵便事業のユニバーサルサービスによる郵便局存続の課題は残ったままである。郵便局ネットワークを民間金融機関の代理店として収益事業に活用する方法は、官・民イコールフッティングの競争条件を確保していくうえで大変重要な要件である。諸外国の郵便ネットワーク維持政策を参考にして、日本郵政は郵便局ネットワークをゆうちょ銀行の代理店に限定せず、民間企業の代理店として活用することを、模索する時期に来ているのではないだろうか。

以下に、諸外国の郵政民営化の歴史、現状等を調査し、わが国の郵政民営化のあり方を考えるうえで参考にしたい。

・イギリスの郵政民営化

第1期サッチャー政権（1979〜84年）は、国有企業約50社を公共部門の縮小や上場による株主の多様化、労働組合の弱体化を目的とし民営化を推し進めた。1981年にはブリティッシュ・エアロスペースを民営化し、1984年にはエンタープライズ・オイルケーブル＆ワイヤレス社等を民営化した。更に、1985〜90年の第2期サッチャー政権においても公共事業であるブリティッシュ・ガスやブリティッシュ・テレコム、ブリティッシュ・エアウェイズを民営化した。この結果、サッチャー政権においては国有企業を半減させ、国有企業の職員を80万人減らして100万人体制とした。このような政策のもとイギリスの郵政事業も1981年に公社化、その後民営化された。

イギリスにおいて、世界で最初に作られた郵便貯金制度は1861年の郵便貯蓄銀行法（Post Office Savings Bank Act）に基づいて設立された。なお、日

本の郵便貯金制度は1875（明治8）年に創設され、世界で第3番目に古いといわれている。

イギリス政府は1880年に郵政省が郵便・電気通信・郵便貯金の3事業を管轄下に置いた。郵便貯金事業では政府保証をバックに貯金残高を伸ばした。1969年に大蔵省の外局として国民貯蓄庁が新設され、郵政省から貯蓄庁に移管され国営の郵便貯蓄銀行となった。その後名称を国民貯蓄銀行と改め、集められた貯金はすべて国家貸付資金勘定に預託され、政府の資金として運用された。1980年代のサッチャー政権下にあって1981年郵便事業が公社化され、2001年政府出資100％の株式会社となった。

1996年国民貯蓄銀行は国から分離し、国民貯蓄投資機構（National Savings and Investments[26]、以下、NS&I）となった。NS&Iはイギリス最大の貯蓄機関で約2,600万人の顧客の資産を政府債で運用している。取扱商品は個人貯蓄口座や各種の貯蓄債券であり、預金は100％政府保証される。NS&Iの資産規模は約989億ポンド（13兆円程度）で個人預金資産の2～3％のシェアでしかない。NS&Iは独自の店舗網をもっていないため、郵便局の窓口が委託販売チャネルとなっている。イギリスにおいて郵便事業を行っているRoyal Mail Holdings傘下にあるPost Office Ltdがリテールサービスを提供しているということである。つまり、Post Office LtdはNS&Iや民間金融機関の貯蓄商品を窓口で販売する代理店であり、「郵便貯金銀行」は存在しない。

ちなみにイギリスは2006年に郵便事業を自由化した。そして2011年郵便サービス法が制定され、ロイヤルメールグループは再編された。ロイヤルメール（Royal Mail Plc）には最大90％まで民間資本の導入を可能とし、Post Office Ltdは政府全株保有を維持した。2012年3月時点で郵便局数は1万1,818局で直営店は373局にすぎず、残り1万1,445局は代理店となっている。このうち9,818局はサブポストオフィス（sub-post office）と呼ばれ、郵便局会社と契約している独立した個人事業主である。金融ユニバーサルサー

---

[26] NS&Iの歴史については以下のHP参照：www.nsandi.com/about-nsi-who-are-story-nsi（www.nsandi.com/about-nsi）

ビスは義務化されていないが、郵便事業は全国同一料金によるユニバーサルサービスの提供を義務づけられている。

　以上のように、イギリスにおいて郵便事業は政府事業から政府が100％株式を保有する株式会社形態に変わったものの、官営であることに変わりはない。一方の郵便貯金事業は一部投資部門が国営金融機関として残ったものの、規模は小さく、いわゆる民間金融機関としては何も残っていない。

・ドイツの郵政民営化

　ドイツは1990年10月の東西ドイツの統一から民営化が始まり、独占禁止法の改正により、ルフトハンザ航空の政府保有株比率の低下や1993年にはドイツ国鉄民営化法が可決し、ドイツ鉄道株式会社が発足した。

　郵政3事業（郵便・郵便貯金・電気通信）については、1987年郵便電気通信省から公社化案が提出され、1989年ドイツ連邦郵便経営基本法が成立した。1989年7月ドイツ連邦郵便（Deutsche Bundespost）による一体経営から、郵便・通信と郵便貯金に分割された。東西ドイツ統一に伴う公共部門改革が郵政改革を後押しし、1994年「郵政再編法」施行により1995年政府が100％株式を保有する持株会社の下で、ポストバンク（Post Bank）を含む3公社が各々株式会社化した。5年間は政府が株式の2分の1以上を保有するが、その他の株式は民間に放出した。

　1999年ドイツポストバンクは政府によって全株をドイツポストに売却され、ドイツポストの子会社になった。2000年ドイツポストが上場し、2004年6月ポストバンクも上場した。ポストバンクはM&Aや決済業務代行を引き受け、事業を拡大した。

　2008年以降リテール金融分野を強化するためドイツ銀行（Deutsche Bank）はポストバンクの買収を始め、2010年12月までに株式の過半数51.98％を保有した。そして、2012年2月には93.7％株式を保有した[27]。こ

27　Post Bank Group Annual Report 2012

の結果、ドイツの郵便貯金事業はドイツ銀行のリテールバンキング部門に取り込まれ、完全民営化された。

ポストバンクには金融ユニバーサルサービスの義務はない。なお、ポストバンクの資産規模は2011年9月末、国内第10位で、2,033億ユーロ（26兆円程度）と小規模である。全金融機関に占めるシェアは2.4％とドイツ銀行のシェア28.9％の10分の1程度である。職員数は1万8,600人で第4位、リテールの顧客数は1,400万人となっている。

2015年4月ドイツ銀行はポストバンクへの出資比率を96％から50％未満に引き下げ、連結対象から外し、将来的に市場への売却を検討していた。しかし、2017年3月ドイツ銀行は個人取引を強化するため方針を変更、ポストバンクの売却をとりやめ、ドイツ銀行の本体に吸収することにした。ドイツ銀行は運用の失敗や不正融資問題を抱え、赤字経営が続いておりドイツ政府としてもドイツ銀行再建策（国内第2位のコメルツ銀行との合併等）を検討している。しかし、ドイツ銀行のリストラ策においてはドイツポストバンクの従業員が重荷になっていること等問題が多いが、ドイツ銀行はポストバンクをてこにドイツ銀行の弱点でもあるリテールバンキング部門の強化を図り、収益回復策としたい意向もある。このドイツ銀行とポストバンクの事例は日本のゆうちょ銀行再編にあたって参考になる事例といえよう。

・フランスの郵政民営化

フランスでは1881年、郵便局を貯蓄金庫とする法律が定められ、郵便電気通信省の国家機関として郵便貯蓄金庫が設立された。1918年には預入限度額が定められた。

政府の管轄下にあった郵便貯金、郵便電気通信事業は1991年それぞれラ・ポスト（La Poste）とフランス・テレコム（France Télécom）に公社化された。1998年に郵便資金は国庫への預託義務が廃止され、一部資金は自主運用となった。2005年郵便サービス市場を自由化するため、フランスは郵便サービスの規制に関する法律を成立させた（郵便サービス規制法）。

2006年、ラ・ポストは「公法人ラ・ポストおよび郵便業務に関する法律123号」で株式100％保有のバンクポスタル（La Banque postale）を設立した。2010年、ラ・ポストは株式会社に転換され、翌年政府は郵便市場を自由化した。これにともないバンクポスタルはファイナンス業務の認可を得、民間銀行と同じ商品・サービスを取り扱うようになった。

　フランスの郵便事業民営化は政府がラ・ポストの株式を77.1％所有し、預託供託公庫が22.9％保有している。ラ・ポストがバンクポスタルの株式を100％所有している形態は日本と同じ構図であり、株式会社化しただけの民営化である。バンクポスタル[28]は民間銀行と同じ通信金融法典に基づいて銀行免許を取得している。

　しかし、金融ユニバーサルサービスについては、ラ・ポストの郵便業務と同様にユニバーサルサービスの提供を法律で義務づけられている[29]。なお、バンクポスタルの資産規模は2010年末、国内第7位で1,712億ユーロ（23兆円程度）と小規模である。全金融機関の総資産に対するバンクポスタルのシェアは約2.2％と低い。フランスには1万7,075の郵便局があり、全局の窓口で金融商品のサービスを取り扱っている。このうち地方郵便局は5,223局で、郵便取次所は1,995カ所ある。地域別分類では郵便局は都市部に6,950局、農村部に1万91局がある。バンクポスタルの業務に約2万8,000人のラ・ポストの職員と、約3,000人のバンクポスタルの職員が従事している。預金口座数は1,160万口座となっている（2012年末）。

・イタリアの郵政民営化

　イタリアは1875年、日本と同時期に郵便貯金金庫を設立した。1936年債券の発行体が財務省から預金貸付公庫（Cassa Depositi e Prestiti、以下、CDP）に変わったが、引き続き郵便局で販売されている。ポステイタリアーネ（Poste Italiane）[30]は1998年に経済財務省が65％、CDPが35％出資して株式会

---

[28] Le Groupe La Poste, Registration Document 2011
[29] La Banque Postale ANNUAL REPORT 2010

社化したものである。バンコポスタ（Bancoposta）はポステイタリアーネの一事業部門であり、法人格はない。根拠法は2001年3月14日の大統領令144に金融サービス機能が規定されていることに基づいている。

ユニバーサルサービスについては郵便に提供義務はあるが、金融サービスにはない。郵便貯金が個人預金に占めるシェアが9％弱である。ポステイタリアーネには地方郵政局が9局、統括局が132局、一般の郵便局が1万3,676局ある（2013年末）。

・中国の郵政民営化

（ⅰ）郵政事業改革

中国の郵便貯金制度は、1919年に中華民国政府により郵政貯金局の設立によって始まった。そして、1949年に中華人民共和国は、郵政貯金局の業務を中国郵電部に引き継ぎ、中国人民銀行の管轄下に入れた。1953年9月郵便貯金業務は廃止された。33年後、1986年4月郵電部により、郵便貯金業務の再開が決定され、人民銀行は郵便貯金業務を復活させた。1995年5月の金融改革によって「商業銀行法」が郵便貯金業務にも適用された。

1983年中国財政部の一部であった人民銀行は中央銀行機能と商業銀行機能を分離した。商業銀行として中国工商銀行、中国農業銀行、中国銀行、中国建設銀行等4行の国有商業銀行が設立された。これらの国有商業銀行は1995年の「商業銀行法」を根拠法として現在に至っている。

なお、1994（平成6）年3月中国政府（江沢民・朱鎔基）は住友銀行に、北京で開催された「商業銀行改革検討会」に参加することを要請してきた。この検討会では人民銀行と国有商業銀行4行、国家外貨管理局、中国投資詢公司約70名が研修を受け、半年後に来日し日本の銀行業務を実際に経験した。1990年代に高度経済成長期を迎えていた中国は金融システムが近代化されず、決済・融資業務が遅れていた。日本はちょうどバブル崩壊後の不良債権

30　Poste Italiane, Annual Report 2001

処理の真最中にあったが、中国政府も日本の金融制度は良い意味でのお手本になると考えていたのであろう。

　1998年国有商業銀行の経営健全化のため、政策金融業務を国有商業銀行から分離し、政策銀行3行を設立した。中国国家開発銀行と中国輸出入銀行、中国農業発展銀行である。中国輸出入銀行は日本の国際協力銀行や国際協力機構の役割と同じ役割を担っている。中国農業発展銀行は農村のインフラ整備や農業の事業開発など、農業支援を担っている。これに比べ、日本の農林中央金庫は農協貯金の運用機関化し、ほとんど農業支援を担っていないことを指摘しておく。

　2000年代になって中国の金融改革はグローバルな金融市場への参画、企業情報の透明性の強化や自己資本比率の強化のため、上場政策を推し進めてきた。唐成［2005：p201］は2003年9月以前の郵便貯金の人民銀行への全額預託方式について「郵便貯金の運用主体は中央銀行であり、郵便貯金は実質的に人民銀行の預金代理機構と考えられる。郵便貯金は人民銀行への全額預託方式によって、中央銀行の国有商業銀行への貸し出しの原資の一部として機能している」と論じている。これは日本の第2期預託金制度時代と同じであり、自主運用になったのも同じ時期である。2005年以降国有商業銀行の新規株式公開が相次ぎ、2005年に中国建設銀行が上場し1,326億元、2006年に中国銀行が上場し1,100億元、中国工商銀行が上場し1,732億元、2010年に中国農業銀行が上場し1,487億元の資金を調達した。

(ⅱ)　**中国郵政貯蓄銀行の上場（民営化）**

　1990年代の高度経済成長とともに、中国郵政貯蓄銀行の郵便貯金残高は急増し、2004年には1兆元を超え、大型商業銀行4行に次ぐ第5位の貯金残高となった。この時の郵便貯金の取扱局数は3.2万局で、うち都市部で1.1万局、農村部で2.1万局であった。郵便貯金残高の年増率が銀行貯金残高の年増率よりも常に高かった。理由は日本と同じで、第一に郵便貯金利率が銀行預金利率より高く設定されていたこと、第二に店舗ネットワークに強みがあったこと、第三に郵便振替が農村の出稼ぎ労働者の送金サービスという利

便性を提供したことであった。

　世界的な金利の自由化時代に、中国も金利自由化に対応すべく預託金制度を廃止し、時を同じくして2007年3月郵政改革の一環として、中国郵政集団を設立した。そして、中国郵政集団の全額出資により「中国郵政貯蓄銀行（有限会社）」が設立され、民営化された（表3－2参照）。

　中国郵政貯蓄銀行の総資産は100兆円程度でゆうちょ銀行の総資産は200兆円程度であるが、中国の金融機関の総資産に対して中国郵政貯蓄銀行の総資産が占める割合は3.3％であり、ゆうちょ銀行の同比率は13.3％と異常に高い。

　中国郵政貯蓄銀行は2009年に運用の多様化のため融資業務を開始し、2012年1月に有限会社から株式会社に組織変更し、上場を目指した。そして、

表3－2　中国郵政貯蓄銀行の概要

	中国郵政貯蓄銀行	（参考）ゆうちょ銀行
設立からの経緯	1919年設立、1953年（廃止）、1986年再開 2007年民営化（有限会社化） 2012年（株式会社化）	1875年設立 2007年民営化（株式会社化）
上場	2016年9月香港証券取引所	2015年11月東京証券取引所一部
店舗ネットワーク	39,000店（すべて代理店） ATM56,000カ所	24,000店（うち直営店233） ATM26,000カ所
根拠法	商業銀行法（1995年）	郵政民営化法（2005年）
総資産	5兆5,000億元（2013年12月）	202兆円（2014年3月）
貯金残高	5兆2,000億元（2013年12月）	176兆円（2014年3月）
総収入	1,450億元（2013年12月）	2兆704億円（2014年3月）
純利益	297億元（2013年12月）	3,547億円（2014年3月）
郵便貯金業務委託費用比率	48％（2013年12月）	55％（2014年3月）

資料：筆者作成

2016年9月28日中国郵政貯蓄銀行は香港証券取引所に上場した。政府の狙いは上場を通じて民営化や金融システムの健全性をアピールすることにあった。上場時の公開価格は1株4.76香港ドル（1香港ドル：約61円）とし139億株を売却した。売却額は566億香港ドル（約7,300億円）となった。

　上場前、新規株式公開を目指していた中国郵政貯蓄銀行は、2015年12月、事前に戦略的な投資家を対象に私募形式での新株発行による451億元を調達した。この私募発行は全株式の17％に相当する新株を10社に割り当てたものであった。主たる企業への株式割り当てシェアは、外国企業のUBSやJPモルガンに各々4.99％、中国人寿保険（日本のかんぽ生命に当たる）に4.87％、中国電信に1.6％となった。この結果、持株会社の中国郵政集団の保有株式シェアは83％となった。現在の政府（国家郵政局）が実質支配する株式シェアは83％であり、完全民営化の道のりは遠いが、日本よりは近い。

　上記のように、ゆうちょ銀行と中国郵政貯蓄銀行の上場を比較すると、株式売却額や政府が支配する株式シェアは似た規模であり、大差なく民営化への歩みを続ける状態にある。この両銀行の民営化について、次のステップに格差がつくかどうか、見守りたい。

　中国の金融財政制度は人民銀行が郵便貯金を預託させたため、その資金を人民銀行から国有商業銀行に融資し、国有商業銀行は企業に運用することによって、中国の経済成長に寄与してきた。2003年の金融改革で、中国郵政貯蓄銀行は郵便貯金運用の新規分から自主運用となり、政策銀行や商業銀行への金融債の引き受けも行うようになった。

　日本の郵便貯金の課題は、主として地方の個人の預金170兆円が中央集権的に集められ、大半が国債に運用され、その資金が政府を通じて特殊法人への財政投融資資金に変わっていることである。これは従来の預託金制度による資金の流れと大きく変わっていない。更に、民営化が中途半端なままであるため、ゆうちょ銀行が民間企業活動を支援するための、金融仲介機能が発揮できない状態が続いている。

　中国の郵便貯金の課題は、政府が人民銀行の財政政策と金融政策を独立さ

せていないため、民間の自由な金融活動に支障をきたす恐れがあることである。元来その政治体制は資本主義や民主主義と相容れないものがあるが、日中の郵便貯金制度の改革状況をみると、中国郵政貯蓄銀行が上場し、「商業銀行法」という根拠法に基づき民営化を推し進め、中小企業への金融仲介を行っている実態は、ゆうちょ銀行より大きく前進していることがわかる。これに反して、民営化途上にあるゆうちょ銀行は、特殊法下にあって郵便貯金を金融仲介によって信用創造ができず、中国郵政貯蓄銀行に追いつくことができなくなっている。

更に、中国の郵便局の課題は急速に進むキャッシュレス社会による、金融機関としてのトランザクションバンキングへの依存度が減少することである。1990年代初めの頃通信ネットワークは固定電話から携帯電話へと移行したが、中国は固定電話網において先進国に大きく後れをとっていたものの、通信網を一挙に無線基地局設置による携帯電話の無線通信に転換した。その結果、瞬く間に携帯電話はスマートフォンに移行し、インターネットの普及とともに5Gの社会へと向かいキャッシュレス社会を実現している。日本においても同じようなキャッシュレス社会が構築されれば、日本の郵便局の金融窓口ネットワークのトランザクションバンキングにも影響を及ぼすことになると考える。

このような状況にあるゆうちょ銀行は中国郵政貯蓄銀行と、同じように上場によって民営化を推進しているが、完全民営化までは似て非なる役割を担わざるをえない。

なお、表3－3は中国郵政貯蓄銀行とゆうちょ銀行の経営状況を比較したものである。

・アメリカの郵政民営化

アメリカでは郵便貯金制度は1910年に設立され、1967年に廃止された。理由は金利面で郵便貯金の商品競争力が大幅に低下したからである。1947年の郵便貯金残高は340億ドルだったが、1964年には4億ドルと激減した[31]。

表3-3　中国郵政貯蓄銀行とゆうちょ銀行の貸借対照表比較

中国郵政貯蓄銀行（2013/12）　　　　　　　　　　（単位：兆元）

科目	金額	科目	金額
預金（人民銀行）	1.2	預金	5.2
金融機関への預金	1.0	引当金	0.1
		その他	0.1
貸出金	2.6	負債合計	5.4
固定資産	0.1	資本金	0.05
その他資産	0.6	純資産合計	0.14
資産合計	5.5	負債・純資産合計	5.5

注：個人・中小企業貸出金　2.6兆元
　　クレジットカード発行枚数　510万枚

ゆうちょ銀行（2014/3）　　　　　　　　　　　　（単位：兆円）

科目	金額	科目	金額
現・預金	19.5	預金	176.6
有価証券	166.1	引当金	0.1
内国債	126.4	その他	14.3
貸出金	3.1	負債合計	191.0
固定資産	0.2	資本金	3.5
その他資産	13.6	純資産合計	11.5
資産合計	202.5	負債・純資産合計	202.5

注：個人・中小企業貸出金　2,097億円（6.8％）
　　クレジットカード発行枚数　197万枚
資料：ゆうちょ銀行ディスクロージャー誌B/S、中国郵政貯蓄銀行B/Sより筆者作成

31　Postal Saving System 2008/7

・カナダの郵政民営化

　1868年カナダ郵政省は郵便貯金制度を導入した。その後、金融セクターにおける政府機関の役割は、限定的なものでよいとの考え方から、1968年郵便貯金は廃止された[32]。

　以上、欧米諸国と中国を比較して郵便局を郵便ネットワークのユニバーサルサービスと位置づけ、同ネットワークを民間金融機関の代理店として、収益事業に活用する方法は官・民イコールフッティングの競争条件を形成する上で大変重要であることがわかる。日本郵政はゆうちょ銀行の完全民営化を前提にし、代理店契約をゆうちょ銀行に限定せず、早期に民間金融機関の代理店として活用し、収益機会を増やす必要があると考える。

事例研究1　地域分割した日本電信電話公社（NTT）、日本国有鉄道（JR）の民営化

　1980年代の規制緩和の流れは、先進国における金融の自由化や公営企業の民営化を加速させた。日本では中曽根政権（1982～87年）が、公営企業である日本電信電話公社や日本専売公社、日本国有鉄道を民営化し、行政改革に取り組んだ。1984年7月電電改革3法案が可決成立し、日本電信電話公社の民営化が決まった。1980年には日本国有鉄道再建促進特別措置法（国鉄再建法）が成立、1986年11月国鉄改革関連8法案が成立し、分割民営化が決まった。

日本電信電話公社（NTT）の民営化

　電電改革3法案が成立後、1985年4月日本電信電話株式会社を設立した。設立の目的は効率的な事業運営を可能にするため、経営の自由度が高い民営

---

[32] Canadian Museum of History, "A Chronology of Canadian Postal History" https://www.historymuseum.ca/cmc/exhibitions/cpm/chrono/index_e.html

化とし、民間活力の導入によって通信事業分野の競争を促すこととした。資本金7,800億円で政府100％出資の会社であり、翌年2月に上場した。株価の初値は160万円となり、1987年4月22日に史上最高値の318万円となった。その後、2回の売り出しで合計540万株を市場に放出し、10.2兆円を国庫に納めた。

　NTTグループの企業戦略として、民営化と同時に子会社NTTリース株式会社を設立し、電気通信事業の自由化への対応と事業多角化や事業領域の拡大を目指した。

　肥大化した本体事業の地域分割論に対応するため、1988年システム部門が株式会社NTTデータとして、事業分割され分社化された。そして1992年携帯電話部門が株式会社NTTドコモとして分割され分社化された。その後も政府（総務省）から規模縮小圧力は強く、電気通信審議会は1998年を目途に、日本電信電話会社を長距離通信会社と2社の地域通信会社に再編することを提言した。

　1997年6月「NTT法の一部を改正する法律」が成立し、再編成が決まった。NTTを持株会社とし、傘下の地域会社2社（NTT東日本、NTT西日本）は特殊法人とし、長距離通信会社（NTTコミュニケーションズ）は完全民営化するとした。

　この分割民営化の経緯について、神崎正樹［2006：p55］は「NTTの分割議論がようやく一応の決着をみたのが1996年。ところがふたを開けてみると、持株会社の傘下にNTT東西とNTTコミュニケーションズ、更にドコモとデータがぶら下がる組織形態であったのだ」と指摘するなど、実質的な1社体制を分割を求める郵政省と分割阻止を狙うNTTの妥協の産物であったとする見方もある。

　しかし、このグループ戦略としての事業分割および地域分割は、巨大な組織の再編となり、効率的な事業運営を可能とし、営業利益や当期利益を増加させた（表3－4参照）。そして、通信事業における自由な競争原理を導入することによって、インターネット社会を構築し、国民の生活を豊かにした。

第3章　ゆうちょ銀行が抱える諸問題

表 3 − 4　NTTの業績推移（連結）

	営業収益（兆円）	営業利益（兆円）	当期純利益（億円）
平成16/3期	11.1	1.56	6,438
20/3	10.6	1.32	6,351
25/3	10.7	1.20	5,241
26/3	10.9	1.21	5,854
27/3	11.1	1.08	5,180
28/3	11.5	1.35	7,377
29/3	11.4	1.54	8,001

資料：有価証券報告書より筆者作成

この結果、分割民営化の効果として以下の5つが挙げられる。
　a．通信料金、専用線料金の低廉化
　b．ネットワークのオープン化
　c．経営の効率化・従業員の削減
　d．株式売却益、配当、租税公課
　e．グループ業績の安定的な推移
　日本郵政グループ3社の民営化はもともと物流、銀行、保険とそれぞれ業種が違うので、郵政民営化法は銀行と保険は完全民営化することになっている。したがって、日本郵政グループ3社をNTTグループのように持株会社の傘下で経営することを想定していない。しかし、ゆうちょ銀行、商工中金、日本政策投資銀行の3行は完全民営化することになっている金融業なので、NTTグループの事業再編のあり方は参考になる。

日本国有鉄道（JR）の民営化
　国鉄改革関連8法案が成立後、1987年4月承継法人に分割し民営化した。巨額の累積赤字37兆円をもつ国の公共企業体である日本国有鉄道は、6地域旅客鉄道と1つの貨物鉄道会社に分割され、5つの関連事業会社に分割された。その結果は図3−1に示す如く、分割された会社は完全民営化されたも

図3-1　日本国有鉄道12承継法人一覧

```
┌─旅客鉄道6社
│    ┌─JR東日本──────→2002年完全民営化
│    │ JR東海 ──────→2006年完全民営化
│    ┤ JR西日本 ─────→2004年完全民営化
│    │ JR九州  ─────→2016年完全民営化
│    │ JR北海道
│    └─JR四国
│
├─JR貨物
│
│  財団法人鉄道総合技術研究所
├─JRシステム
├─鉄道通信────────→ソフトバンクテレコム
├─新幹線鉄道保有機構 ┐
└─日本国有鉄道清算事業団┘鉄道建設・運輸施設整備支援機構
```
資料：葛西敬之著『未完の国鉄改革』（2001年、東洋経済新報社）その他より筆者作成

のもあり、解散或いは統合されたものもある。

　JRの民営化の成果は巨額の債務問題を解決し、民間企業として鉄道事業を再生させたことにある。旧国鉄が抱えていた巨額債務37兆円は、うち12兆円を完全民営化したJR東日本、JR東海、JR西日本とJR貨物、新幹線鉄道保有機構が本業の収益で順調に返済した。残り25兆円は日本国有鉄道清算事業団が債務残高を肩代わりし、そして、政府の一般会計が債務残高を継承し、国鉄清算事業本部が4兆円を返済し、8兆円は債務免除となった。

　民間企業としての成果は次の7項目を挙げることができる。

　a．民営化後鉄道事故の減少
　b．接客態度等サービスの向上
　c．運賃の据え置き、経常収支の拡大
　d．労働争議の減少
　e．関連事業の拡大
　f．自動化による効率化（スイカカード）

g．旅客輸送量の大幅増加

これらの改善策により4つの旅客会社、JR東日本（2002年）、JR西日本（2004年）、JR東海（2006年）、JR九州（2016年）は各々上場し完全民営化した（表3－5参照）。

葛西敬之［2001］はJRのいわゆる完全民営化の仕組みは法律が成立した時点で国民的合意事項に立脚している。そして、分割民営化後これまでの14年間予想を上回って順調に推移しているため、国鉄の分割民営化は大成功であり、JRは百点満点だという評価が定着した。しかし、確かに分割民営化の枠組みは国鉄が推進する経営改善計画より踏み込み、より徹底した民営化フレームであることは間違いない。政府が立案し国会が議論して決定した法律に基づいて、分割民営化がなされたという事実は、これが政治決断であったことを意味すると評価している。

JRグループとしては分割民営化前まで、職員数はおおむね40万人で推移したが、合理化により27万人まで減少し、このうち20万人が12承継法人に移行した。巨大な労働組合の反対によって困難であった人員削減は、分割民営化による効率的で自由度の高い、経営組織への改組によって成し遂げられた。このJRの地域分割並びに事業分割による民営化および企業再編は、鉄道事業再生の好事例として世界的にも評価され、ドイツやイギリスの鉄道事業再生の参考となった。

表3－5　JR上場4社　2017年3月期決算

（単位：億円）

	売上高	経常利益	当期利益	総資産
JR東日本	28,808	4,123	2,779	79,111
JR西日本	14,414	1,607	912	30,078
JR東海	17,569	5,639	3,929	70,526
JR九州	3,829	605	447	6,766

注：JR東海はリニア中央新幹線を2027年に開業予定。
　　JR九州は2016年10月25日東証一部に上場。時価総額3,920億円の予想。
資料：有価証券報告書より筆者作成

郵便貯金銀行の地域分割については、民営化時実施計画において検討され、選択肢の一つであったが、その後日本郵政グループで検討された形跡はない。

第2節　ゆうちょ銀行の金利リスク問題

　前章第3節では、地域金融機関の適正規模について論じた。一方の主役である地方銀行については規模の利益の追求という課題はあるが、運用調達のミスマッチという問題は小さい。もう一方の主役となるゆうちょ銀行は規模の面では問題はないが、ALM上の大きな問題を抱えている。
　ゆうちょ銀行の完全民営化と資産ポートフォリオの改善が喫緊の課題と位置づける根拠の一つは、2000年代前半から続く低金利状態ゆえに成り立っているビジネスモデルが抱える金利リスクが、金利上昇の局面に入ると具現するためである。この点を論じる前に、まず経緯を振り返ることとする。

ゆうちょ銀行の業績見通しシナリオ

　2006年8月4日、政府の郵政民営化委員会は「実施計画の骨格」[33]について公表した。その資料のⅢ承継会社等の概要、の別紙にて4−(5)郵便貯金銀行の経営見通しを示した。この経営見通しは2007年10月以降のゆうちょ銀行の中長期経営計画となるもので、政府として初めて郵政民営化の郵便貯金銀

33　2006年2月設立の民営化準備会社である日本郵政株式会社が準備期間中に作成公表したもの。

表3-6 「実施計画の骨格」における郵便貯金銀行の中長期経営計画

・フラットシナリオは2006年12月の水準(1.7%)で金利が変動しない前提

	2007年（半期）	2008年	2009年	2010年	2011年
経常収益（千億円）	12.9	24.4	23.5	23.0	22.0
経常利益（千億円）	2.1	5.3	6.0	6.0	5.0
預金残高（兆円）	186	185	183	171	163

・政府見通しシナリオは長期国債10年物金利が民営化後5年で4%まで上昇する前提

	2007年（半期）	2008年	2009年	2010年	2011年
経常収益（千億円）	13.5	26.9	28.5	32.4	36.6
経常利益（千億円）	2.1	4.1	3.2	2.4	1.3
預金残高（兆円）	184	178	174	170	167

資料：2007年9月日本郵政公社の業務等の承継に関する実施計画

行の5カ年計画を示したものといえる。

表3-6は「実施計画の骨格」における郵便貯金銀行の中長期経営計画である。

中長期経営計画は2つの経営モデルを想定しているがいずれのケースでも金利リスクが最も重要なファクターと捉えていることがわかる。ゆうちょ銀行の負債サイドである郵便貯金の大半は定額貯金であり金利変動による定額貯金の預け替えがリスク発生のもととなる。定額貯金の商品性の特徴の一つである「6カ月の預入期間後は解約自由の固定金利」は、期間損益変動リスクをともなうため、将来の期間損益を計測する必要がある。一方、それを原資として運用している資産の大半が国債等の長期債券であり、両者の関係を分析して金利変動・価格変動等のリスクを計量する必要がある。上記の中長期見通しが示された際に政府・内閣府は2006年1月18日の経済財政諮問会議で、「構造改革と経済財政の中期展望の試算」を公表している（表3-7参照）。

表3－7　構造改革と経済財政の中期展望の試算

	2006年度	2007年度	2008年度	2009年度	2010年度	2011年度
名目成長率　　（％）	2.0	2.5	2.9	3.1	3.1	3.2
名目GDP　　（兆円）	513	526	541	558	576	594
名目長期金利　（％）	1.7	2.4	2.9	3.3	3.7	3.9
消費者物価　　（％）	0.5	1.1	1.6	1.9	2.1	2.2
公債等残高　　（兆円）	737	758	778	801	824	848
（名目GDP対比）（％）	(145)	(143)	(144)	(143)	(143)	(142)

資料：内閣府の資料より筆者作成

　試算では名目長期金利が2006年度の1.7％から2011年度の3.9％まで順次上昇するモデルを前提としているので、実施計画においてもこの前提を採用し、長期国債10年物金利が民営化5年後、4％まで上昇するものとして試算している。金利上昇時には、先述した負債サイドのリスクとして定額貯金の預け替えが発生し、短期調達と長期運用のミスマッチが発生する。具体的には以下のとおりである。定額貯金の商品性に原因があり、固定金利で6カ月の預入期間であるため、金利が上昇すると低い固定金利で6カ月後満期を迎えた定額貯金は、高い固定金利へと預け替えられることになる。低い固定金利で調達した資金が国債10年物で運用されていると、預け替えられた時点で、資金運用収支は悪化することになる。6カ月ごとに金利が上昇し、定額貯金の預け替えが発生すると、短期間に調達金利が上昇し、場合によっては逆鞘になる可能性が高い。したがって、上記の政府見通しシナリオでは、金利上昇時には順次ゆうちょ銀行の経常利益は低下すると判断している。

　資産サイドの金利上昇リスクとして、運用している国債等の債券の価格が低下し、残存期間の長い（満期までの期間が長い）債券ほど価格変動リスクが高くなる。国債等を満期まで保有するとしても、金利上昇によって保有する国債等の価格変動により、毎期の決算時に時価の下落率が30％以上になれ

ば、減損処理を検討しなければならない。

　ゆうちょ銀行は3年ごとに中期経営計画を公表してきたが、2015年度～2017年度および2018年度～2020年度の中期経営計画においても、郵便貯金（主として定額貯金）は現状維持の170兆円台を目標としている。運用については国債や外債の債券のみで、有価証券の運用に偏っており、融資等への運用の多様化を目指す必要がある。

ゆうちょ銀行の収益シミュレーション

　このような状況に鑑み、過去の推移と現状の資産内容の分析を基に、2019年3月期以降のゆうちょ銀行の収益のシミュレーションを行う。特に前述した資産と負債の満期までの期間の差異がもたらす収益の悪化の程度に焦点を当てる。

①　資産残高

　ゆうちょ銀行の資産は主として「預け金」「国債」「外債」「外国投信」「貸出金」から成る。2019年3月から2023年3月までの各資産項目の予測の根拠は表3－8のとおりである。すでにみたように預け金は日銀が買い取った国債の代わり金であるため実質国債といえる。したがって、預け金と国債の合計残高をそれぞれ予測した。合計残高はほんの少し逓増しながら推移し、その内訳である預け金残高は逓減し、国債は同程度逓増するとした。外債と外国投信の合計残高は逓減するが、預け金と国債の合計残高を合わせれば資産合計は（その他項目を加えて）210兆円と横這いで推移することとした。この予測の根底にはゆうちょ銀行の自己資本比率が2018年3月期で17.4％と低い水準にあり、このまま同水準で推移せざるをえない状況にあると判断したことにある。

表3-8 ゆうちょ銀行の収益シミュレーション

		2014/3	2015/3	2016/3	2017/3	2018/3	2019/3	2020/3	2021/3	2022/3	2023/3
資産（兆円）	預け金残高	19.3	33.1	45.7	51.1	49.1	50	50	45	40	35
	国債	126.4	106.8	82.2	68.8	62.7	60	60	70	75	85
	外債	14.5	18.8	19.8	20.1	20.2	20	20	20	20	20
	外国投信	8.1	14	25.5	32.7	38.7	40	40	35	35	30
	貸出金	3.1	2.8	2.5	4.1	6.1	7	8	9	10	10
資産の部（兆円）		202.5	208.2	207.1	209.6	210.6	210	210	210	210	210
負債（兆円）	貯金残高	176.6	177.7	177.9	179.4	179.9	180	180	180	180	180
負債の部（兆円）		191	196.5	195.5	197.8	199.1	199	199	199	199	199
収益（10億円）	資金運用収益	1,828	1,893	1,731	1,568	1,503	1,415	1,419	1,376	1,473	1,527
	資金調達費用	362	357	375	349	332	387	422	446	483	512
	資金収支	1,466	1,536	1,356	1,219	1,171	1,029	997	931	991	1,015
	営業経費	1,095	1,114	1,064	1,054	1,043	1,000	1,000	1,000	1,000	1,000
	資金収支－営業経費	371	422	292	165	128	29	－3	－69	－9	15

資料：ゆうちょ銀行の決算資料より筆者作成

② 負債残高

　ゆうちょ銀行の負債残高は2013年3月末から2018年3月末までほぼ190兆円台で推移し、安定している。特にその90％を占める郵便貯金残高は170兆円台後半で安定している。よって将来の負債残高は180兆円で固定することとした。

③ 国内資金運用利回り

　表3－9(i)で示すように、低金利の影響で国内資金運用利回りは2013年3月末の0.90％から2018年3月末の0.43％へ大きく下落している。今後5年間の運用利回りを推計するにあたり国債の残存期間別残高比率に注目した。表3－9(ii)は、2014年3月末以降の国債の残存期間別シェアであるが、実際2008年3月末から現在に至る11年間において、残存期間5年未満の国債が国債全体に占める割合は平均67.7％であるが、標準偏差は5.2％と小さく長期的には安定した水準にある。これは運用の安定性を確保するため、ゆうちょ銀行が計画的にデュレーションをコントロールしている可能性を示唆している。この分析の主目的は金利変動自体の影響の算定であるため、この点を踏まえ、今後5年間における国債の残存期間別残高比率を、5年未満を平均の67.7％とし、5年以上を残り32.3％と仮定する（以下仮定1）。また簡略化のため、右上がりの利回り曲線を想定し、5年未満の国債運用利回りは5年以上の国債運用利回りの一定割合（今回も60％）とした（以下仮定2）。

　これらの仮定に基づいて、将来の運用平均利回りを考える。以下の議論は将来運用利回りの予測の根拠を示すためのものである。金利水準が今後5年間で0.2％上昇するシナリオを考える。仮定1と仮定2のもとで国内運用利回りの過去データを基に逆算すると、残存期間5年以上の国債利回りは2014年3月期から2018年3月期までの5年間で1.10％→0.99％→0.84％→0.70％→0.60％と下落したものと推定される。5年以上の国内運用利回りは毎年0.1～0.15％の下落により、5年間で0.5％下落していることになる。この分

表3－9　ゆうちょ銀行の運用状況

(i) 運用利回りと調達利回り

(単位：％)

		2014/3	2015/3	2016/3	2017/3	2018/3	2019/3	2020/3	2021/3	2022/3	2023/3
国内部門	資金運用利回り	0.82	0.74	0.64	0.53	0.43	0.37	0.37	0.37	0.45	0.52
	資金調達利回り	0.16	0.15	0.15	0.13	0.09	0.12	0.15	0.18	0.21	0.24
	資金粗利鞘	0.66	0.58	0.49	0.40	0.33	0.25	0.22	0.19	0.24	0.28
国際部門	資金運用利回り	1.31	1.81	1.33	1.23	1.34	1.30	1.30	1.30	1.30	1.30
	資金調達利回り	0.48	0.41	0.40	0.37	0.41	0.40	0.40	0.40	0.40	0.40
	資金粗利鞘	0.82	1.39	0.92	0.86	0.93	0.90	0.90	0.90	0.90	0.90

(ii) 保有国債の残存期間別シェア

(単位：％)

国債		2014/3	2015/3	2016/3	2017/3	2018/3
残存期間別	1年未満	23.1	17.9	19.3	14.4	11.4
	1〜3年未満	27.2	30.8	20.9	22.4	25.1
	3〜5年未満	13.2	14.5	19.5	23.9	35.9
	小計	63.5	63.2	59.7	60.7	72.5
	5〜7年未満	11.9	15.4	27.6	29.8	11.0
	7〜10年未満	22.9	19.3	10.0	5.5	9.4
	10年超	1.6	2.1	2.7	3.9	7.2
	小計	36.5	36.8	40.3	39.3	27.5
合計		100.0	100.0	100.0	100.0	100.0

(iii) 国内運用利回りの将来予測の根拠

(単位：％)

国内運用利回り予測	2014/3	2015/3	2016/3	2017/3	2018/3	2019/3	2020/3	2021/3	2022/3	2023/3
5年未満	0.66	0.59	0.50	0.42	0.36	0.30	0.30	0.30	0.36	0.42
10年以下	1.10	0.99	0.84	0.70	0.60	0.50	0.50	0.50	0.60	0.70
運用平均利回り	0.82	0.74	0.64	0.53	0.43	0.37	0.37	0.37	0.45	0.52

資料：ゆうちょ銀行の決算資料より筆者作成

析を敷衍すれば、今後緩やかな金利上昇局面に入るときも5年以上の国債残存ストックが占める割合が大きいため、運用利回りの改善も下落時と同様のペースになると想定することは無理のない推論といえる。そこで2019年3月期から2023年3月期までの5年間で国内資金運用利回りが0.2％緩やかに上昇するシナリオでは、5年以上の残存期間をもつ国債の利回りは0.50％→0.50％→0.50％→0.60％→0.70％と上昇すると仮定できる。そして仮定2を用いて、残存期間5年未満の国債の利回りを計算し、更に仮定1から全体の運用利回りをシミュレーションしたものが、表3－9(iii)である。

④　国内資金調達利回り

　国内資金調達利回りは前述のとおり、6カ月ごとに定額貯金の利率が変更されるため、運用利回りの上昇より速いペースで上昇すると考えられる。過去5年間の調達利回りは0.16％→0.15％→0.15％→0.13％→0.09％と下落してきたが、資金運用利回りを5年間で0.2％上昇すると仮定したシナリオに従って、資金調達利回りも今後5年間で0.12％→0.15％→0.18％→0.21％→0.24％と上昇すると仮定する。5年間での上昇幅は0.15％としており、運用利回りの5年間の上昇幅0.2％より低く設定しているが、6カ月ごとに利率が変更されることを踏まえ、資金調達の大半を占める固定金利の定額貯金は金利が上昇すると、6カ月の預入期間経過後新しい金利に再預入されるので、早期に金利上昇が始まると考えられる。

⑤　国際部門運用利回り・国際部門調達利回り

　2014年3月期から2018年3月期までの5年間で外債、外国投信などの国際部門の運用利回りは1.3％程度、調達利回りは0.4％程度と安定的であるため、今後の5年間においてもこの水準で推移するものと仮定する。

　このシミュレーションの結果は表3－8のとおり、資金運用収益は2019年3月期からの5年間において年1.4兆円程度で推移するが、資金調達費用が3,870億円から5,120億円に上昇する。このため資金収支が1兆円を下回る時

期があり、その場合は営業費用約１兆円を賄えないこととなる。上記シナリオのように金利上昇幅がそれほど大きいものとはいえず、またその上昇が緩やかなものであったとしても、ゆうちょ銀行の収支に与える影響は深刻なものとなる可能性がある。

　なお、金利上昇リスクに関して、政府は2018年７月９日付け「中長期経済財政に関する試算」において、名目長期金利を2018年度～2020年度まで０％と想定している。2021年度の0.3％から順次上昇し2025年度で2.6％を見込んでいる。一方、ゆうちょ銀行の中期経営計画の金利見通しでは国内金利を前提として、国債10年物で2019年３月期0.13％、2021年３月期0.29％とゼロ金利に近い金利水準を見込んでいる。このように金利上昇リスクに関していうと、政府見通しシナリオでは限りなくゼロに近い金利水準で推移することになっているため、政府もゆうちょ銀行もゼロ金利政策の出口を見据えていない中長期計画となっている。

　ここまでの分析で明らかになったリスクを考慮すれば、ゆうちょ銀行は金利上昇モデルを参考に、多様なシナリオを描き、その解決策の制度設計を行うことは急務であると考えられる。ゆうちょ銀行の業態別総資産経常利益率（ROA）分析にみるように、ゆうちょ銀行の実質大株主である政府が、国民から貯金という形で拠出された資金を極めて低いリターンに据え置く経営を行うことは、国益に資するものといえない。よって官製金融民営化３行が目指すべきシナリオは、金利上昇リスクに耐えうる経営体制構築のために、まず完全民営化を行い、特殊法に守られた定額貯金による資金調達を縮小し、銀行法に基づく資金調達を行い、的確なポートフォリオ・マネジメントを行うことである。

　最後に重要な点は、金利上昇が起こると（いつ発生するかにかかわらず）必ずこのリスクが現実のものとなることである。現状低金利政策が続いているが、これは保有資産が更に低利回りになることを意味しており、固定費負担を維持できなくなる状況に陥る恐れがある。それを回避するためには、次節でみるように国内債券から比較的利回りが高い外国債券に切り替える方策を

第３章　ゆうちょ銀行が抱える諸問題

とるのではなく、抜本的な運用力強化を図る必要があることを再度強調したい。

第 3 節
ゆうちょ銀行の信用リスク問題

　前節でゆうちょ銀行の金利リスク問題を明らかにしたが、加えてゆうちょ銀行には信用リスク問題が浮上している。以下、ゆうちょ銀行の上場後の収益性の追求と関係する信用リスク増大の問題について述べるとともに、金融機関業態別の信用リスク分析を行う。

　ポートフォリオを考えるとき、運用リスクには主として貸出金の信用リスクと有価証券の信用リスクおよび金利リスクがある。有価証券の金利リスクは前節で分析した。貸出金の信用リスクを分析する指標として不良債権比率

表 3 – 10　業態別不良債権比率推移（2010/3〜2017/3）

決算期	都市銀行	地方銀行	信託銀行	全国銀行	信金	信組	農業協同組合	預金取扱金融機関
2010年3月期	1.8	3.2	1.3	2.5	5.8	8.2	3.6	2.9
2011年3月期	1.8	3.2	1	2.4	6	8	3.2	2.9
2012年3月期	1.9	3.2	1	2.4	6.3	8.5	3.2	3
2013年3月期	2	3.1	1	2.3	6.4	8.4	3	2.9
2014年3月期	1.5	2.7	0.7	1.9	6	7.7	2.7	2.5
2015年3月期	1.3	2.4	0.5	1.6	5.5	7.2	2.5	2.1
2016年3月期	1.2	2.1	0.3	1.5	4.9	6.1	2.3	1.9
2017年3月期	1.1	1.9	0.3	1.3	4.3	4.6	2	1.7

資料：全国銀行協会、全信連、全信組、全農連、政府系金融機関の決算書より筆者作成

が広く用いられている。表3−10、図3−2の業態別不良債権比率推移に示すように、民間金融の不良債権比率は1～2％台で、官製金融は3～4％台と高い。

ゆうちょ銀行の貸出金が5兆円程度で地方公共団体が主たる貸出先であるため、不良債権はゼロとなっている。したがって、民営化3行の同比率は1％台と民間金融のそれとほぼ同じである。第2章の第2節において述べたように、ゆうちょ銀行の貯金が政府系の金融機関の運用原資となっており、表3−10に示すようにその運用先の国策金融機関3行の不良債権比率が5～7％であることに鑑み、ゆうちょ銀行を含む官製金融機関の不良債権比率が4％台と高い水準にあることは理解できる。よって、ゆうちょ銀行が調達（入口）し、政府系金融機関で運用（出口）する仕組みはミドルリスク・ローリターンに分類できる。広い意味でゆうちょ銀行は決してローリスクではない。

次に、有価証券の信用リスクに対しては分析指標としてBIS規制における自己資本比率が用いられている。

表3−11、図3−3の業態別自己資本比率に示すように、過去10年間の業

（単位：％）

ゆうちょ銀行	商工中金	日本政策投資銀行	官製金融民営化3行計	日本政策金融	国際協力銀行	協力機構JICA	国策金融計	官製金融計
0	2	5	3.2	7.7	4.2	5.7	6.2	4.9
0	2	1.3	1.3	8	3.5	5.6	6.2	4.1
0	2.5	1.5	1.6	8.8	2.3	8.3	7.1	4.6
0	3.3	1.2	1.8	9.5	2.3	8.2	7.1	4.8
0	4	1	1.9	9.1	2	7.9	6.5	4.7
0	4.1	0.8	1.9	8.9	1.6	7.4	5.9	4.4
0	3.8	0.6	1.7	8.5	1.9	7	5.9	4.2
0	3.6	0.5	1.3	8	1.7	6.7	5.4	3.8

図3－2　官製金融機関と民間金融機関　不良債権比率推移（2010/3～2017/3）

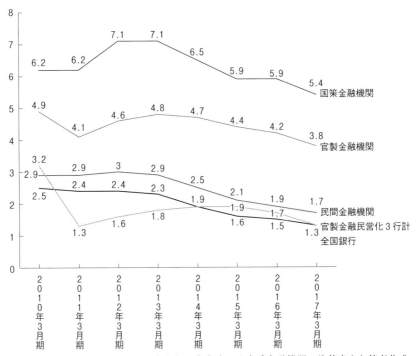

資料：全国銀行協会、全信連、全信組、全農連、政府系金融機関の決算書より筆者作成

態別の自己資本比率はほとんど変化がなくBIS規制をクリアする水準を確保している。ただし、ゆうちょ銀行はポートフォリオを国債運用から外国債券と投資信託への運用に移行したため、表3－12に示すように2019年3月期のゆうちょ銀行の自己資本比率は15.78％となり2015年3月期（上場前）と比較すると22.64％の減少となった。リスクアセット額の合計は2015年3月期の21.5兆円から、2019年3月期には56兆円となり34.5兆円増加した。

表3－12はゆうちょ銀行が過去の国債運用中心で、ローリスク・ローリターンの構図から、外債と投信運用のミドルリスク・ローリターンへ、そしてハイリスク・ローリターンに向かう過程を分析したものである。配当を維持するためにハイリスクの外債運用を行っていることは明らかである。そし

表 3-11　自己資本比率推移（2010/3～2019/3）

(単位：％)

決算期	都銀・信託		地銀＋埼玉りそな		信用金庫	信用組合	ゆうちょ銀行	商工中金	日本政策投資銀行	国際協力銀行
	国際基準	国内基準	国際基準	国内基準						
2010年3月期	15.82			11.3	12.34	10.93	91.62	11.4	19.13	19.65
2011年3月期	17.33			11.6	12.67	11.04	74.82	12.37	20.5	21.23
2012年3月期	17.95			11.9	12.85	11.14	68.39	13.09	18.56	23.47
2013年3月期	17.45	14.7	14.3	11.2	13.04	11.3	66.04	13.51	15.02	20.02
2014年3月期	15.18	14.27	14.28	11.04	13.16	11.84	56.81	13.73	15.83	17.98
2015年3月期	15.63	13.95	14.64	10.5	13.17	12.01	38.42	13.59	16.8	14.47
2016年3月期	16.17	13.3	14.1	10.2	13.08	11.95	26.38	13.41	17.87	16.04
2017年3月期	16.29	11.88	13.94	9.86	12.77	11.78	22.22	13.16	17.47	17.12
2018年3月期	17.63	11.26	14.01	9.7	12.51	11.58	17.42	13.57	16.82	19.28
2019年3月期	17.83	10.52	13.84	9.47	―	―	15.78	13.02	16.94	―

資料：全国銀行協会、全信連、全信組、政府系金融機関の決算書および金融庁資料より筆者作成

図3−3　自己資本比率推移（2012/3〜2019/3）

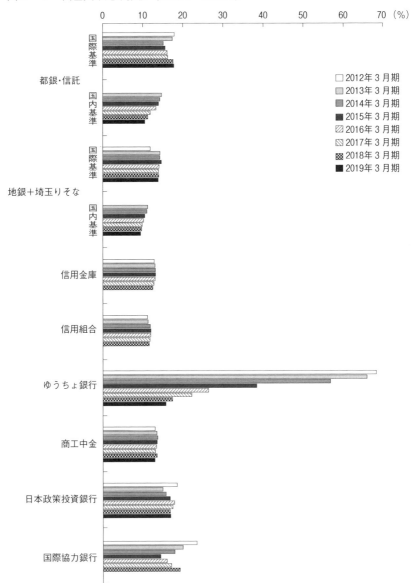

資料：全国銀行協会、全信連、全信組、政府系金融機関の決算書および金融庁資料より筆者作成

表 3−12 ゆうちょ銀行はローリスク・ローリターンからハイリスク・ローリターンへ

(単位：%)

	自己資本比率	リスクアセット（兆円）	不良債権比率	ROA	ROE	当期純利益（百億円）	配当性向
2010年3月期	91.62	9.1	0	0.251	3.43	29	24.9
2011年3月期	74.82	11.5	0	0.273	3.56	31	25
2012年3月期	68.39	12.9	0	0.297	3.69	33	25
2013年3月期	66.04	13.8	0	0.298	4.01	37	25
2014年3月期	56.81	16.5	0	0.282	3.68	35	26.5
2015年3月期	38.42	21.5	0	0.277	4.37	37	54.9
2016年3月期	26.38	32.2	0	0.231	3.72	32	28.8
2017年3月期	22.22	38.8	0	0.211	3.55	31	60
2018年3月期	17.42	50.3	0	0.233	3.94	35	53.1
2019年3月期	15.78	56	0	0.177	3.01	27	70.4

資料：ゆうちょ銀行の各年度決算書より筆者作成

て高い配当を維持するために外債運用比率を上げ信用リスクが高まっているにもかかわらず、日銀の低金利政策のため、主たる運用先である国債の利回りが低く、全体としてROAが下落していることが、ゆうちょ銀行の諸課題の本質と考えられる。加えて前節でみたように金利上昇局面で調達コストが運用利回りを上回る危険があることから、諸課題を解決するための制度設計の重要性、緊急性が指摘されるべきであると考える。

第4章

地域金融の業態別経営指標による構造分析と課題

第２章では、地域金融の担い手である地方銀行の収益力を比較し、その規模に応じて統計的に有意な収益力の差異が表れていることを示した。また第３章では2007年10月の民営化後も肥大化したまま、ゆうちょ銀行が株式会社化したものの、多くの課題を抱えていることを指摘した。その課題は第一に調達面で巨額の定額貯金に依存しているため、低金利政策下にあって将来、具現するであろう金利リスクを抱えていることである。これに関して全国銀行協会も郵政民営化委員会に対する意見陳述において、金利リスクによる損益悪化が将来の国民負担になることを懸念している。第二に運用面で外債への偏重を強めているポートフォリオ・マネジメントは信用リスクを高める方向にあるにもかかわらず、ゆうちょ銀行の総資産経常利益率（ROA）はその他の業態比低い水準になっていることである。

　民営化時の改革の目的は、ゆうちょ銀行の資金をより成長性の高い分野の金融市場へと資金配分を変え、官から民へ自由な市場での運用を求めたものであった。同時に、政策金融機関である商工中金や日本政策投資銀行についても、民営化によって特殊法に守られた運用から自由で効率的な運用へと移行することを目指した。そして公的金融の肥大化はGDPに対して100％となるまでになり、財政投融資制度は制度疲労をもたらし（表１－５参照）、諸外国に比べてみても官・民のバランスが崩れている現状を是正しようとするものであった。

　本章第１節においては地域金融機関が直面する課題の考察として、業態別に総資産シェアやROA、自己資本当期利益率（ROE）、不良債権比率等の推移を分析する。地域金融において肥大化したゆうちょ銀行が、常に競争的立場にある地方銀行と共存できるイコールフッティングな競争条件を探ってみたい。その前提条件は、オーバーバンキング状態にある地方銀行が経営基盤の拡大を目指す経営統合・再編であるが、まずこの課題について論じ、更に農業協同組合やその他の地域金融が抱える構造的低収益性の課題等についても論ずることとする。

第1節

業態別総資産とそのシェア推移からみた課題
―官製金融の民業補完と総資産規模の縮小―

　序章にて述べたが、業態別とは民間金融機関であれば都市銀行、信託銀行、地方銀行、信用金庫・信用組合、農業協同組合のことをいい、これに官製金融機関であるゆうちょ銀行、商工組合中央金庫、日本政策投資銀行の「官製金融民営化3行」および日本政策金融公庫、国際協力銀行、国際協力機構（JICA）の「国策金融機関3行」を加えた合計11の金融機関（およびグループ）のことをいう。

　表4－1はリーマンショック直後の2009年3月期の決算から2017年3月期までの業態別総資産シェアの推移である。この表は、第1に民間金融のシェアが78％から82％に逓増し、官製金融のシェアがダウンしていることを示している。しかし、民営化が進まず暗黙の政府保証下にあるため、官製金融のシェアは依然として20％弱の高い水準にある。

　第2に業態別にみると、日本経済の回復とともに都市銀行のシェアが増加し、ゆうちょ銀行のシェアが減少している。ゆうちょ銀行のシェアダウンの原因は、総資産の大半を占める貯金残高が、人口減少や高齢化のために減少していることにある。

　第3に時系列でみると民間金融機関では都市銀行と信託銀行のシェアが逓増し、地域・中小金融機関の地方銀行、信金・信組、農協のシェアは横這いの状態である。シェアダウンのゆうちょ銀行以外の官製金融機関のシェアは財政投融資の予算配分に依存するが、この期間は横這いとなっている。

　全体として総資産の業態別変化は小さく、民営化後の伸長はなく、暗黙の政府保証が続き、自由な開かれた金融市場に近づいたとは言い難い。金融構造の変化の兆しはゆうちょ銀行の上場や地銀再編にみられるものの、先はみ

表4－1 〈2009/3～2017/3〉の業態別総資産シェアの推移

		都市銀行	地方銀行	信託銀行	信金・信組	農業協同組合	民間金融計	ゆうちょ銀行
2017/3	利鞘縮小	35.0	23.3	6.2	10.6	7.1	82.2	12.8
2016/3	マイナス金利	34.9	22.9	5.8	10.8	7.3	81.7	13.3
2015/3	日銀国債買い入れ	34.5	22.9	5.3	10.7	7.4	80.8	13.7
2014/3	消費税8％	34.3	23.1	5.1	10.7	7.5	80.7	13.8
2013/3	円安	34.0	22.9	4.9	10.7	7.6	80.1	13.9
2012/3	復興増税	33.6	22.7	4.8	10.8	7.6	79.5	14.1
2011/3	東日本大震災	33.2	22.5	4.8	10.9	7.7	79.1	14.5
2010/3		33.3	22.4	4.8	10.7	7.8	79.0	14.8
2009/3	リーマンショック	32.9	22.2	4.8	10.9	7.8	78.6	15.7

資料：全銀協、信金信組協会、農協研究所、政府系金融機関の財務諸表より筆者作成

えていない。しかし、予見できることは法律上決められている民営化3行を、早期に完全民営化することによって業態別総資産のシェアが劇的に変化し、官製金融機関は民業補完を目的とする国策金融機関のみとなることである。

　官製金融機関の存在意義は、金融市場の機能を補完する金融仲介機能のなかで、官製金融機関が民間金融機関の機能を補完することにある。補完という機能からすれば、原則として民間金融機関が主たるもので、官製金融機関は従たるものである。したがって、バブル経済崩壊時に金融市場が異常な状態となり、官製金融機関が民業補完の役割を逸脱し、肥大化によって民業圧迫の領域に入ったとすれば、それを正常な状態に戻す必要がある。

(単位:%)

日本政策投資銀行	商工中金	民営化3行計	日本政策金融公庫	国際協力銀行	国際協力機構(JICA)	国策金融計	官製金融計	官・民合計
1.0	0.8	14.6	1.4	1.1	0.7	3.2	17.8	100
1.0	0.8	15.1	1.5	1.2	0.7	3.4	18.5	100
1.1	0.9	15.7	1.6	1.2	0.7	3.5	19.2	100
1.1	0.8	15.7	1.7	1.1	0.8	3.5	19.2	100
1.1	0.9	15.9	2.2	1.0	0.8	4.0	19.9	100
1.1	0.9	16.1	2.7	0.9	0.8	4.4	20.5	100
1.1	0.9	16.5	2.7	0.9	0.8	4.4	20.9	100
1.2	0.9	16.9	2.4	0.8	0.9	4.1	21.0	100
1.0	0.9	17.6	2.2	0.8	0.8	3.8	21.4	100

　しかし、金融市場の変化、例えば戦後復興期に設立された政策金融機関が当時の資金配分の必要性に鑑み適正に行われたとしても、民間金融機関の健全な発展とともにその政策的な役目が変貌したとすれば、官業としてではなく民営化されてもよいはずである。財政投融資改革、郵政民営化と政策金融改革は一体的に行われることによって、日本の官・民金融機関は資産規模が適正な官・民バランスのとれたものとなり、官製金融機関が民業補完となりうる資産規模に是正される。そして、特殊法に守られた官製金融を民営化すると同時に、民間金融の銀行法と同じ法律の下で、イコールフッティングな競争条件を作りだすことができる。

　実際、内閣府・経済財政諮問会議［2004］に「郵政民営化に関する論点整

理」を行い「官から民へ」の転換をはかり日本経済を活性化するためには、郵政民営化は避けて通れない改革であり、諸外国の経験等に学びつつ改革は成し遂げなければならないとしている。民営化後の郵便貯金のビジネスモデルの検討に際しては、「事業展開の自由度とイコールフッティングの度合いは表裏一体であることを踏まえつつ、郵政公社の有する膨大な資金が民間金融システムに円滑に統合されるべきである」と述べている。

池尾和人・柳川範之［2006：p17］は市場型間接金融の経済分析において「資本市場中心の金融システムにおいては裁量的な政府の介入は比較的行いにくい構造を持っている。この点は、柔軟な政策対応を行いにくいという側面もあるが、言い換えればそれだけ政治的な介入を受けにくく、透明性のあるシステム構築を行いやすいというメリットがある」と述べている。これは上場による早期完全民営化を指摘しているといえる。

2007年10月のゆうちょ銀行民営化、2008年10月の商工中金・日本政策投資銀行の民営化によって、一定の成果をみたものの、2015年3月で3行の総資

表4－2　業態別1行当たり資産比較（2007/3～2017/3）

		都市銀行	地方銀行	信託銀行	信金・信組	農業協同組合	民間金融計	ゆうちょ銀行
2017/3末	総資産	573	386	100	174	115	1,348	210
	銀行数	5	105	4	417	667	1,198	1
	1行当たり資産	114	3.7	25	0.42	0.17	1.13	210
2007/3末	総資産	402	283	60	138	98	981	232
	銀行数	6	110	7	455	835	1,413	1
	1行当たり資産	67	2.6	8.6	0.31	0.12	0.69	232
	増減	47	1.1	16.4	0.11	0.05	0.44	▲22

資料：全銀協、信金信組協会、農協研究所、政府系金融機関の財務諸表より筆者作成

産のシェアは15.1％を占め肥大化したままであるといえよう。

しかし、完全民営化が実施されれば、根拠法は銀行法に統一され、民間金融機関のシェアは95％程度となり、残った官製金融機関（国策金融3行）は民業補完に徹することになる。

・業態別総資産額の推移と1行当たりの総資産比較

2017年3月期で官・民合計の総資産は1,639兆円であるが、業態別にはその規模に格差がついている。表4－2にて2007年3月対比10年後の2017年3月における業態別1行当たり資産規模を比較した。2017年3月期でみると都市銀行の1行当たり資産規模は100兆円でメガバンクの規模であるが、地方銀行は1行当たりの資産が3.7兆円と極めて小規模である。このなかにはすでに持株会社方式の経営統合によって総資産を拡大している銀行が3分の1程度あるが、経営統合は不十分で最終的には収益効果を出すために、残り3分の2の銀行は合併を選択し適切な資産規模を確保せざるをえないと考え

（単位：兆円）

日本政策投資銀行	商工中金	民営化3行計	日本政策金融公庫	国際協力銀行	国際協力機構（JICA）	国策金融計	官製金融計	官・民合計
16.4	12.7	239	21.9	18.5	11.8	52	291	1,639
1	1	3	1	1	1	3	6	1,204
16.4	12.7	80	21.9	18.5	11.8	17.3	48.5	1.36
13	10.9	256	28	20.9		49	305	1,286
1	1	3	1	2		3	6	1,419
13	10.9	85	28	10.4		16.3	50.6	0.91
3.4	1.8	▲5	▲6	4.7		1.0	▲2.1	0.45

る。

　地元密着の経営を行っている信金・信組や農協は人口減少や高齢化に加えて、低成長経済下においては、資産規模の拡大によって、経営基盤を安定させなければ生き残れない。そのために業態別に規模の最適化を図るための経営統合や分割を行う必要がある。とりわけ、地方銀行の資産規模386兆円の再編と官製金融民営化3行の資産規模240兆円のあり方については、地域金融市場におけるイコールフッティングな競争条件を考慮しながら、地銀の1行当たりの規模の拡大と官製金融民営化3行の規模の縮小が課題となる。

第2節 肥大化した商工組合中央金庫の不正融資問題

　2005年特殊法人改革法が成立し、同じ時期に郵政民営化法や商工組合中央金庫法が成立した。その目的は肥大化した官製金融が制度疲労を起こしたため、自由で公正な金融市場を取り戻すことであった。しかし、この特殊法人改革は特殊法人を株式会社化する官有民営の形式的な民営化に終わってしまっている。民営化がスタートしてすでに10年になるが、この間政権交代や東日本大震災等があって、当初の完全民営化への道筋も消え、先行きがみえなくなり、経営方針が明確になっていない状態が続いている。2017年に発覚した商工中金の不正融資問題は、そうした状態が続いたことによる象徴的な不芳事態といえよう。

　商工中金は東日本大震災等への「危機対応融資制度」に対して融資額の嵩上げを行うために、取引先企業の売上高など財務内容を改ざんし、不正な融資35支店、760件を許容してきた。この結果、商工中金は2017年6月9日に経済産業省から業務改善計画書の提出を命ぜられた。

この事態に対し、日本経済新聞［2017］は、商工中金は危機対応融資制度の見直しや、不正の温床となった営業ノルマ・計数目標による業績評価の停止と、コンプライアンス研修の強化をすべきであると指摘した。
　しかし、日本経済新聞が提言した改善策は表面的な対処策であり、問題の本質は特殊法人等の改革が放置されたことにあり、官製金融機関のガバナンスの仕組みに起因している。問題となった「危機対応融資制度」は、政府の強引な経営への人事介入や特殊法である「株式会社商工組合中央金庫法」の度重なる法律の一部改正が完全民営化（上場）への道を閉ざしたことによって、不正融資につながったものである。この人事介入の経緯や法律改正の経緯等が、不正融資の根本的な起因になっていることを明確にしたい。

商工中金の危機対応融資政策の失敗および民営化対応の失敗の原因〜株式会社商工組合中央金庫法の度重なる法律一部改正の問題点

最初に度重なる株式会社商工組合中央金庫法の一部改正の経緯を述べる。
・2007年5月株式会社商工組合中央金庫法が成立し、商工中金は特殊会社として発足後、おおむね5〜7年を目途として政府保有株式の全部（46.6％）を処分する。移行期の特例を廃止し、完全民営化するとして2008年10月1日民営化がスタートした。
・2009年6月リーマンショック後、危機対応業務強化に対応するため、商工中金法の一部が改正され、2012年3月末まで政府は出資が可能とされ、2012年4月からおおむね5〜7年後を目途として完全民営化するものとした。
・その後、東日本大震災が発生し、それに対処するために2013年5月財政援助を行う「財特法」が成立した。これにより政府出資可能期限が3年延長（2015年3月末まで）され2015年4月からおおむね5〜7年後を目途として完全民営化するとした。政府は2014年度末を目途として、政府

による株式保有のあり方を含めた組織のあり方等を見直すとした。
・そして、政府は2014年度末に見直しを行い、2015年5月商工中金法の一部を改正した。その要旨は「商工中金の完全民営化の方針は維持しつつ、危機対応及び成長資金供給に対し、投融資機能を活用すること」であった。政府は具体的に当分の間危機対応業務実施のため商工中金に出資することができ、2020年度末までの間、特定の投資業務により、成長資金の供給を集中的に実施し、2025年度末までに同業務の投資資産をすべて処分し、同業務を完了するよう努めるとした。
・特定投資業務のために政府は商工中金に引き続き出資することが出来る。政府の保有する株式については、会社の目的の達成に与える影響及び市場動向を踏まえつつ、その縮減を図り、出来る限り早期に全部を処分する。危機対応業務、特定投資業務に関する措置を講ずる間、政府に対し発行済み株式3分の1超、2分の1以上を保有することを義務付けることとした。

以上のように、度重なる法律改正により危機対応業務や特定投資業務を口実に完全民営化への道は厳しい条件がつけられた。更に民営化の基本的な条件であった経営トップの人事において、当初は民間出身の社長であったが、危機対応業務を口実に、官僚出身（経財産業省事務次官）の社長がその後も続いた。

〈社長人事の推移〉

民営化以前	1993年〜2001年	児玉幸治（通産省事務次官）
	2001年〜2008年	江崎格（通産省政策局長）
民営化以後	2008年〜2013年	関哲夫（新日鉄代表取締役副社長）
	2013年〜2016年	杉山秀二（経産省事務次官）
	2016年〜2018年3月	安達健祐（経産省事務次官）
	2018年4月〜	関根正裕（みずほFG出身、プリンスホテル常務）

なお、民営化された他の官製金融機関のうち、日本政策投資銀行、および日本郵政グループ4社の経営トップの人事は民間出身者で構成されている。

以上のように、政府および経済産業省は「危機対応融資制度」をてこに、地方創生および中小企業育成を錦の御旗に、商工中金の経営に深く関わり、業容拡大を推し進めてきた。これにより商工中金の完全民営化の道は遠のいた。

　「危機対応融資制度」が機能している間は、官主導の経営が可能であったかもしれないが、震災復興が一段落すると当然危機対応融資案件が減少してくる。利子補給や保証付き融資でリスクのない危機対応融資は、顧客にも商工中金にもメリットがあり、不正融資が行われる土壌が整っていた。そのような時期に危機対応融資の目標をノルマとして支店に課したために不正融資が横行することになった。全国の支店で不正融資が行われたことはガバナンスの問題といわざるをえない。

　この不正融資について、2017年4月第三者委員会が実態を詳細に報告した。しかし、融資対象先がサンプル調査であったため不十分な調査とされ第三者委員会は全件調査を行った。その結果2017年10月、商工中金は中小企業庁に97支店、4,609口座で不正融資があったと報告した。これを受けて経済産業省に有識者による「商工中金の在り方検討会」が設置された。

　不正融資の原因の第一は危機対応融資の事業規模が、中小企業庁の政府予算への計上過大であり、かつ継続的な予算計上要望によって、支店への過大な予算配分となり予算消化のノルマを課すことになった。

　第二は2008年の民営化に危機対応融資制度が創設されたとき、危機対応業務の円滑な実施という目的に沿わない官主導の経営を資本政策に盛り込んだことにある。その資本政策とは中小企業のためとして政府出資金の3,038億円を特別準備金へ振り替えたことや、危機対応準備金として1,500億円を自己資金に組み込んだことである。表面上は資本金2,186億円のうち政府出資金1,016億円で政府保有シェアは46.5%となっているが、これらの準備金合計5,508億円を中核的な自己資本と位置づけて、普通株式等Tier 1 資本とディスクローズしていることから考えれば、実質的な政府保有シェアは2017年3月末で72%に及ぶ。完全民営化に向けてこの資本政策を見直すことは喫

緊の課題である。

　2017年10月25日経済産業省、財務省、金融庁、農林水産省は商工中金に対して、行政処分命令を下した。不正融資の根本原因は以下のとおりとされた。
- 経営陣及び本部は、危機対応業務を商工中金の主要な業務と位置づけ、危機対応融資の計画値等を支店毎に割り当てたうえで、過度な業績プレッシャーをかけて計画値の達成を推進していること。また、危機対応融資に係るニーズが減退した時期にも事業規模を維持することを企図していること。
- 政府系金融機関の役割はいわゆる民業補完であるにもかかわらず、経営陣及び本部は、危機対応融資を他の金融機関との競争上優位性のある「武器」として認識し、収益及び営業基盤の維持・拡大のために利用していること。
- 経営陣及び本部は、制度趣旨を逸脱した案件であっても、形式的または表面的に危機要件へ当てはめる運用を慫慂し、または過度なプレッシャーをかけつつ黙認していること。こうした姿勢が、職員の不正行為に対する心理的ハードルを引き下げ、コンプライアンス意識の低下に影響したものと認められること。
- 不適切な運用を防止するための内部統制及びガバナンスが欠如していること。特に、経営上の重要事項は、副社長以下のプロパーによる関係役員会で決定していることから、取締役会は、形式的な報告や儀礼的な追認の場となっており、社外役員によるけん制機能が発揮されていないこと。

これらの指摘を踏まえ、主務省の監督の下、当金庫において法令等遵守態勢、経営管理態勢および内部管理態勢等の抜本的な見直しを早急に図る必要があると命じている。これを受けて、経済産業省に有識者による「商工中金の在り方検討会」が設置された。

　この検討会は座長として川村雄介（大和総研副理事長）ほか民間から6名、

および安藤久佳(中小企業庁長官)ほか金融庁局長、財務省審議官で構成され、2017年11月から7回にわたり開催された。

2018年1月11日、商工中金のあり方の方向性について提言が行われた。組織形態の見直しによるガバナンスの強化として、取締役会の過半を社外取締役とし、第三者委員会が経営を監督すること、危機対応融資の見直しを行い、大規模災害などに限定し規模を大幅に縮小すること、そして、他の金融機関も参加できるようにするべきであるなどとしている。

更に、提言には今後、ビジネスモデルの見直しを行い、中小企業の経営立て直しや事業継承に注力するとともに、信用力が低いが成長の見込める企業の育成に取り組む等、4年間の改革の成果を踏まえ、「完全民営化の実行への移行を判断する」と明記された。同時に、経済産業大臣は商工中金の社長人事について了承し、経産省の天下り人事から民間人の採用へと元に戻した[34]。

商工中金の経営改善策

政府はこの事態を単なる不正融資の再発防止に終わらせるのではなく、これを機に特殊法人改革の原点に立ち返り、商工中金の根拠法を特殊法から銀行法に変え、上場により経営の透明性を高め、経営の自由度の高い完全民営化への道筋を明確に示すべきである。そのためには、民主党政権が郵政民営化を後戻りさせた「郵政株式売却凍結法」と同じような意味をもつ2015年5月の「商工中金法の一部改正法」を元に戻し、「商工中金の在り方」検討期間4年後に、政府保有株式の売却予定時期を明示すべきである。

経営指標については、不正融資によって改善したROAではなく、元のROA水準である0.2％台から脱却するべく運用サイドのポートフォリオ・マ

---

[34] 関根正裕氏は1981年第一勧業銀行入行。2007年西武ホールディングスに入社。2018年4月商工組合中央金庫の社長に就任。

ネジメントを見直し、0.3〜0.4％台のROA水準まで収益性を高める必要がある。

　以下に商工中金の経営指標および業績指標の時系列推移を掲載する（表4－3、表4－4参照）。

　商工中金は2011年以降不正融資が行われた間、地方銀行との競争に金利面

表4－3　経営指標の推移

(単位：％)

	2010/3	2011/3	2012/3	2013/3	2014/3	2015/3	2016/3	2017/3	2018/3	2019/3
ROA	0.087	0.250	0.240	0.244	0.242	0.317	0.240	0.397	0.471	0.262
ROE	0.71	1.76	1.17	1.62	1.49	1.82	1.25	3.40	3.83	1.48
不良債権比率	2.0	2.0	2.5	3.3	4.0	4.1	3.8	3.6	3.6	3.4
BIS比率	11.40	12.37	13.09	13.51	13.73	13.59	13.41	13.16	13.50	13.02

資料：商工中金の決算書より筆者作成

表4－4　過去5年間の業績推移（単体）

		2015/3期	2016/3期	2017/3期	2018/3期	2019/3期
損益計算書	経常利益（億円）	360	335	497	569	307
損益計算書	当期純利益（億円）	156	115	313	362	144
貸借対照表	総資産額（兆円）	12.5	12.5	12.7	11.8	11.7
貸借対照表	うち預貯金（兆円）（シェア：％）	5.0 (40.0)	5.1 (41.8)	5.1 (40.1)	4.8 (40.6)	5.0 (42.7)
貸借対照表	債券（兆円）（シェア：％）	4.8 (38.4)	4.8 (38.4)	4.7 (37.0)	4.4 (37.3)	4.2 (38.9)
貸借対照表	貸出金（兆円）（シェア：％）	9.3 (74.4)	9.5 (76.0)	9.3 (73.2)	8.6 (72.8)	8.2 (70.1)
貸借対照表	株主資本（兆円）	0.88	0.88	0.91	0.94	0.94

注：カッコ内は総資産に対するシェア。
資料：商工中金の決算書より筆者作成

で優位に立ち、業績を伸ばした。その結果、ROAも上昇した。2018年3月期の決算は皮肉にも過去最高益となったが、翌年には元の水準である0.2%台に戻った。

第3節 地方銀行の経営統合によるALMの再構築と経営統合・再編

 地銀再編についての考え方

すでに地銀再編は地銀105行のうち、3分の1は何らかの形で経営統合・再編に踏み出している。地銀再編を議論するうえで、広域行政地域内での合併・経営統合が重要であり、地域内の再編後地方銀行が一定のROAを達成するために必要な資産規模が重要であることも第2章第3節2にて説明した。

表4－5の個別行をみると、現状維持の地銀で資産規模が7兆円未満、格付がBBB以下は15行であり、同規模で格付がA以下は26行である。合計41行は先行き経営統合されて持株会社下で生き残ることは可能であるが、本体に吸収合併され消滅する可能性が高い。このことはすでに統合・再編下にある小規模銀行でも同様のことがいえ、同じ基準に存在する格付A以下で7兆円未満の17行は吸収合併される。残る上場地銀は30行程度になる。

過去の統合・再編の事例（表4－11参照）による5つの分類[35]を参考に、以下に総合的に判断して市場から退出を余儀なくされると推測される銀行と、図4－1のように存続する可能性が高い銀行に分けて、広域行政地域内

表4－5　格付別にみた上場地銀91行の経営統合・再編状況（2016/3）

	格付	BBB⁻～BBB	A⁻～A	A⁺～AA	合計
統合・再編の銀行	総資産7兆円以上	—	1行	3行	4行
	7兆円未満	7行	10行	6行	23行
	計	7行	11行	9行	27行
現状維持の銀行	総資産7兆円以上	—	1行	8行	9行
	7兆円未満	15行	26行	14行	55行
	計	15行	27行	22行	64行
合計		22行	38行	31行	91行

資料：長期格付ランク（日本格付研究所、格付情報センター）

　における地銀再編のシナリオを考える必要がある。なお、合併・経営統合されると予想される銀行は46行で総資産は合計73.7兆円（上記の図4－1では省略されている）であるが、合併・経営統合されても総資産73兆円は存続する。持株会社の傘下に入った銀行の行名は残るが、吸収合併された銀行の行名は残らない。46行の資産は存続銀行または他業態の資産に吸収されることを意味する。

地方銀行が目指すポートフォリオ

　地方銀行（64行）および第二地方銀行（41行）の2017年3月期のポートフォリオは、総資産額が大幅に増加しているにもかかわらず、10年前の2007年3月期の地銀（64行）、第二地銀（46行）のポートフォリオと変わっていない

35　野村資本市場研究所［2015：p61］による地域銀行の再編パターン（同一県、近隣県、広域）を規模拡大型と救済型に再分類し、筆者が5分類したもの（後掲図4－2参照）。
　1．広域規模拡大型、2．隣県規模拡大型、3．隣県救済型、4．同県規模拡大型、5．同県救済型

図4-1 シミュレーション後に存続する名銀行の分布図（銀行名・総資産兆円／ROA%）

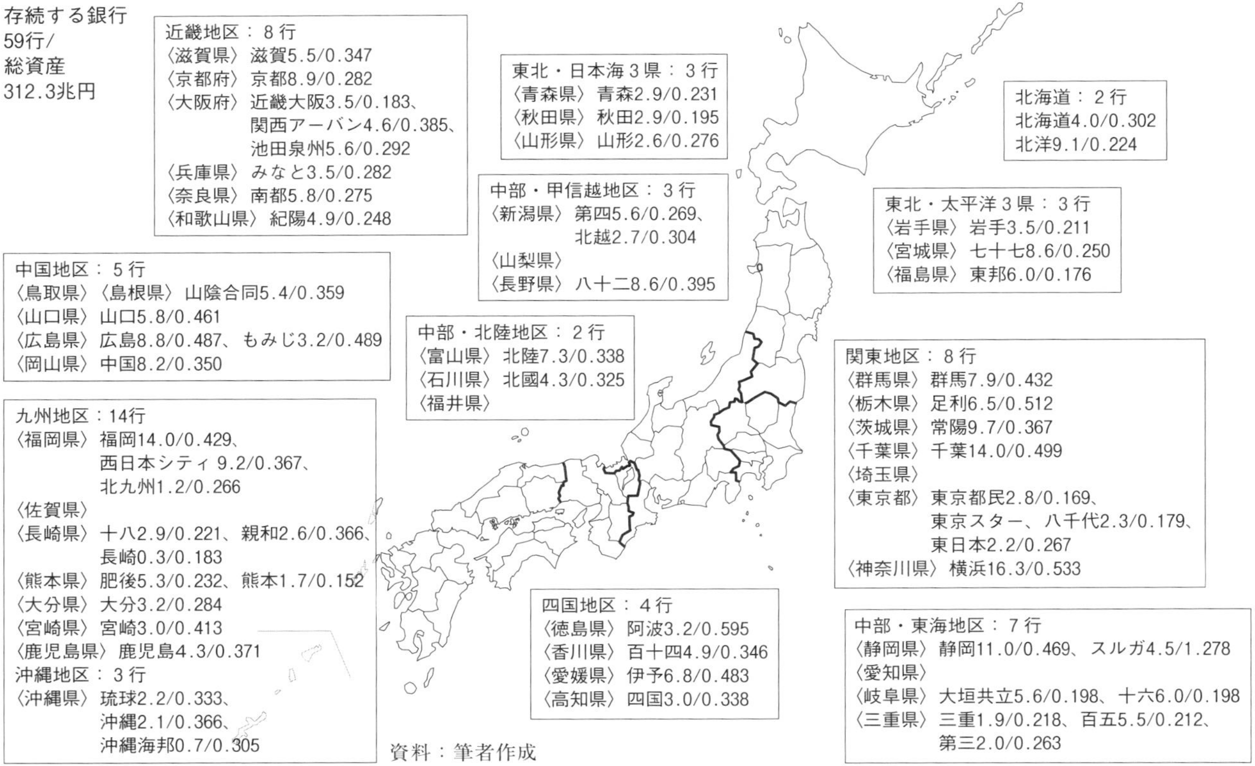

存続する銀行
59行／
総資産
312.3兆円

近畿地区：8行
〈滋賀県〉滋賀5.5/0.347
〈京都府〉京都8.9/0.282
〈大阪府〉近畿大阪3.5/0.183、関西アーバン4.6/0.385、池田泉州5.6/0.292
〈兵庫県〉みなと3.5/0.282
〈奈良県〉南都5.8/0.275
〈和歌山県〉紀陽4.9/0.248

中国地区：5行
〈鳥取県〉山陰合同5.4/0.359
〈山口県〉山口5.8/0.461
〈広島県〉広島8.8/0.487、もみじ3.2/0.489
〈岡山県〉中国8.2/0.350

九州地区：14行
〈福岡県〉福岡14.0/0.429、西日本シティ9.2/0.367、北九州1.2/0.266
〈佐賀県〉十八2.9/0.221、親和2.6/0.366、
〈長崎県〉長崎0.3/0.183
〈熊本県〉肥後5.3/0.232、熊本1.7/0.152
〈大分県〉大分3.2/0.284
〈宮崎県〉宮崎3.0/0.413
〈鹿児島県〉鹿児島4.3/0.371

沖縄地区：3行
〈沖縄県〉琉球2.2/0.333、沖縄2.1/0.366、沖縄海邦0.7/0.305

北海道：2行
北海道4.0/0.302
北洋9.1/0.224

東北・日本海3県：3行
〈青森県〉青森2.9/0.231
〈秋田県〉秋田2.9/0.195
〈山形県〉山形2.6/0.276

東北・太平洋3県：3行
〈岩手県〉岩手3.5/0.211
〈宮城県〉七十七8.6/0.250
〈福島県〉東邦6.0/0.176

関東地区：8行
〈群馬県〉群馬7.9/0.432
〈栃木県〉足利6.5/0.512
〈茨城県〉常陽9.7/0.367
〈千葉県〉千葉14.0/0.499
〈埼玉県〉
〈東京都〉東京都民2.8/0.169、東京スター、八千代2.3/0.179、東日本2.2/0.267
〈神奈川県〉横浜16.3/0.533

中部・東海地区：7行
〈静岡県〉静岡11.0/0.469、スルガ4.5/1.278
〈愛知県〉大垣共立5.6/0.198、十六6.0/0.198
〈岐阜県〉三重1.9/0.218、百五5.0/0.212、
〈三重県〉第三2.0/0.263

中部・甲信越地区：3行
〈新潟県〉第四5.6/0.269、北越2.7/0.304
〈山梨県〉
〈長野県〉八十二8.6/0.395

中部・北陸地区：2行
〈富山県〉北陸7.3/0.338
〈石川県〉北國4.3/0.325
〈福井県〉

四国地区：4行
〈徳島県〉阿波3.2/0.595
〈香川県〉百十四4.9/0.346
〈愛媛県〉伊予6.8/0.483
〈高知県〉四国3.0/0.338

資料：筆者作成

表4-6　地方銀行のポートフォリオ動態比較

(単位：%)

	2017年3月期		2007年3月期	
	地方銀行	第二地銀	地方銀行	第二地銀
うち預金・預け金	10.8	8.6	2.5	3.7
有価証券	24.4	21.2	27.1	22.4
貸出金	62.0	68.0	64.8	69.7
資産の部合計	100	100	100	100
うち預貯金	81.9	88.0	86.9	90.7
負債の部合計	94.3	94.8	94.3	95.0
純資産部合計	5.7	5.2	5.7	5.0

資料：全国銀行協会業態別決算書資料より筆者作成

（表4-6参照）。

　しかし表4-7のように、ゼロ金利政策が続いたため、総資産区分ごとのROAは総資産の大きな銀行ほど高く、小さな銀行ほど低くなっている。その原因はポートフォリオにみられる。

　地方銀行（除くスルガ銀行）のポートフォリオは貸出金に60～70％、有価証券に25％程度、日銀預け金に5～10％の運用資産で構成されている。銀行の総資産階層ごとに運用の資産構成を分析してみると、貸出金への運用比率は規模の小さい銀行ほど高くなりROAも低い。これは中小企業・零細企業への貸出比率が高まり、労働集約的な融資業務となること、また貸倒比率も高まることが原因と考えられる。よって過度に貸出金に依存したポートフォリオを維持することは困難となる。

　以上の分析の結果として、望ましい収益性と安全性を両立させたポートフォリオは、総資産7兆円以上の地方銀行において貸出金比率60％、有価証券比率25％、日銀預け金比率（実質有価証券）10％で合計95％、残り純資産とその他資産で5％のポートフォリオとなる。

　地方銀行の再編によって、多くの地銀が持株会社の傘下に入り、グループ

表4-7　地方銀行の総資産規模階層別ROAと資産構成比率（2017/3）(単位：％)

総資産規模階層 銀行数	総資産経常 利益率 ROA	貸出金 比率	有価証券 比率	日銀預け金 比率
総資産10兆円以上　　　　4行	0.483	66.2	15.2	14.7
10兆円未満～7兆円以上　　　　10行	0.349	60.7	26.3	10.1
7兆円未満～5兆円以上　　　　14行	0.319	60.8	26.1	10.5
5兆円未満～3兆円以上　　　　17行	0.316	62.3	26.4	8.5
2兆円台　　　　22行	0.305	64.2	24.6	9.0
1兆円台　　　　20行	0.282	67.5	23.6	6.6
1兆円未満　　　　17行	0.271	69.1	20.9	7.9

資料：地方銀行（除くスルガ銀行）104行の決算書より筆者作成

として連結決算上のポートフォリオを最適化することが求められる。大久保豊［2006］は理論上モデル化された最適なポートフォリオは多岐にわたるポートフォリオ・セレクションによって安全性と収益性を得ることができALMが再構築されると銀行ALMの基本設計について述べている。小規模の地方銀行はすでに貸出金運用比率が70％を超え、また高度な有価証券運用能力を持ち合わせていない。小規模の地銀ほどポートフォリオを最適化するシナリオが描けないので、持株会社の傘下に入らざるをえないことになる。

　以上、官製金融民営化3行と地方銀行に関する総資産およびROAによる業態別分析（表2-2参照）、ゆうちょ銀行が抱える金利リスク（表3-8参照）、およびポートフォリオ分析（表5-2参照）を行った。これらの事項は

互いに関係する課題であるが、一つひとつを切り分けて定量分析を行うことで課題を明らかにすることができた。

この分析を踏まえ、民営化3行と地銀再編の課題解決のための方法論を論じてきたが、重要な課題が残されている。それは懸案事項である官・民のイコールフッティングの競争条件である。この官・民のイコールフッティングの競争条件が確保できるかどうかを検証するために、分割された民営化3行の広域行政区域における、地方銀行の再編については第5章第3節2③における官製金融民営化3行事業再編後の地域銀行のシミュレーションによる事例検証の論理に従って、わが国の他の広域行政区域における地銀再編構想を、付属資料として巻末に論じている。

再編と無縁だった地方銀行64行

地方銀行の収益力の低下は、今後加速していくとみられる。2014年5月政府および自民党は「日本再興戦略」や「日本再生ビジョン」のなかで地域金融機関の再編を明確にした。このことは地方銀行の1行当たりの総資産が3.7兆円と小さく、第2章で示したように、地方銀行が生き残るためには7兆円以上の資産規模が必要であるというマクロ的分析と通底する。以下に地方銀行という業態を掘り下げ、過去の経営統合・再編の実績を分析し、経営基盤の拡大が必要であることを再確認しておきたい。

1990年、バブル崩壊前のわが国には、都市銀行が13行、信託銀行等10行（うち信託7行）、地方銀行64行、第二地方銀行68行、信用金庫451庫、信用組合408組合が存在した。都市銀行や信託銀行は不良債権処理と、その後の日本版金融ビッグバンに対応するため、リストラや経営統合によって規模拡大と効率化による収益体質強化を進めた。その結果、「失われた20年」の間に都市銀行は実質4行、信託銀行等を加えても6行となり銀行数は半減した。また、3行あった長期信用銀行[36]は、日本興業銀行がみずほコーポレート銀

行に統合され、日本債券信用銀行と日本長期信用銀行はそれぞれ国の特別公的管理のもとに置かれた後、普通銀行に生まれ変わった。

　不良債権処理を目的とした公的資金の注入を受けたメガバンクは生き残りをかけ、規模の拡大による収益の増加を目指した。そのため企業取引の重複や店舗の重複等を避け効率化を図った。更に経営統合により個人顧客を囲い込み、収益基盤を安定的なものにしていった。一方、バブル崩壊による不良債権の発生により、第二地方銀行や信金・信組は破綻し吸収合併されたものもあった。

　こうしたなか一県一行主義を貫く第一地方銀行は、政・官と一体となり地方金融の担い手としての役割を守ってきた。ただしこの守りの姿勢は地方活性化や積極的な産業への投融資ではなく国債運用によってなされ、今日の地方経済衰退の一因をつくったともいえる。

　表4−8に示すように、地域金融機関数の推移をみてみると地方銀行は、バブル経済崩壊後一増一減の時期があったものの再編と無縁であったが、第二地銀が27行減少する過程において、第一地銀が存続銀行となり救済合併や持株会社方式の経営統合が行われた。

表4−8　地域金融機関数の推移

	地方銀行	第二地方銀行	信用金庫	信用組合
1990年	64	68	451	408
2000年	64	60	386	291
2005年	64	48	298	175
2010年	63	42	272	158
2017年	64	41	264	151
1990年対比	0	▲27	▲187	▲257

資料：金融ジャーナル各年度12月号より筆者作成

36　1952年長期信用銀行法が制定された銀行法に基づく銀行。長期貸し出しを主たる業務とする金融機関。資金源として金融債を発行することができる。

表4-9　地方銀行の経営指標の推移 　　　　　　　　　　　（単位：兆円、％）

	2010/3	2011/3	2012/3	2013/3	2014/3	2015/3	2016/3	2017/3	2018/3	2019/3
ROA	0.276	0.331	0.383	0.368	0.443	0.466	0.476	0.370	0.341	0.272
ROE	4.23	4.48	4.82	5.18	6.69	6.36	6.67	5.48	5.24	4.03
不良債権比率	3.2	3.2	3.2	3.1	2.7	2.4	2.1	1.9	1.7	1.7
BIS比率	11.3	11.6	11.9	14.3	14.28	14.64	14.1	13.94	14.01	13.86

資料：全国銀行協会資料より筆者作成

表4-10　地方銀行の業績推移（単体） 　　　　　　　　　　　（単位：兆円、％）

		2015/3期	2016/3期	2017/3期	2018/3期	2019/3期
損益計算書	経常利益（兆円）	1.64	1.67	1.36	1.32	1.09
	当期純利益（兆円）	1.02	1.13	0.96	0.95	0.75
貸借対照表	総資産額（兆円）	363.4	369.9	377.0	397.0	403.8
	うち預貯金（シェア）	307 (84.4)	313 (84.5)	320 (85.0)	329 (83.0)	334 (82.7)
	有価証券（シェア）	99 (27.3)	89 (24.0)	92 (24.3)	86 (21.5)	80 (19.7)
	貸出金（シェア）	227 (62.4)	235 (63.5)	244 (64.7)	254 (63.9)	262 (64.8)
	株主資本	15.9	16.8	17.4	18.1	18.6

注：カッコ内は総資産に対するシェア。
資料：全国銀行協会資料より筆者作成

　第二地銀は1990年から2010年までの20年間に26行が統廃合によって減少した。リーマンショック後、表4-11をみると持株会社方式による広域での総資産規模拡大型の統合が5件、隣県で総資産規模拡大型が4件、そして同県で総資産規模拡大型3件と合計10件の積極的な地銀再編が行われている。

　郵政民営化後、ゆうちょ銀行への対抗意識と危機意識は強くなり、それま

表4－11　これまでの地方銀行の統合・再編（1991～2017年）

統合日	銀行名	形態（対象行）	地域
1991/4	山陰合同（ふそう）	合併（第一と第二地銀）	島根県・鳥取県
1992/4	伊予（東邦相互）	合併（第一と第二地銀）	愛媛県
1992/4	熊本ファミリー（肥後ファミリー）	合併（第二地銀同士）	熊本県
1993/4	北都（秋田あけぼの）	合併（第一と第二地銀）	秋田県
1998/10	関西（関西さわやか）	合併（第二地銀同士）	大阪府・滋賀県
1999/4	みなと（兵庫）	合併（第二地銀同士）	兵庫県
2000/8	八千代（国民）	合併（第二地銀同士）	東京都
2001/4	北洋（札幌）	持株会社（第二地銀同士）	北海道
2001/9	もみじHD（広島総合、せとうち）	持株会社（第二地銀同士）	広島県
2002/4	親和（九州）	持株会社（第一と第二地銀）	長崎県
2003/4	関東つくば（関東、つくば）	合併（第一と第二地銀）	茨城県
2004/2	関西アーバン（関西、幸福）	合併（第二地銀同士）	大阪府
2004/8	ほくほくFG（北陸、北海道）	持株会社（第一地銀同士）	富山県・北海道
2004/10	西日本シティ（西日本、福岡シティ）	合併（第一と第二地銀）	福岡県
2005/10	きらやか（殖産、山形しあわせ）	持株会社（第二地銀同士）	山形県
2006/2	紀陽（和歌山）	持株会社（第一と第二地銀）	和歌山県
2006/10	山口FG（もみじ）	持株会社（第一と第二地銀）	山口県・広島県
2007/4	ふくおかFG（福岡、熊本ファミリー）	持株会社（第一と第二地銀）	福岡県・熊本県
2007/10	ふくおかFG（ふくおかFG、親和）	持株会社（FGと第一地銀）	福岡県・長崎県
2009/10	フィデアHD（北都、荘内）	持株会社（第一地銀同士）	秋田県・山形県
2009/10	泉州池田（泉州、池田）	合併（第一地銀同士）	大阪府
2010/3	筑波（関東つくば、茨城）	合併（第一と第二地銀）	茨城県
2010/3	関西アーバン（関西、びわこ）	合併（第二地銀同士）	大阪府・滋賀県
2010/4	トモニHD（徳島、香川、大正）	持株会社（第二地銀同士）	徳島県・香川県・大阪府
2012/9	十六（岐阜）	合併（第一と第二地銀）	岐阜県
2012/10	じもとHD（きらやか、仙台）	持株会社（第二地銀同士）	山形県・宮城県
2014/10	きらぼし（八千代、東京都民、新銀行）	持株会社（第一と第二地銀）	東京都
2014/11	コンコルディア（横浜、東日本）	持株会社（第一と第二地銀）	神奈川県・東京都
2014/11	九州FG（鹿児島、肥後）	持株会社（第一地銀同士）	鹿児島県・熊本県
2015/11	めぶきFG（常陽、足利）	持株会社（第一地銀同士）	茨城県・栃木県
2017/2	三十三（三重、第三）	持株会社（第一と第二地銀）	三重県
2017/3	関西みらいFG（近畿大阪、関西アーバン、みなと）	持株会社（第二地銀同士）	大阪府・兵庫県
2017/4	第四、北越	持株会社（第一地銀同士）	新潟県

（2009/10以降はリーマンショック以降）

資料：全国銀行協会「銀行の提携・合併リスト」より筆者作成

では動きがなかった第一地銀が主体的に統合・再編へと動いた。

　地方銀行の総資産が官・民合計の総資産に占めるシェアは、リーマンショック以降23％前後と横這いのままである。全体として民間金融機関は同シェアを増加させ、官製金融機関は同シェアを減少させている。ROAは地域金融機関のなかでは信金・信組、農協、ゆうちょ銀行の各業態に比べれば２倍弱の高い水準にあり善戦している。しかしROA、ROEともに時系列でみると再編効果を出しながらも、低金利政策の影響を受け急速に低下している。

　不良債権比率は都銀・信託より高いものの地域金融機関のなかでは低い水準にあり逓減している。自己資本比率は、一定の水準を確保しているが年々低下しているため、基準値に対して余裕がある状況ではないので、収益力強化によって自己資本を充実する必要がある。

　このように地方銀行は総資産を増加させているが、低金利下においては金融仲介業務による収益増加は見込めず、手数料収入等非金利収入を増やしROAを上昇させる必要がある。資産・負債の状況が変わらない状況に鑑みると、ALMの再構築が求められる。具体的には、「５地方銀行の再編状況」の項で個々のケースを取り上げ、「６総資産拡大の理論を証明する地方銀行の統合・再編の実績」の項で詳細に述べる。

　さて「一県一行主義」について少し述べる。その淵源は1871（明治４）年の「廃藩置県」にさかのぼる。1871年７月、明治政府は廃藩置県を行い、中央集権を推し進める統治機構改革を行った。当時諸藩は277藩が存在し、そのまま県に置き換え３府302県としてスタートし、現在の衆議院小選挙区制の区割りぐらいの行政単位となった。しかし地域としてのまとまりに欠け、同年11月には３府72県に統合された。その後、県の数は毎年統合によって減少し、1875（明治８）年に59県、1876（明治９）年には３府35県にまで減少した。広域行政による事務量の増大もあり分割が行われ、1889（明治22）年には３府43県になった。現在の１都１道２府43県に近い行政区割りとなった。

明治維新における金融・財政改革の一環として、わが国の国立銀行はアメリカのNational Bank制度に倣って、「国法によって建てられた銀行」、つまり民営の国法に基づく銀行として設立された。金との交換義務をもつ兌換紙幣（銀行券）の発行権をもっていた。明治9年に国立銀行条例が改正され、不換紙幣の発行権も認められた。明治10年26行であった国立銀行は、明治12年には153行と急増した。銀行名は設立順に番号をつけられ、第一地銀に類する銀行は2,358行となりピークを迎えた。その後昭和の初期には1,200行まで減少した。

　昭和金融恐慌の時に制定された銀行法は大蔵省が国債の消化と殖産興業を目的とした資金調達のため「一県一行主義」を掲げたが、日中戦争以降戦時統合が行われ、終戦時には都市銀行8、地方銀行53に減少した。このような明治以来の歴史的な経緯により、地方銀行は一県一行主義的な考え方があり、金融自由化時にも統廃合が行われなかった。行政区割り優先のイメージが銀行名にも残っており、「殿様銀行」と呼ばれる由縁でもある。地方銀行は過去20年間、再編・統合に関してはほとんど無風状態であった。その理由は都道府県の指定金融機関として地元で絶対的な地位を占めていたことにある。

 ## 動き出した地方銀行再編

　長期貸出金利の代表的指標である長期プライムレートは2012年に1.20％まで低下し、その後同レートは1％前後で推移している。同時に地方の人口減少、高齢化による人口動態の変化が、地域の景況感を悪化させた。地域金融機関の預貸金残高の減少によって、地域金融が縮小基調となった（図2－3参照）。

　2013年9月金融庁は「中小地域金融機関向け監督方針」で「高齢化の進展や生産年齢人口の減少に伴い、各地域において貸出市場の縮小が予測される

なか、主要営業基盤である地域の経済・産業の中長期的な見通しや課題の認識、自らが短期的・中長期的に地域経済の活性化に向けて果たしてゆく役割・機能や経営計画・事業計画の目標の検証等を通じて、短期のみならず5～10年後を見据えた中長期的にも持続可能性の高い計画を策定して行くことが重要である」と述べている。しかし残念ながら、金融庁は具体的な指示は行っていない。

　この背景があり、2014年1月6日の日本経済新聞「2014年ここを攻める銀行」のなかで、当時の全国地方銀行協会会長（福岡銀行頭取）谷正明氏は「地銀再編は使命」と語っている。その内容を要約すると「マーケットの縮小を考えれば再編を視野に入れなければならない。銀行が健全なうちに再編を考えるのは経営者の使命だ。地銀はほとんど上場しているから、地域のインフラとしての使命に加え、健全なうちに再編するのが株主や従業員、取引先への責任だと思う。福岡銀行は九州で6年以上かけて、持株会社の傘下に3銀行を置く経営モデルをつくってきた。今後も再編を拡大したいが、あまり地域が離れているとガバナンスはきかず、相乗効果も出ない」と力説している。

　総資産分析で示したように、金融機関はストック型のビジネスモデルであり、巨額の不良債権が発生しない限り、急激な経営不振に陥るわけではないが、ビジネスの基盤となる地域経済が縮小すると、金融機関の経営の健全性が損なわれ金融システム上の問題が生じかねない。

　日本の人口減少問題は将来人口予測によると2010年に1億2,800万人であった人口が2040年には1億700万人になり大幅に減少する。都道府県の80％に当たる38道府県で人口が減少し、経済が縮小すると推測される。加えて、少子高齢化が地域経済の縮小に拍車をかける。つまり、生産労働人口（15～64歳）が減少し県内の総生産額は伸びず、消費も増えないことになる。現在の地方経済は深刻な後継者不足によって、地元の中小零細企業が廃業に追い込まれている。更に大型ショッピングセンターの進出や、大企業の工場が海外生産比率を高めていることから企業や事業所が減少し、雇用の受け皿

が少なくなっている。地元で働くことができない若い労働力は都市部へ移動し悪循環が続く。このようなことが現実に起こっているため、地方と都会の格差は増大している。更に長期的には地元の親が亡くなると、相続資産は都会の子どもに相続され、地方銀行の預貯金が減少することになる。

　人口や事業所の減少がもたらす、地域経済の縮小傾向は、地方銀行の経営基盤を不安定にさせている。加えて、日本銀行の低金利政策の長期化は、低成長、低インフレ等と相まって、地方銀行の貸出金利回りの低下を招き、資金需要の減少とともに、収益の柱である資金運用収益の減少となり、毎期資

表4-12　地域金融機関の収益状況推移

地方銀行（64行）　　　　　　　　　　　　　　　　　　　　　（単位：百億円）

	2008/3	2009/3	2010/3	2011/3	2012/3	2013/3	2014/3	2015/3	2016/3	2017/3
経常収益	554	525	482	467	465	454	456	457	472	465
うち資金運用収益(イ)	420	410	376	360	350	325	329	327	327	317
経常費用	465	539	401	381	362	349	331	323	333	352
うち資金調達費用(ロ)	88	75	50	37	31	26	24	23	26	26
資金利鞘(イ)−(ロ)	332	335	328	323	319	299	305	304	301	291
経常利益	89	▲13	81	86	105	104	134	134	139	113
当期純利益	65	▲7	55	54	58	65	78	82	94	79

第二地方銀行（41行）　　　　　　　　　　　　　　　　　　　（単位：百億円）

	2008/3	2009/3	2010/3	2011/3	2012/3	2013/3	2014/3	2015/3	2016/3	2017/3
経常収益	159	149	140	135	131	127	134	127	125	121
うち資金運用収益(イ)	125	121	111	107	101	98	101	94	92	88
経常費用	140	195	131	119	144	107	99	96	96	98
うち資金調達費用(ロ)	21	21	16	12	10	8	8	7	6	5
資金利鞘(イ)−(ロ)	104	100	95	95	91	90	93	87	86	83
経常利益	19	▲45	8	16	20	19	31	31	29	23
当期純利益	9	▲37	6	8	11	12	25	21	19	17

資料：全銀協・業態別財務諸表より筆者作成

金運用収益の減益を余儀なくされている（表4−12参照）。このような地域経済のもとにあって地方銀行は金融庁の後押しもあり、経営統合や再編に向けて動き出している。

地方銀行の再編状況

　バブル経済崩壊後1991年から2017年までの地方銀行の統合・再編の分析をしたものが図4−2である。当初は財務内容の健全な銀行が不良債権問題で破綻した銀行を吸収合併によって統合し、その後は小規模の地方銀行同士で、生き残りのために経営の効率化や収益力強化に向けた再編が行われてきた。時間をかけてバランスシートを回復させた地方銀行は、オーバーバンキング状態を解消するために、同一県内の地銀同士で経営統合を行ってきた。2013年に金融庁の統合・再編の基本方針が示されることになってこの動きは加速した。

　2014年11月、横浜銀行と東日本銀行、肥後銀行と鹿児島銀行が県境をまたいだ経営統合を発表したことから、地銀再編は本格的になった。肥後銀行と鹿児島銀行は2015年10月1日に九州という広域名を冠した「株式会社九州フィナンシャルグループ」を設立した。更に、2016年1月日本銀行がマイナス金利政策を導入したことによって、地方銀行の預貸金利鞘は一段と低下し、地銀の収益力は更に悪化した。横浜銀行と東日本銀行は2016年4月1日にわが国最大の20兆円規模の資産をもつ「株式会社コンコルディアフィナンシャルグループ」を設立した。

　2016年10月には、北関東の銀行地図を塗り替える起爆剤となると思われる、常陽銀行と足利銀行（足利FG）との持株会社方式（めぶきHD）の経営統合が行われることになった。2017年2月三重銀行と第三銀行が2018年4月に経営統合することを決めた。「三十三フィナンシャルグループ」の名称で持株会社方式とした。

図4－2　統合・再編の分析

過去の事例による分類（33行）
1．広域規模拡大型：①ふくおかFG（福岡＋熊本）　②ふくおかFG（福岡＋親和＋熊本）　③山口FG（山口＋もみじ＋北九州）　④トモニHD（徳島＋香川＋大正）　⑤ほくほくFG（北海道＋北陸）　（5）
2．隣県規模拡大型：①九州FG（鹿児島＋肥後）　②コンコルディアFG（横浜＋東日本）　③めぶきFG（常陽＋足利）　④関西みらいFG（近畿大阪＋関西アーバン＋みなと）　（4）
3．隣県救済型：①山陰合同（山陰合同＋ふそう）　②フィデア（北都＋荘内）　③関西アーバン（関西＋びわこ）　④じもとHD（仙台＋きらやか）　（4）
4．同県規模拡大型：①泉州池田（泉州＋池田）　②西日本シティ（西日本＋福岡シティ）　③関西アーバン（関西＋幸福）　④三十三FG（三重＋第三）　⑤第四＋北越　⑥きらぼしFG（八千代＋東京都民＋新銀行東京）　（6）
5．同県救済型：①伊予（伊予＋東邦相互）　②関西さわやか（関西＋滋賀相互）　③熊本ファミリー（肥後ファミリー＋熊本）　④北都（北都＋秋田あけぼの）　⑤みなと（みなと＋兵庫）　⑥八千代（八千代＋国民）　⑦北洋（北洋＋札幌）　⑧もみじ（広島総合＋せとうち）　⑨親和（親和＋九州）　⑩関東つくば（関東＋つくば）　⑪筑波（筑波＋茨城）　⑫紀陽（紀陽＋和歌山）　⑬きらやか（殖産＋山形しあわせ）　⑭十六（十六＋岐阜）　（14）

資料：野村資本市場研究所［2015：p61］、地域銀行の再編パターン（同一県、近隣県、広域）を規模拡大型と救済型に再分類し、筆者が5分類して作表したもの

　次いで2017年3月近畿大阪銀行、関西アーバン銀行、みなと銀行の3行が、2018年4月持株会社方式（関西みらいFG）で経営統合することを決め、2019年4月には大阪府内の近畿大阪銀行と関西アーバン銀行が合併することも決定した。この大阪府と兵庫県の県境を越える広域かつ都市型大型地銀統合[37]の背景には、経営規模が小さい都市型第二地銀が生き残るために必要な経営規模の拡大による収益力の向上と店舗網等のインフラの効率化という課

37　この都市型大型地銀統合は、地域に配慮せずとも企業のコーポレートガバナンスを発揮したアメリカ型地銀再編に類似している。

題の克服があったと考えられる。更に都市における金利競争は激しく、貸出金利回りの一定の確保も必要であった。このような条件下にあった3行が経営統合に踏み切った最大の要因は大株主である三井住友銀行やりそな銀行の経営戦略の合意があったことである。

2017年4月新潟県の第四銀行と北越銀行が10月に持株会社方式で経営統合することに基本合意した。

図4－2に記載されている地方銀行の統合・再編方式33件を分析すると次のように分類することができる。

　5種類の分類：①広域総資産規模拡大型　　5件
　　　　　　　②隣県総資産規模拡大型　　4件
　　　　　　　③隣県救済型　　　　　　　4件
　　　　　　　④同県総資産規模拡大型　　6件
　　　　　　　⑤同県救済型　　　　　　14件　　合計33件

総資産規模拡大型は15件、救済型は18件となる。2007年4月以降約10年の間で、16件中総資産規模拡大型は12件となり、救済型は4件にとどまる。持株会社方式の統合は20件で合併は13件となっている。救済型のなかでは当初持株会社方式でスタートし、その後早い機会に合併したものが5件ある。また、同県の統合・再編は21件である。広域・隣県は12件となり、うち総資産規模拡大型が9件を占める。これらの分析結果をもとに次項で統合・再編の実績を検証する。

総資産拡大の理論を証明する地方銀行の統合・再編の実績

統合・再編の相手銀行を選定する場合、総資産による経営基盤の判定、および経常利益による収益力を判定することが、基本的なバロメーターになっていると考えられる。経営基盤の総合的な判断材料として、銀行の格付ランクを用い、そのうえで、総資産から期待される成長性、安定性等のポテン

シャルを推定する。上場会社であれば、経営統合の承認を得るために、ステークホルダーの意向を尊重しなければならない。

　以上のことを踏まえ、2016年3月期の上場地銀91行の格付ランクと総資産を軸に相関をプロットしたものが図4－3である。

　経済産業省の「ローカル経済圏の稼ぐ力創出」［2014］によると、地方銀行の総資産と当期純利益には相関関係がある。表4－13は2013年度の実績を分析したもので、総資産10兆円超の地方銀行の業績平均値と、全地方銀行の業績平均値を比較している。前者の平均総資産は11.6兆円で、当期純利益は463億円、自己資本比率14％である。後者の平均総資産は3.3兆円で、当期純利益98億円、自己資本比率11％となっている。総資産10兆円超の地方銀行は全地方銀行に対して、総資産では3.5倍となり、当期純利益では4.7倍となる。

　図4－3から読み取れることは、資産規模の大きい銀行ほど格付は高く、経営の安定性が増すことである。このことは大型経営統合・再編の理論的根拠となっている。この表に存在する上場地方銀行91行のうちすでに27行が経営統合を行っている。

　図4－4に示すように、統合・再編の主導的な立場にある格付Ａ＋以上の地方銀行の数は少なくなっており、総資産5兆円以上で格付ランクＡ＋以上の銀行は17行である。資産規模が3兆円未満で格付がＢランクで現状維持の地銀の下位の15行は、吸収合併によって消滅する可能性が高い。残る資産規模5兆円未満で格付Ａランクの中堅行30行は、すでに経営統合を行っている27行と、格付ＡＡ＋以上の大型健全行18行によって、再編の対象行としてシミュレーションされることになる。残る地方銀行が46行であったとしても、地銀の総資産から割り出した1行当たりの総資産は約8.4兆円となる。10兆円未満の資産規模の銀行が多く残る状態では、統合・再編が完了したとはいえず、すでに九州地区や近畿地区で起こっている広域（道州ベース）での統合・再編が加速するものと考える。

　実際にどのように統合・再編が行われるかについては、地域経済において

図4-3　地方銀行の資産規模と格付ランクとの相関関係

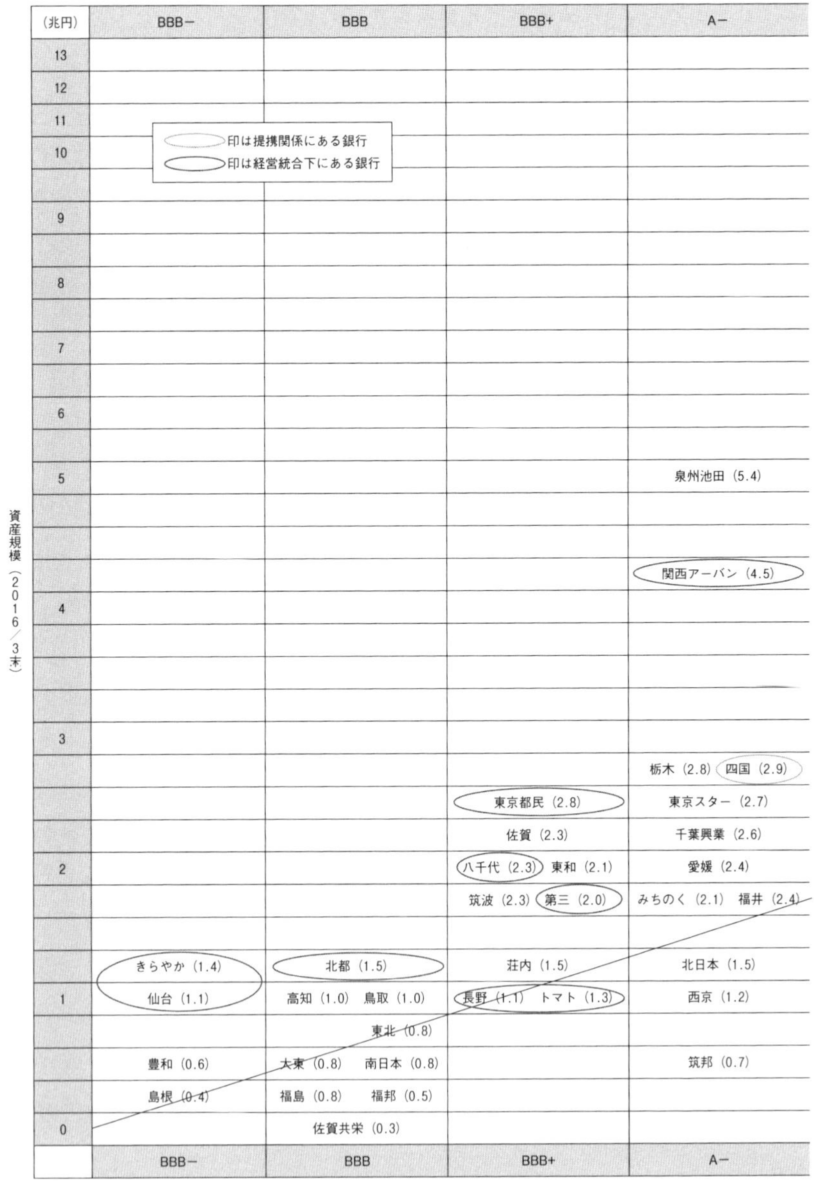

(兆円)	BBB−	BBB	BBB+	A−
13				
12				
11		◯印は提携関係にある銀行		
10		◯印は経営統合下にある銀行		
9				
8				
7				
6				
5				泉州池田 (5.4)
				関西アーバン (4.5)
4				
3				
				栃木 (2.8)　四国 (2.9)
			東京都民 (2.8)	東京スター (2.7)
			佐賀 (2.3)	千葉興業 (2.6)
2			八千代 (2.3)　東和 (2.1)	愛媛 (2.4)
			筑波 (2.3)　第三 (2.0)	みちのく (2.1)　福井 (2.4)
	きらやか (1.4)	北都 (1.5)	荘内 (1.5)	北日本 (1.5)
1	仙台 (1.1)	高知 (1.0)　鳥取 (1.0)	長野 (1.1)　トマト (1.3)	西京 (1.2)
		東北 (0.8)		
	豊和 (0.6)	大東 (0.8)　南日本 (0.8)		筑邦 (0.7)
	島根 (0.4)	福島 (0.8)　福邦 (0.5)		
0		佐賀共栄 (0.3)		
	BBB−	BBB	BBB+	A−

資料：長期格付ランク（日本格付研究所、格付情報センター）

A	A+	AA−	AA
			横浜 (15.1)
	千葉 (13.2)		
	福岡 (12.3)		静岡 (11.1)
	常陽 (9.2)		
西日本シティ (8.8)	京都 (8.1)		七十七 (8.6)
北洋 (8.4)	八十二 (8.1)		
	中国 (7.8)		群馬 (7.6)
		広島 (8.2)	
十六 (6.1)　北陸 (6.9)	山口 (6.1)		伊予 (6.5)
足利 (6.1)　東邦 (5.9)	百五 (5.3)		
南都 (5.5)	滋賀 (5.0)	第四 (5.3)	
大垣共立 (5.3)	肥後 (4.7)	山陰合同 (5.1)	
北海道 (4.7)	武蔵野 (4.3)		
百十四 (4.7)	北國 (3.9)　京葉 (4.5)		
紀陽 (4.4)	鹿児島 (4.2)		
	名古屋 (3.5)		
岩手 (3.5)　山梨中央 (3.2)			
	もみじ (3.2)		
みなと (3.5)	大分 (3.1)　愛知 (3.0)	阿波 (3.1)	
十八 (2.8)			
青森 (2.7)	秋田 (2.9)		
北越 (2.7)　親和 (2.6)			
宮崎 (2.8)	山形 (2.5)		
琉球 (2.2)		東日本 (2.2)	
三重 (1.9)　中京 (1.9)	沖縄 (2.1)		
清水 (1.5)　大光 (1.4)			
熊本 (1.6)　富山第一 (1.3)			
A	A+	AA−	AA

第4章　地域金融の業態別経営指標による構造分析と課題

表4－13　地方銀行の総資産と当期純利益の関係

地方銀行の業績平均値（2013年度）	
総資産	3.3兆円
当期純利益	98億円
自己資本比率	11％

地方銀行（総資産10兆円超）の業績平均	
総資産	11.6兆円
当期純利益	463億円
自己資本比率	14％

資料：経済産業省「ローカル経済圏の稼ぐ力創出」

　競合するゆうちょ銀行をはじめとする民営化3行と密接に関係するため、次章（第5章）でまず民営化3行について詳説する。その議論を踏まえて、民営化3行の事業再編と地銀再編構想の議論を第6章で展開する。その前にアメリカおよび中国の事例を研究し、わが国における地域経済、地域金融の将来像を考える準備としたい。

事例研究2　アメリカおよび中国の地方銀行の経営統合のあり方

　筆者が2006年7月日本郵政株式会社の郵政民営化準備室で、郵便貯金銀行の民営化の仕事に従事していたとき、アメリカの地方銀行のM&Aによる業容拡大状況を視察する機会に恵まれた。当時マッキンゼーは、郵便貯金銀行の今後のあり方についてコンサルティング業務を受託していたので、民営化準備室の郵便貯金銀行担当に対してアメリカのM&Aにより業容を拡大する新しい形態の銀行の視察をアレンジしてくれた。

　約1週間の日程であったが、ノースカロライナ州シャーロットに本店を置く、バンク・オブ・アメリカ（NationsBankがBank of Americaを合併し、新銀行の名称をBank of Americaとしたもの）とワコビア（Wachobia Bank）の2行を訪問し、次にサンフランシスコのウェルズ・ファーゴ（Wells Fargo & Company）、シアトルのワシントン・ミューチュアル（Washington Mutual Inc.）の各本店を訪れた。M&Aによって地方銀行が生まれ変わってゆく姿を勉強することができた。

図4−4　資産規模・格付と経営統合の関係

① 上場地銀91行中27行（30％）が経営統合　　　　　　　　　　　　（単位：兆円）

資産規模	なし	3行	4行	合計
5兆円以上	なし	3行 西日本シティ(8.8) 北陸(6.9)足利(6.1)	4行 横浜(15.1)福岡(12.3) 常陽(9.2)山口(6.1)	7行
5兆円未満〜	7行 東京都民(2.8) 八千代(2.3)第三(2.0) 荘内(1.5)北都(1.5) きらやか(1.4) 仙台(1.1)	8行 北海道(4.7) みなと(3.5)十八(2.8) 北越(2.7)親和(2.6) 三重(1.9)熊本(1.6) 関西アーバン(4.5)	5行 第四(5.3)東日本(2.2) 肥後(4.7)鹿児島(4.2) もみじ(3.2)	20行
格付	BBB−〜BBB+　7行	A−〜A　11行	A+〜AA　9行	27行

② 上場地銀91行中64行（70％）が現状維持…うち42行は資産規模3兆円未満

資産規模	なし	6行	12行	合計
5兆円以上	なし	6行 北洋(8.4)十六(6.1) 泉州池田(5.4) 南都(5.5)東邦(5.9) 大垣共立(5.3)	12行 静岡(11.1)七七(8.6) 群馬(7.6)伊予(6.5) 千葉(13.2)広島(8.2) 京都(8.1)八十二(8.1) 中国(7.8) 山陰合同(5.1) 百五(5.3)滋賀(5.0)	18行
5兆円未満〜	15行 佐賀(2.3)東和(2.1) 筑波(2.3)高知(1.0) 鳥取(1.0)長野(1.1) トマト(1.3)東北(0.8) 豊和(0.6)大東(0.8) 南日本(0.8)福島(0.8) 福邦(0.5)島根(0.4) 佐賀共栄(0.3)	21行 百十四(4.7)紀陽(4.4) 岩手(3.5) 山梨中央(3.2) 栃木(2.8)四国(2.9) 東京スター(2.7) 青森(2.7) 千葉興業(2.6) 宮崎(2.8)愛媛(2.4) みちのく(2.1) 福井(2.4)琉球(2.2) 中京(1.9)北日本(1.5) 清水(1.5)大光(1.4) 西京(1.2) 富山第一(1.3) 筑邦(0.7)	10行 武蔵野(4.3)北國(3.9) 京葉(4.5)名古屋(3.5) 阿波(3.1)大分(3.1) 愛知(3.0)秋田(2.9) 山形(2.5)沖縄(2.1)	46行
格付	BBB−〜BBB+　15行	A−〜A　27行	A+〜AA　22行	64行

注：カッコ内は2016年3月末の資産規模。
資料：各地銀決算資料、日本格付研究所、格付情報センターより筆者作成

1970年代～2000年まで住友銀行在籍時にアメリカの銀行の変遷をみてきた筆者は、銀行を規制していたアメリカのマクファデン法（McFadden Act、州際業務規制）、グラス・スティーガル法（Glass-Steagal Act、銀証業務規制）から自由になったアメリカの地方銀行が、M&Aを武器に金融の構造変化を起こしている姿を目の当たりにすることができた。

　富樫直樹［2009：p79］は「米国の銀行業界は再編によって、大手行と5,000億円以下の小規模銀行に二極化した。また、銀行数が大きく減った一方、銀行業界全体の総資産は大きく拡大、とりわけ1990年代後半からは加速している。大手行はますます大きくなる一方、数兆円の中規模銀行が淘汰され二極化が進行した」と分析しているが、日本も同じような方向に再編されるプロセスにある。

　先に述べたが1998年にノースカロライナ州のシャーロットに本店を置く地方銀行ネーションズバンク（総資産2,840億ドル）はサンフランシスコに本店を置くバンク・オブ・アメリカ（総資産5,700億ドル）をM&Aによって吸収合併した。合併後銀行名をバンク・オブ・アメリカに改称し、本店をシャーロットに置いた。その後2004年にはマサチューセッツ州のフリート・ボストン（Fleet Boston Financial）を470億ドルで買収し、全米第1位のメガバンク

表4-14　2003年アメリカの主要地方銀行預金残高　　　　　　（単位：億ドル）

ウェルズ・ファーゴ（カリフォルニア）	2,475	メガバンクとして存続
ワコビア（ノースカロライナ）	2,244	2008年ウェルズ・ファーゴが救済合併
バンクワン（オハイオ）	1,646	2004年JPモルガンと合併
フリート・ボストン（マサチューセッツ）	1,377	2004年バンク・オブ・アメリカと合併
ワシントン・ミューチュアル（ワシントン）	1,195	2008年JPモルガンが救済合併

資料：AmericanBanker

となった（表4－14参照）。

　ウェルズ・ファーゴは、1988年イギリスのバークレイズ（Barclays PLC）のカリフォルニア支店を買収し、地銀から国際金融市場に進出した。同年ミネアポリスの地銀ノーウエスト（Norwest Corporation）がウェルズ・ファーゴを買収し、称号も本店も被買収企業のものが引き継がれた。2008年リーマンショック後、シャーロットのワコビア（総資産5,207億ドル）を151億ドルで救済合併した。M&Aによって地銀からメガバンクに上り詰めた。

　ワシントン州シアトルに本店を置くワシントン・ミューチュアルは、住宅ローンを柱とする急成長の地銀として業容を拡大したが、サブプライムローンの影響を受け、2008年のリーマンショック後JPモルガン（JPMorgan Chase & Co.）に救済合併された。

　筆者は2008年9月ゆうちょ銀行在籍時、新商品開発の目的でAIG、メットライフ、マスターカード社を訪ねたが、帰国直後リーマンショックが起こり、2年前の訪米時には健全に成長していた上記の地銀が吸収合併されたことには驚いた。アメリカでは金融市場が構造変化する契機があれば、経営体力がある有力地銀が、有力市場を虎視眈々と狙っていて、地域のしがらみにとらわれず経済合理性にあった行動をとり、地銀から全米の銀行へと脱皮している。コーポレートガバナンスや株主利益を重視するアメリカは、銀行の存続のため、競争に打ち勝つため、或いは低金利政策を克服するために、非銀行ビジネスである証券保険等の分野にもM&Aの対象を広げている。これに対し、日本の地銀の経営者は、立地規制や業務規制がすでに相当程度、自由になっているにもかかわらず、地域金融にこだわっているが、海外や国内の市場を視野に経済合理性を追求する経営姿勢に欠けている。

　業態別総資産分析からもわかるように、日本の地銀はまずオーバーバンキング状態の解消、経営規模の最適化、企業価値の最適化を行うべきである。その過程で地域にこだわることなく、経済合理性からみても市場に適合した、統合・再編の最適化を図る必要がある。アメリカの地方銀行の統合・再編過程は日本の地銀再編のあり方への示唆となっている。

アメリカの地方銀行の動向と比較すべく、中国の地方銀行についてその動向をみてみたい。筆者は1994年3月中国政府（江沢民・朱鎔基）の要請によって住友銀行から中国に派遣され、北京で開催された「商業銀行改革検討会」に参加し、それは中国の金融システムの近代化のために、日本の金融制度を取り入れようとした検討会であったことはすでに述べた。1995年5月中国は「商業銀行法」を根拠法として金融制度改革を行った。以下に中国の金融機関の全体像を示すとともに、中国の地方銀行について述べる。表4−15は中国の金融機関と日本の金融機関の総資産を業態別に比較したものである。

　中国の政治体制からすれば金融機関は100％官製かもしれないが、4大商業銀行ほか上場している金融機関も多く、官有民営型といってもよい。政経分離を是とし、経済では資本主義に準拠した法体制であることを前提とすると、政策金融3行（中国国家開発銀行、中国輸出入銀行、中国農業銀行）は総

表4−15　日本の金融機関と中国の金融機関の総資産の業態別比較（2015/3期）

日本の金融機関：総資産1,569兆円			中国の金融機関：総資産172兆元（注2）		
業　態	銀行数	シェア（注1）	業　態	銀行数	シェア
国策銀行	3	3.4	政策銀行	3	9.1
民営化・政策金融機関	2	1.8	民営化・中国郵政貯蓄銀行	1	3.3
民営化・ゆうちょ銀行	1	13.3	外国銀行	41	1.6
都市銀行・信託銀行	13	40.8	大型商業銀行	5	41.2
地方銀行	105	23.1	株制・都市銀行	145	28.7
信金・信組	429	10.5	農村商業銀行	665	6.7
農林水産協組（農林中金）	2,448	7.1	農村合作銀行ほか	2,901	9.4

注1：シェアは各国の総資産に対して各業態の総資産が占める割合（単位：％）。
注2：1元＝18.5円の場合3,182兆円となる。
資料：日本の金融機関は京大授業資料、中国の金融機関はゆうちょ財団各国別調査結果中国資料より筆者作成

資産の9.1％を占め、民営化途上の中国郵政貯蓄銀行は3.3％を占め、合計で12.4％の官製金融総資産となる。これに比べて日本の官製金融総資産は民営化途上を含めると、18.5％のシェアとなり同シェアは中国より高い。

　中国の地方都市銀行である株制・都市銀行は中国の国土や人口を勘案すると145行と少なく、総資産のシェア28.7％は低いが、今後地方都市開発とともにそのシェアは拡大するであろう。一方、日本の地方銀行は狭い国土と人口減少を勘案すれば、オーバーバンキング状態の解消が優先課題となる。

　中国のもう一つの特徴は外国銀行の進出が多く、その支店数も地方に拡大していることである。外国銀行への規制緩和も順次行われ、より国際化された資本市場経済に近づいている。中国は急速に進むインターネット社会システムの構築にともなって、個人取引や決済処理に関して新しい銀行像を模索している。

　以上、日本の地方銀行の統合・再編について、現在進行中のケースから判明する課題や、アメリカや中国との比較からの示唆を踏まえ、第6章の地方銀行の再編に関する制度設計について論じたい。

第5章

民営化3行の経営統合による ALMの再構築

本章では官製金融民営化3行と地域金融機関の今後のあり方を考察する。まずここまでの分析結果を確認したい。ゆうちょ銀行の抱える問題は実質的な預託金制度のもとでの国債運用への偏重、その結果としての低収益性、金融リスクの増大である。商工中金は不正融資問題を受けて「商工中金の在り方」について検討委員会を設置し、完全民営化への移行を検討中である。日本政策投資銀行は完全民営化の方針を維持しつつ、民間金融機関への「適正な関係」への配慮義務や危機対応業務等が義務づけられている。

　一方の地方銀行は、2000年前後に都市銀行が合併・統合されメガバンクに収斂する過程にあっても、依然として統合が進まなかったが、10年以上にわたる低金利政策下における収益環境の悪化により合併・統合が進んでいる。まだ100行を超える地方銀行・第二地方銀行が存在し、第2章で行った分析によれば、総資産7兆円を下回ってしまうと経営が非効率となり、利益率が大幅に見劣りすることが判明した。これらの分析は、官製金融民営化3行と地方銀行の再編に関する考え方を整理するうえでは必要であり有益であると思料される。以下、ALMの再構築等具体的な処方箋を検討する。

第1節 官製金融民営化3行のポートフォリオ

　金融機関は常に保有する資産構成の安全性や収益性を考え、分散投資ポートフォリオを構築している。根岸康夫［2006］は許容できるリスクレベルにおいてリターンが最大になる最適な組み合わせを探るというポートフォリオ理論に基づき資産選択を行っていると述べている。

　前述したように業態別の総資産経常利益率（ROA）からみると、官製金融民営化3行の合計、およびゆうちょ銀行単体のROAは、他の業態（都銀・信

託・地銀）に比較して低い水準にある。ゆうちょ銀行は巨額の資産を運用しているものの、安全性は高いが収益性が低い国債や、為替リスクを抱えるが収益性の高い外債と外国投信に集中したポートフォリオになっている。

表５－２でみるように官製金融民営化３行のALM経営指標は民間銀行と異なり、資産・負債の構成内容も相違している。吉田和男［2000：p108］は「ALMは資産と負債の両者から生じる様々なリスクを総合管理することであって、銀行にとってその導入の重要性は極めて高い。自由金利が変動するようになると、資産および負債の両面にわたってリスクが拡大することとなり、ALMが基本的に重要となる」と指摘している。

この官製金融民営化３行の資産・負債の構成内容が経営上の課題となっているため、国民の財産である郵便貯金が適切なリスク管理の下に運用されているかが問われている。前の第３章で提示した３つの課題、つまり肥大化した総資産、金利リスク、信用リスクを解決するための方法論を以下に述べる。

2017年３月期において、ゆうちょ銀行は国債を中心に国内部門で資金粗利鞘0.40％、外債や外国投信を中心に国際部門で同粗利鞘0.86％を計上している。債券運用に偏ったポートフォリオのため、全体として資金粗利鞘は0.60％となり、資金調達にかかる営業経費が嵩み、他業態比低いROAとなっていることはすでに述べた（表５－１参照）。

表５－２は、ゆうちょ銀行、商工中金、日本政策投資銀行（以下DBJ）の民営化３行の比較資産・負債構成比較表である。ゆうちょ銀行と後者２行の資産・負債構成の違いがわかる。

ゆうちょ銀行の資産構成は総資産に対して有価証券合計で66.3％であり、日本銀行への預け金24.4％を合わせると90.7％となる。日銀預け金はもともとゆうちょ銀行が国債運用していたものである。先に述べたように日銀に売却した国債の代わり金を日銀に運用したもので、有価証券運用と見なすことができる。ゆうちょ銀行のポートフォリオは極端なものとなっていることがわかる。

表5－1　ゆうちょ銀行の部門別資金収支状況（2017/3期）　　（単位：％）

	国内部門	国際部門	合計
資金運用利回り	0.53	1.23	0.78
資金調達利回り	0.13	0.37	0.18
資金粗利鞘	0.40	0.86	0.60

資料：ゆうちょ銀行決算書

表5－2　民営化3行の資産・負債構成比率（2017/3期）　　（単位：％）

	ゆうちょ銀行	商工組合中央金庫	日本政策投資銀行
うち預金・預け金	24.4	13.4	6.0
有価証券	66.3	12.1	10.9
貸出金	2.0	75.2	80.4
資産の部合計	100	100	100
うち預貯金	85.6	40.0	18.4
負債の部合計	94.4	92.7	82.1
純資産部合計	5.6	7.3	17.9
ROA	0.211	0.397	0.683

資料：各銀行決算書より作成

　貸出金に注目すると、商工中金の貸出金での運用比率は75.2％となり、DBJの同比率も80.4％と高い。両行には政府の危機対応業務融資や特定投資業務に係る公的な融資も含まれている（ただし、商工中金にあっては、危機対応融資にかかわる不正融資も含まれているため、正常なポートフォリオとは言い難い。2019年3月期の貸出金への運用比率は70.5％まで低下していることからも明らかである）。商工中金およびDBJのポートフォリオの課題は貸出金比率が民間金融機関の貸出金比率より10～15％程度高く、その分有価証券への運用比率が10～15％低いことである。完全民営化することによって、自己責任で調達し運用する体制を構築すれば、負債サイドと資産サイドのバランスをと

りながら経営することができる。これまでの政策金融機関としての調達と運用のポートフォリオを、民間金融機関のようなポートフォリオに変えていかないと、持続的な経営の安定性と収益性を確保できない。

　一方、ゆうちょ銀行の貸出金比率は２％でありゼロに等しい。このような異常な比率になっている理由は、明治以来の大蔵省の預託金制度によって国債への運用を行ってきた歴史的な背景があることはすでに述べた。預託金制度が廃止され、郵政民営化後も郵便貯金の一般企業への貸出金運用は、郵政民営化委員会から認可の方針が示されていない。

　貸出金比率が低いままである第一の理由は、ゆうちょ銀行の株式が上場されたものの、日本郵政株式会社が支配株主であり、実質政府が支配株主であるからである。貸出業務を認可する条件は郵政民営化法に明文化されている。第二の理由は、ゆうちょ銀行に融資体制が整っておらず、債権回収のノウハウがないこと等業務遂行能力・業務運営体制が整っていないことである。

　日本銀行の質的・量的金融緩和策によって、ゆうちょ銀行の国債は日銀に買い取られ、その代わり金が日銀の当座預金に51兆円（2017年３月末）預けられている。金融緩和策はこの資金を市場に還流させ、「殖産興業」により金融仲介業務を活発化させ、消費者物価を２％上昇させることを目指したものである。しかし、ゆうちょ銀行は上述の２つの理由により、貸出金に運用できない。

　筆者は民営化当初よりゆうちょ銀行のポートフォリオを変えるために、日本銀行がゆうちょ銀が保有する国債を買い取り、その代わり金で資金運用の多様化を図るべきであると主張してきた（宇野［2015：p138］）。そのためには完全民営化を急ぎ、融資体制を整え、合併による人材確保をする必要がある。また、ゆうちょ銀行の偏った有価証券運用と、商工中金およびDBJの偏った貸出金運用を平準化し、民営化３行のポートフォリオを最適化するための施策として、民営化３行を持株会社傘下に置く経営統合を提言している。民営化３行が持株会社の傘下に置いて、ポートフォリオを最適化するた

めにどのような選択肢があるのか、事業分割や地域分割による多岐にわたるシナリオを描き、シミュレーションを行う必要があると考える。

第2節 民間金融機関の業態別ポートフォリオ

官製金融民営化3行が完全民営化した暁に、目指す最適なポートフォリオとはどのようなものか。その答えを見出すために、わが国の金融機関の業態別ポートフォリオを分析した（表5－3参照）。

官製金融民営化3行が持株会社傘下においてあるべき姿（最適なポートフォリオ・セレクション）を現存する民間金融機関の組織・体制から考えれば、以下の3つのケースが考えられる。

第一のケースはメガバンクに近く、都市銀行・信託銀行のための最適ポートフォリオモデルが該当する。第二のケースは、スーパーリージョナルバン

表5－3　業態別ポートフォリオ一覧（資産・負債構成比率比較）　　（単位：％）

	都銀	信託	地銀	第二	信金	信組	農協	農中
うち預金・預け金	24.6	26.6	10.5	8.6	2.4	30.9	62.8	21.7
有価証券	17.9	21.1	24.4	21.2	28.0	20.5	3.5	58.7
貸出金	44.3	46.0	62.0	68.0	45.8	47.5	18.4	11.3
資産合計	100	100	100	100	100	100	100	100
うち預貯金	68.0	49.3	81.9	88.0	91.2	89.8	83.4	58.5
負債合計	95.4	94.5	94.3	94.8	94.2	93.8	90.5	93.4
純資産合計	4.6	5.2	5.7	5.2	5.8	6.2	9.5	6.6

資料：各行の2017年3月決算書資料より筆者作成

ク構想のりそな銀行と埼玉りそな銀行がモデルに該当する。第三のケースは、地域銀行である大型フィナンシャルグループの地銀、中型フィナンシャルグループの地銀がモデルに該当する（表5－4参照）。

　すなわち、第一は官製金融民営化3行合計の資産を1つのフィナンシャルグループと考えるポートフォリオであり、第二はスーパーリージョナルバンク構想であるゆうちょ銀行と商工中金の2行を合併し、広域行政区を経営基盤とする地域銀行のポートフォリオであり、第三はゆうちょ銀行と商工中金を合併後広域行政区において地域分割し、その個別地域銀行として考えるポートフォリオである。

　第一、第二のケースは、資産規模が100兆円から200兆円の金融機関となり、経営統合した後には、ポートフォリオを最適化するために、できるだけ早期に3行合計の預け金約60兆円を貸出金として運用する資産の多様化がはかられなければならない。

　第三のケースは、3行合計の預け金60兆円を、例えば9地域で分割した場

表5－4　民間金融機関の代表的なポートフォリオ

（単位：%）

	都市銀行（大型）三菱UFJ銀行	都市銀行（中型）りそな銀行	地方銀行（大型）横浜銀行	地方銀行（中型）京都銀行
うち預金・預け金	23.7	22.6	19.0	9.3
有価証券	20.7	10.5	14.0	32.3
貸出金	39.9	60.8	63.0	56.1
資産の部合計	100	100	100	100
うち預貯金	68.2	80.6	80.3	74.9
負債の部合計	95.0	95.7	94.3	91.5
純資産部合計	5.0	4.3	5.7	8.5

資料：各行の2017年3月決算資料より筆者作成

合、1行当たり6.5兆円の貸出金に運用することになる。全国の地方銀行が生き残りをかけた経営統合を行うなかで、新たに設立される地域銀行は独占禁止法の課題[38]を解決すべく経営統合された大型地銀とイコールフッティングの競争条件のもとで、新たな資金需要を見出すことが可能となる。

　広域マーケットにおいて、地域分散型で地産地消型の産業を興すためにも、広域行政区型地域金融機関が必要になる。第二、第三のケースにおいても民営化3行がフィナンシャルグループを形成した場合は、最適なポートフォリオ・セレクションを行う金融機関に生まれ変わることができる。そして、民営化3行の貸出金は県内総生産の増加となり、わが国のGDPに寄与する。

　上記の3つのポートフォリオ・マネジメントを具体的に制度設計する方法として、NTTの経営統合・再編のケースが民営化3行にとって、次節でみるように最適であると考えられるので、その方法論について以下に述べる。

第3節 民営化の成功事例としてNTT民営化後の事業再編から学ぶ重要性

1　NTTグループの再編成

1952年に郵政省は電気通信事業を郵政省の外郭団体とし、日本電信電話公

---

[38] ふくおかFGと十八銀行は2016年2月統合の基本合意をした。公正取引委員会は2年におよび県内貸金シェアに独禁法上問題があり継続審査してきたが、2018年8月統合を認可した。

社を設立した。公社化は熾烈化する電話需要に対処するためであり、また企業的に経営することを目指した。1985年には、公社に経営の自主性を付与、創意工夫による効率的な事業運営を可能とするため、公社を株式会社化して民営化した。日本電信電話株式会社（以下、NTT）の誕生である。しかし、政府がNTTの発行済み株式総数の3分の1以上の株式を保有する義務を付したことによって、完全民営化したわけでなくかつ組織形態も特殊法人のままであった。その理由は電気通信事業がわが国の基幹事業であり、電話の役務がユニバーサルサービスであることが挙げられる。

　NTTの民営化により電気通信事業マーケットに民間活力が積極的に導入され、民間企業の参入が自由化された。民営化にともなう対応および民営化後の業務運営については、官製金融民営化3行の事業再編のシミュレーションを行ううえで、事業の活性化のための組織の見直しや再編の手法等について大変参考になるので、以下にそのプロセスを学習することとする。

・適用法律の変更にともなう対応
　ⅰ）電電公社法から商法・税法等適用への変更にともなう財務会計制度の抜本的見直し
　ⅱ）公社法から労働三法に変わり労使関係の見直し
・競争対応、活性化のための組織等見直し
　ⅰ）機能別組織から1985年11月事業部制の導入
　ⅱ）人事制度の見直し（ポストと処遇を切り離す職能給与へ移行）
　ⅲ）新規事業領域の拡大と本体業務のアウトソーシングによる効率化
・組織の再編成[39]

　民営化から14年後、肥大化した組織運営を効率化し、きめ細かな顧客ニーズへの対応や公正な競争の促進を図るために、1999年NTTを純粋持株会社とし組織を再編成した。そして、NTTの国際通信事業への進出を実現し、

---

[39] 2004年6月16日日本電信電話株式会社レポート「NTTの民営化と再編成について」、2014年アニュアルレポート「主な変遷・資料」p177～133、2017年アニュアルレポート「自己変革を遂げてきたNTTグループ」p1～13。

国民の電気通信サービスに対する多様な需要に対応した。図5－1のように、持株会社の下に各事業会社が独立法人として独立採算による事業運営を行った。持株会社、東・西の地域会社の3社は特殊会社として分離し、その他の3社は一般株式会社として分社した。ただしNTTデータは1988年に、NTTドコモは1992年に分社しているので、NTTコミュニケーションズのみの分割となった。

　グループの再編成の仕方をまとめると以下のようになる。この再編成の仕方を官製金融民営化3行の再編においては基本的な方向付けを行うにあたって参考にした。

　・再編の基本方針
　　ⅰ）純粋持株会社の下に長距離通信会社と2つの地域通信会社に分割し再編した。各事業会社は独立法人として独立採算による事業運営を行った。
　　ⅱ）長距離通信会社は県境を越える通信を行う民間会社とし、国際通信にも進出できるとした。
　　ⅲ）地域通信会社各社は該当エリアにおける電話を、あまねく確保する責務を負うものとした。NTT東日本は北海道、東北、関東、東京、信越を営業エリアとし、NTT西日本は東海、関西、中国、四国、九州、沖縄を営業エリアとした。
　　ⅳ）NTTコミュニケーションズ株式会社は国内の県間通信サービスなどを、提供するとともに国際通信事業に進出する。
　　ⅴ）持株会社は基盤的な研究開発を推進する特殊会社とする。事業に密着した応用的な研究開発については、長距離通信会社、地域通信会社各社において行う。
　　ⅵ）公正な競争を行うための条件を長距離通信会社と地域通信会社との間に確保する。
　　ⅶ）郵政省は再編成実施のため、独占禁止法、商法等の法令および連結納税等の税制上の特別措置について政府内の調整を行う。

・NTT再編案について

　当初の目標として1989年にNTTのあり方について結論を得ることとしたが、更に5年後の1995年に先送りされ、1996年12月になって郵政省の再編方針が決まった。

　分割のポイントはNTTの持株会社を純粋持株会社にしたことにある。純粋持株会社は自分の会社の事業をもたずに系列企業の指導だけを行う会社である。

　結果、業績は持株会社に事業分割することによって、各社の総資産は2兆～7兆円規模に分割され、それぞれの事業分野で迅速な意思決定がなされた。各事業分野の同業他社との適正な競争が可能な組織となり、営業利益、当期利益ともに倍増した。

・再編の意義

　肥大化しすぎたNTTを事業分割や地域分割することによって規制を緩和し、他の通信会社との競争力を強め、NTT本体の意思決定を迅速化した。結果的には、国内通信並びに国際通信を手掛ける総合的な通信事業会社に代わり、NTTグループとして強靭な体質に変身し、低廉な通信料金への引き下げやインターネット社会を実現した。

　NTTの分割・事業再編成による持株会社移行推進の指揮を執った当時の社長和田紀夫氏は「巨大な森のようなNTTを運営するには迅速な意思決定ができず、世界の通信業界の競争に打ち勝つことができない。森の中の林の如く事業を分社することによって、企業の自主性を尊重し、社会情勢に対応することが重要である」（本人談）と述べている。NTTの事業再編成がわが国の社会の構造変革や経済発展に貢献したことは評価に値する。2018年5月和田紀夫氏が勲一等旭日大綬章の叙勲を受けたことは、再編の意義があったことの証明といえよう。

　このNTTの再編は巨大な組織を運営する方法として純粋持株会社方式を

図5－1 NTTグループの再編成

1869年 国営時代（逓信省・郵政省等）
1952年 日本電信電話公社
1985年 日本電信電話株式会社（民営化）
1999年 NTT（持株会社）再編成

〈NTTグループの業績推移（1985～2017年）〉

(単位：億円、％)

	1985年（民営化）	1999年（持株会社化）	2017年	1999/1985対比	2017/1999対比
営業収益	50,914	100,187	113,910	196	113
営業利益（注）	7,677（15.0）	8,238（8.2）	15,398（13.5）	107	186
当期利益（注）	1,857（3.6）	2,990（3.0）	8,001（7.0）	161	267
株主資本	35,118	60,146	90,525	171	150

注：（注）のカッコ内の数字は対営業収益比率。
資料：筆者作成

採用したことや、持株会社の傘下の組織を効率的に事業分割・地域分割することによって、きめ細かな顧客ニーズに対応できる迅速な意思決定ができる、コーポレートガバナンス体制を築くことができたことを示したものである。官製金融民営化3行の再編の制度設計に生かせるものと考える。

官製金融民営化3行の事業再編シナリオ

　ゆうちょ銀行は経営に最適なALM体制を築くためには、適正な規模に分割することが望ましいと考える。更に現実問題として、ゆうちょ銀行が抱える金利リスクは規模が大きいがゆえに、資産運用サイドのリスクと特殊な調達資金（定額貯金）によって、負債サイドも大きなリスクを抱えている。このリスクは現在のゼロ金利状態から抜け出す金利上昇時に発生するものであり、ゆうちょ銀行の経営の根幹を揺るがすものとなる。現状に踏みとどまることによって解決するものではなく、早晩金利リスク対策としての構造改革を迫られることになる。加えて、偏ったポートフォリオは、収益性が低く経営を硬直化させている。

　これらの経営状態から脱するために、民営化の先例や民営化後の変革によって成功した、JRやNTTの公的機関の強大な組織の再編についての事例を学ぶことこそが、賢明な官製金融民営化3行の目指すあり方といえよう。

　官製金融民営化3行の持株会社方式による事業再編シナリオの枠組みについてシミュレーションを行う。

① 官製金融民営化3行のあり方に対する基本的な認識

（ⅰ）ゆうちょ銀行のあり方に対する政府・郵政民営化委員会への金融業界の意見

　郵政民営化法第19条に「民営化委員会は3年ごとに郵政民営化の進捗状況について、総合的な見直しを行い、内閣総理大臣に意見を述べる。これに基

づき処置を講じたときは、その旨を民営化委員会に通知しなければならない」という趣旨のことが記載されている。民営化スタートから10年になり、民営化委員会は全国銀行協会や全国地方銀行協会等の各協会から、3年ごとに進捗状況に対する意見を聴取しているが、毎回同じ内容の意見のやりとりがあり、進捗状況もほとんど変わっていない。直近では2017年10月に民営化委員会[40]が、各銀行協会から意見を聴取しており、要点は以下のとおりである。

【全国地方銀行協会の意見】（委員会への提出資料より）

(a) 基本理念と視点

郵政民営化法第2条

「地域社会の健全な発展及び市場に与える影響に配慮しつつ、同種の業務を営む事業者との対等な競争条件を確保するための処置を講じる」この主旨を踏まえて以下の3つの視点（公正な競争条件の確保、適正な経営規模への縮小、地域との競争と利用者利便）が重要である。

(b) 公正な競争条件の確保

・政府が間接的にゆうちょ銀行株を保有し、政府関与が残る間は民間金融機関との公正な競争条件が確保されたとはいえない。

・ゆうちょ銀行の完全民営化、すなわち株式の全部処分に向けた、具体的な道筋が明らかにされていないことは誠に遺憾である（郵政民営化法第7条の早期実施要求）。

・親子上場という形態は、子会社（ゆうちょ銀行）の少数株主利益を脅かしかねず、金融2社の株式は早期に全部売却される必要がある。

(c) 適正な経営規模への縮小

・ゆうちょ銀行の貯金残高は、国際的に類をみないほど巨大である。

・完全民営化に向けた具体的な道筋が、いまだ明らかにされないまま、更

---

[40] 2017年10月26日第176回郵政民営化委員会「郵政民営化に関する意見募集について関係団体ヒアリング」全国銀行協会、全国銀行協会、第二地方銀行協会、全国信用金庫協会、全国信用組合中央協会、農林中央金庫。

なる預入限度額引き上げは規模拡大のリスクが増大し、将来的に国民負担の発生の可能性も否定できない。
- ゆうちょ銀行が「機関投資家」を目指すという方向性は望ましいものと認識するが、リスク管理ができる適正な規模へのコントロールが必要である（海外投資拡大の懸念）。

(d) 地域との共存と利用者利便
- ゆうちょ銀行と民間金融機関が、地域活性化や顧客利便向上等を目的とした連携協調を進める意義は認める。ただしゆうちょ銀行と共存するためには、公正な競争条件の確保が前提である。

以上、全国銀行協会および第二地方銀行協会も、同様の趣旨の意見陳述を行っている。

(ⅱ) **経済産業省は「商工組合中央金庫の在り方」について、検討委員会を設置し商工中金の完全民営化への移行を検討開始**

2017年10月経済産業省、財務省、金融庁、農林水産省は商工中金の不正融資に対して、行政処分命令を下した。これを受け「商工中金の在り方検討会」が設置され、有識者による7回の検討会が行われた。

2018年1月「商工中金の在り方の方向性について」中間報告として提言が行われた。組織形態の見直しによるガバナンスの強化は、取締役会の過半を社外取締役とし、第三者委員会が経営を監督し、今後のビジネスモデルの見直しを行うなど4年間の改革の成果を踏まえ、完全民営化の実行の移行を判断するとした。

(ⅲ) **日本政策投資銀行のあり方について**

2014年度末に見直しを行い商工組合中央金庫法一部改正と同様に、同年5月に日本政策投資銀行法の一部改正を施行した。日本政策投資銀行の完全民営化は、全株式の処分を維持しつつも、経済情勢の変化を条件に、その時期を明示していない。政府保有株式の処分に関する改正法附則第2条には「政府はその保有する会社の株式について、会社の目的達成（特定投資業務、危機対応業務）に与える影響及び市場の動向を踏まえつつ、その縮減を図り、

出来る限り早期にその全部を処分するものとする」と記載されている。

なお、商工組合中央金庫法と日本政策投資銀行法とは政府保有株式の処分が同じ内容であり、今後、商工中金法が「商工中金の在り方検討会」の答申によっては、別に取り扱われることになると思われる。

② 官製金融民営化3行のあり方検討の満たすべき条件

業態別総資産および総資産経常利益率（ROA）の格差是正やゆうちょ銀行の現状の金利リスクやポートフォリオ・セレクションの課題、地銀再編途上の規模別格差是正等を解決すべく、各銀行協会の意見や先行好事例を参考にし3つの満たすべき条件を下記に示す。

(i) イコールフッティングな競争条件の設定

イコールフッティングな競争条件の設定とは、郵政民営化法、商工組合中央金庫法、日本政策投資銀行法等の特殊法下の3行を民間銀行と同じ銀行法下に置き、上場による全株処分（最低でも3分の1未満への処分）の時期を明示し完全民営化することである。

(ii) 適正な規模への縮小

経営の意思決定の迅速化、効率化のためにNTTの好事例にならい、ゆうちょ銀行の総資産210兆円を事業分割・地域分割し、事業再編によって規模を縮小する。具体的にはNTTの再編事例にならい、完全民営化する3行の総資産238兆円を純粋持株会社の傘下に置く。そしてゆうちょ銀行と商工中金を合併し、同時に広域行政区（道州）を経営基盤とする分割した地域銀行を新設する。地域銀行の規模については理論値総資産7兆円以上とし、地域銀行は道州の区割りを参考に8つの新銀行に分社し、資産規模を7兆～80兆円とする。これにより総資産規模とROAの相関関係から得た理論値から適正な規模に分割され、収益性の高い地域銀行に生まれ変われる。郵便局ネットワークの決済業務や共通事務およびシステム管理業務は、ネットワーク銀行として事業分割し持株会社の傘下に置く。

(iii) 資金調達と運用組織の一体化（融資体制の構築）

　理論値によって（表2－8参照）金融業は産業より東京一極集中度が高いことが証明された。その要因は地域で調達した資金が地域に運用されていないことにある。この課題を解決する方策として、商工中金の全国にある100カ店の融資体制およびリスク管理体制を活用することが考えられる。また、オーバーバンキング状態下の小規模地方銀行は経営統合によって、健全な地銀に統合されているが、商工中金やゆうちょ銀行が銀行法を根拠法とする民間金融機関となれば、地方銀行を救済合併することができる。この民間金融機関は地銀再編による余剰人員（特に融資業務人員）を吸収する受け皿ともなりうる。利害が一致したゆうちょ銀行や商工中金或いは一部の地銀との経営統合は、運用の多様化によって業態別ROAを最適化する手段となると考える。

　地域の調達資金は地域で運用することによって、地域の個人営業、中小企業、中堅企業そして個人との幅広い取引活性化ができる。特にネットワーク決済銀行は地域分割された新たな地域金融機関各社と横断的につながり、ゆうちょ銀行の強みである店舗網を活用し全国津々浦々に共通のサービスを提供できる。フィンテックやIoT、AI等インターネットバンキングを展開し、そして、ATMネットワークを活用したビッグ・データによる経営も可能となり利用者利便が向上する。

　ゆうちょ銀行・商工中金の合併地域銀行がリテール業務を行うものとすれば、日本政策投資銀行を持株会社の傘下に置くことは、同行が行うホールセール業務である国際業務や大企業取引、投資銀行業務をグループ全体で活用することができるメリットがある。

　結果、グループ全体として総資産の規模が変わらず、傘下の企業規模は適正化される。そして公正な競争条件のもとに業態別総資産シェアが最適化され、地域別・業態別ROAの格差が是正される。

　地域での共存共栄について、地域に分割されたゆうちょ銀行・商工中金の合併地域銀行は、広域行政区（道州）において、地銀再編によって規模を拡

大した広域大型再編銀行と、規模においてイコールフッティングな競争条件が整うことになる。共存共栄の環境が生まれる。ゆうちょ銀行・商工中金の合併地域銀行は、広域行政区内の地方銀行が再編によって銀行数が寡占状態になった（例えば九州の地銀）としても、顧客の選択肢となりうる銀行であり、公正取引委員会のいう独占禁止法[41]に抵触しない。業態別総資産分析が示すように、広域行政への地域分散型の資金調達は、東京一極集中に歯止めをかけ、地域分散型の金融構造に変化していく。

　従来の県別総生産の概念をなくし、政府が道州ベースの道州総生産目標を掲げれば、分権制度が更に進み、東京一極集中から抜け出すことが可能となる。道州がヨーロッパのEU各国と同程度の国力をもち、ひいては日本のGDP拡大の原動力となる。日本政策投資銀行がグループ力を生かして、海外との取引を増強することができればGNIの増加に寄与する。政府は2018年の「骨太の方針」[42]で「活性化した地域をネットワークで結ぶことにより、東京一極集中を是正し、これからの時代にふさわしい国土の均衡ある発展を目指す」としているが、上記の金融制度改革は政府の意向を具体化する施策となりうる。

③　官製金融民営化3行の持株会社方式による事業再編シナリオ

　第5章第2節のように官製金融民営化3行が持株会社傘下において、最適なポートフォリオ・セレクションを行うために3つのケースを考えたが、事業再編シナリオを具体的に検討する場合には以下の3つのシナリオを考えたい。
　<u>シナリオ1：ゆうちょ銀行と日本政策投資銀行、商工組合中央金庫の合併によるメガバンク構想</u>

41　2019年3月5日付日本経済新聞「地銀やバス統合促す―新法で独禁法の例外・政府検討」。
42　2018年6月15日閣議決定「経済財政運営と改革の基本方針2018―少子高齢化の克服による持続可能な成長経路の実現」。

郵政事業改革と政策金融改革の「官から民へ」という理念のもと、ゆうちょ銀行・日本政策投資銀行・商工組合中央金庫の３行庫は完全民営化を目指している。３行庫が合併すると資産規模は2017年３月期で238兆円となり、三菱東京UFJ銀行の204兆円、三井住友銀行の162兆円、みずほ銀行の162兆円を大きく上回り、1.5倍程度となる。貸出金残高は３行庫合計で26兆円であるが、三菱東京UFJ銀行82兆円、三井住友銀行75兆円、みずほ銀行の71兆円の３分の１程度である。この格差は、国債や外債の保有高に起因する。特に貸出金残高を増加させるためには、取引先基盤の拡大に時間を要し、運用の多様化は困難な状態が続くものと思われる。
　このメガバンク構想では、有価証券への運用収益中心の収益構造から、商業銀行業務による収益構造とするため、融資体制を整えることが喫緊の課題となる。上場を維持できる収益構造に転換し、他のメガバンクに対抗できる人材を養成するとともに、リスク管理体制を構築しなければならない。規模的にメガバンクになったとしても、効率的な調達と融資による強固な運用体制をつくりあげることは難しい。メガバンクと農林中央金庫をあわせた巨大な銀行を目指すことは、官製金融の肥大化や民業圧迫阻止の理念から外れるものである。また、収益構造からみても定額貯金の金利リスク等の大きなリスクを抱え、上場維持が困難になる可能性が高いと思われる。実現性に乏しいシナリオとなる。
　シナリオ２：リテールバンキング特化構想（決済業務ネットワークバンキング）
　第二のシナリオはポートフォリオから考えたゆうちょ銀行と商工中金の合併と同じ構想になるが、ゆうちょ銀行が合併によらず自らが融資業務を拡大するという、より現実的な構想である。合併より時間はかかるが、第一のシナリオの縮小版といえる。
　現在のゆうちょ銀行の肥大化した資産規模や限定された営業内容が、そのまま続くとすれば肥大化による資金調達リスクが拡大し、資金運用リスクについても国債や外債運用にリスクが生じる可能性が高い。より個人取引に重

点を置くとしても経常収益に対する営業経費率を引き下げることも困難になり収益性は低下する。新たに個人取引を中心に住宅ローンやカードローン、クレジットカード業務を行うことにより、小口分散された資金運用はリスクも低く、小口金融のため利鞘を稼ぐことが可能であり収益強化につながる。

社会インフラで、スマートフォンやタブレット端末機によるインターネットバンキングが進展し、更に、フィンテックの導入によりリテール業務（トランザクションバンキング）に他業種が参入してくると、ゆうちょ銀行のような大掛かりなコンピューターシステムと店舗ネットワークをもつ銀行は競争が困難になる。

郵貯銀行がリテールバンキングで主体的に存続するためには、IoTやAI、ビッグ・データを駆使する銀行に生まれ変わらなければならない。幸いにもメガバンクをはじめ新規参入のリテーラーも、この分野では緒に就いたばかりである。ゆうちょ銀行の顧客データは6,000万人とわが国の人口の半分に及び、大いなる強みであるが、既存のシステム負担は大きくスムーズに新技術に移行することは、人的、物的にも投資負担が重い。したがって、リテールバンキングのみで存続することは困難である。

なお、官製金融民営化3行の事業再編によって、ネットワーク銀行が設立されるが、この銀行は決済業務が主体であるため、対象がリテール業務であってもトランザクションバンキングでしかない。手数料収入が主体のネットワーク銀行は身軽になり、インターネットバンキングを推進して存続することができる。

シナリオ3：民営化3行が持株会社の傘下で事業再編を行う構想（NTT方式）

民営化3行が持株会社の傘下に入るため全体としては、第一のシナリオに近いが事業分割や地域分割を行うため第三のシナリオ：NTT方式として区別するものである。

完全民営化後、官製金融民営化3行を新設の持株会社の傘下に置き、その後ゆうちょ銀行の決済機能およびシステム機能等を事業分割しネットワーク

銀行を設立する。そして、ゆうちょ銀行・商工組合中央金庫を合併し地域分割した8地域銀行を設立する（これを地域スーパーリージョナルバンク構想という）。日本政策投資銀行はグループ全体の投資銀行部門の機能を果たす目的で、持株会社の傘下に置くこととする。

【基本的な枠組み】

(a) グループの規模：ゆうちょ銀行・商工組合中央金庫・日本政策投資銀行の2017年3月期の合算総資産238兆円を純粋持株会社の傘下に置く。
(b) 形態：持株会社の名称を便宜上、各銀行の英文頭文字を使用し、「YSDフィナンシャルグループ」と呼ぶこととする。
(c) 事業再編：ゆうちょ銀行は決済業務および共通事務、システム関係を事業とするネットワーク会社を設立するため事業分割を行う（名称はYSDネットワーク銀行とする）。

そして、事業分割後のゆうちょ銀行と商工中金を合併する。同時に8地域に分社しYSBCの名称を冠したYSBC地域銀行（スーパーリージョナルバンク）を設立する。

収益性の低いゆうちょ銀行は商工中金との合併により、貸出金運用が可能となり合併後のROAは単純に加重平均したもので0.221％に改善されるが、地銀のROA0.370％とは大きな開きがある（表5-5参照）。しかしながら貸出金増加によりポートフォリオを強化すれば、収益性が改善される余地は大きい。その他の合併メリットとしては、全国展開の営業が可能となり融資体制が整うこととなる。加えて、経営の透明性が確保され、リスク管理体制が確立される。日本政策投資銀行は民間金融機関（DBJ銀行）としてそのまま傘下に置くため、グループ内の地域銀行と投資銀行業務や海外取引において協働が可能となる。

YSDフィナンシャルグループのROA0.253％は依然として地銀のROA0.370％に及ばない（表5-6参照）。合併当初YSDフィナンシャルグループの資産規模はメガバンク並みの規模になるが、収益性は低く運用のポートフォリオを変えなければ上場企業として株主の期待リターンを確保す

ることができない。これを達成するために経営としてガバナンス強化を図り、収益力重視の質的な転換の過程で有価証券運用の縮小によって規模の縮小を余儀なくされる可能性もある。したがって、必ずしも、他の民間金融機関の脅威（民業圧迫）となるわけではない。

【再編構想の目的】

表5－5　ゆうちょ銀行と商工中金の経営指標

	ゆうちょ銀行	商工中金
営業店舗	234カ店	国内100カ店、海外4カ店
従業員	12,965人	4,102人

商工中金の発行済み株式数
〈普通株式〉2,156,531,448株（約22億株）
〈資本金〉2,186億円
〈所有者別内訳（単元株＝1,000株）〉政府：46.53%　　　金融機関：2.92%
　　　　　　　　　　　　　　　　　一般法人：49.94%　個人：0.61%

2017年3月31日　貸借対照表　　　　　　　　　　　　　　　　（単位：兆円）

	ゆうちょ銀行	商工中金	YSBC合計		ゆうちょ銀行	商工中金	YSBC合計
現預金	51.2	1.7	52.9	預貯金	179.4	5.1	184.5
有価証券	138.8	1.5	140.3	債券ほか	18.3	6.8	25.1
貸出金	4.1	9.3	13.4	負債計	197.7	11.9	209.6
その他資産	15.4	0.3	15.7	純資産計	11.8	0.9	12.7
資産計	209.5	12.8	222.3	負債純資産	209.5	12.8	222.3

2016年4月～2017年3月末　損益計算書　　　　　　　　　　　（単位：億円）

	ゆうちょ銀行	商工中金	YSBC合計
経常利益	4,420	508	4,928
当期利益	3,122	324	3,446
ROA	0.211%	0.397%	0.221%

資料：ゆうちょ銀行および商工中金の決算書より筆者作成

官製金融民営化3行を統合・再編することによって、資産・負債サイドのポートフォリオを一体的に管理することができ、持株会社としてALMが適正に行われる。その結果、収益性の低い経営体質から脱却することができる。事業分割・地域分割によって適正な規模になり経営の意思決定が迅速になることや、金利リスクを負うゆうちょ銀行はポートフォリオ・セレクションによって運用が多様化され、市場リスク対応力が強化されること等、民営化3行の経営課題を解決する手段となる。

【地域分割および事業分割の理由】
　日本郵政グループのネットワーク組織は12の支社で構成されている。内訳をみると、北海道、東北、近畿、中国、四国、九州の6支社は法律上の明確な定義はないが、広域行政区画名に分かれている。残る6支社は関東地区の関東支社、東京支社、南関東支社であり、中部地区の信越支社、北陸支社、

表5－6　YSDフィナンシャルグループの資産規模と収益性

2017年3月31日　貸借対照表　　　　　　　　　　　　　　　　（単位：兆円）

	DBJ銀行	YSBC計	YSD・FG		DBJ銀行	YSBC計	YSD・FG
現預金	1.0	52.9	53.9	預貯金	0	184.5	184.5
有価証券	1.8	140.3	142.1	債券ほか	13.4	25.1	38.5
貸出金	13.2	13.4	26.6	負債計	13.4	209.6	223.0
その他資産	0.4	15.7	16.1	純資産計	3.0	12.7	15.7
資産計	16.4	222.3	238.7	負債純資産	16.40	222.3	238.7

2016年4月〜2017年3月末　損益計算書　　　　　　　　　　　（単位：億円）

	DBJ銀行	YSBC計	YSD・FG
経常利益	1,138	4,928	6,066
当期利益	802	3,446	4,248
ROA	0.683%	0.221%	0.253%

資料：DBJ銀行の決算書より筆者作成

図5－2　官製金融民営化3行の持株会社による再編

資料：筆者作成

東海支社である。これらの支社は機能として地区の事務・システムの管理運営や人事管理、物流システム等の統括を行っている。地域分割のシミュレーションをするにあたっては、組織分割・統合が容易に実現可能な案として、関東地区および中部地区をまとめることによって全体を8地域に分割・統合することが最適であると考えられる。事業分割についてはゆうちょ銀行と商工中金の各支店を統廃合し、再構築された店舗ネットワークの下、新しくネットワーク銀行を設立し、日本郵便株式会社の郵便局を代理店とするものとする（図5－2参照）。

　決済業務および共通事務、システム関係の事業を事業分割することによって、郵便局ネットワークを効率的に維持管理し、ゆうちょ銀行および商工中金のバックヤードの効率化を図ることができる。将来的には郵便局ネットワークを他業態に開放し、顧客利便を図るとともに、新たな収益機会を得ることができる。そして、ゆうちょ銀行と商工中金が合併することによって、資金調達部門と運用部門が同一組織に形成される。特に融資体制やリスク管理体制がゆうちょ銀行側に確立されるメリットは大きな利点である。加えて、肥大化した経営基盤の地域分割によって、民間銀行が要望する公正な競争条件の最大の要因である規模の縮小が実現することによって、適正な規模

は迅速な意思決定をもたらすことができる。

　広域大型の地域銀行（YSBC関東、中部、近畿、九州）はアジア等の海外進出も可能にする。広域の経営基盤は九州フィナンシャルグループの持株会社方式の経営統合等によって、行政の道州制[43]を待たなくても、積極的なM&Aや事業再編によって拡充できることは、すでに証明されている。YSBC北海道、東北、中国、四国銀行は総資産10兆円前後の広域地域銀行として、今後、再編される大型地銀と競合することになると考えられる。一方で、同地域の地方銀行の再編によって生じる、余剰人員や店舗の受け皿になることもできるであろう。

　この地域分割と事業再編はNTTの民営化後の再編によって傘下の各企業の業績が向上していることに鑑み、官製金融民営化3行のROA0.253％は、現行低い状態にあるが、広域大型地銀並みのROA（福岡銀行0.429％、横浜銀行0.533％）を確保することが可能となるであろう。

 ## 地域分割・事業分割のための計数根拠

　この章を終えるにあたり、現存する企業の貸借対照表をどのような根拠に基づいて分割するかを示し、地域分割された場合の一例として近畿地方における業容をモデルケースとして掲げることは有益であろう。

　地域分割案作成の根拠となる全国の地域ごとの経済規模を人口、法人数、県内総生額、就業者数など9つの経済統計をもとに計測し、その地域ごとのシェアを示したものが表5－7である。9項目の平均シェアを整数値にすると、北海道4％、東北6％、関東36％、中部19％、近畿16％、中国6％、四

---

[43] 佐々木信夫［2001］「新たな「日本のかたち」─脱中央依存と道州制─」角川マガジンズ2013年3月、林宜嗣・21世紀政策研究所「地域再生戦略と道州制」日本評論社2009年8月、江口克彦「地域主権型道州制─日本の新しい「国のかたち」─」PHP研究所2007年12月。

表5－7　全国の地域ごと経済規模（地域分割シミュレーションの根拠となるデー

	人口 （百万人）	法人数 （千社）	県内 総生産額 （兆円）	就業者数 （百万人）	個人保険契 約残高 （兆円）
北海道	5.3 4.23%	113 4.10%	18.4 3.58%	2.4 3.98%	29.1 3.38%
東北	8.8 7.03%	155 5.63%	32.4 6.32%	4.3 7.19%	58.2 6.75%
関東	42.0 33.55%	1,100 39.93%	193.9 37.77%	20.3 33.72%	300.7 34.83%
中部	22.9 18.29%	464 16.84%	97.8 19.05%	12.1 20.09%	167.5 19.44%
近畿	20.4 16.29%	440 15.97%	80.7 15.72%	9.2 15.28%	140.9 16.35%
中国	7.4 5.91%	143 5.19%	28.6 5.57%	3.5 5.81%	49.9 5.79%
四国	3.9 3.11%	79 2.86%	13.7 2.67%	1.8 2.99%	27.0 3.13%
九州 沖縄	14.5 11.58%	261 9.47%	47.8 9.31%	6.6 10.96%	88.1 10.23%
全国計	125.2 100%	2,755 100%	513.3 100%	60.2 100%	861.5 100%

注：①人口は2017.1.1（総務省）、②法人数は16/3末（国税庁）、③県内総生産・就業者数
　　国内銀行勘定のみ2017/3末、⑥店舗数は国内の本・支店・出張所の合計2017/3末。
資料：金融ジャーナル2017年12月号より作成

国3％、九州・沖縄10％となる。

　この地域整数シェアに基づきゆうちょ銀行と商工中金の合併（合算）貸借対照表を科目別に分割したものが表5－8である。この分割した8地域の貸借対照表が、各地域銀行の期首貸借対照表となる（実際には地域の取引顧客数の相違によって、期首資産・負債残高は変わる）。

タ）

全銀行預金 （兆円）	ゆうちょ貯金 （兆円）	全銀行貸金 （兆円）	全国店舗数	9項目平均	理論シェア （9項目平均の整数値）
34.6 2.88%	6.9 4.16%	14.7 2.49%	2.8 5.15%	3.77%	4%
61.6 5.12%	10.2 6.15%	25.1 4.26%	5.6 10.29%	6.52%	6%
522.3 43.43%	56.4 34.02%	299.7 50.87%	12.0 22.05%	36.68%	37%
206.4 17.16%	30.5 18.39%	81.5 13.83%	12.6 23.16%	18.47%	18%
196.7 16.35%	29.2 17.61%	82.9 14.07%	7.6 13.97%	15.73%	16%
59.0 4.90%	10.7 6.45%	26.1 4.43%	4.6 8.45%	5.83%	6%
34.1 2.83%	5.2 3.13%	13.8 2.34%	2.6 4.78%	3.09%	3%
87.9 7.31%	16.5 9.95%	45.3 7.69%	7.2 13.23%	9.98%	10%
1,202.6 100%	165.8 100%	589.1 100%	54.4 100%	100%	100%

は2014年度（内閣府）、④個人保険契約残高は2017/3末（生命保険協会）、⑤預貸金計数は

① 事業再編後の地域銀行のシミュレーションによる事例検証：YSBC近畿銀行

　近畿地区の6府県は広域行政区を含む関西広域連合から発展させた統治機構改革を目指すなど、具体的な制度設計に入っている。そこで近畿地区の広

表5－8　YSBC銀行合算貸借対照表を地域シェアにより8地域に分割

データ作成の手順
①〈シナリオ3〉の統合貸借対照表をベースとする
②地域ごとの経済シェアから算出した表5－7の理論シェアを使用
③貸借対照表各項目をシェアごとに8地域に割り付けるとなる
④8地域の各スーパーリージョナルバンクの期首貸借対照表

〈平成29年3月期〉

科目		北海道 4％	東北 6％	関東 36％	中部 19％	近畿 16％	中国 6％	四国 3％	九州沖縄 10％
現金預け金	53.0	2.1	3.2	19.1	10.0	8.5	3.2	1.6	5.3
有価証券	140.3	5.6	8.4	50.5	26.7	22.4	8.4	4.2	14.0
うち国債	69.7	2.8	4.2	25.1	13.2	11.1	4.2	2.1	7.0
地方債	1.3	0.05	0.08	0.5	0.3	0.2	0.08	0.02	0.1
社債	11.3	0.5	0.7	4.1	2.1	1.8	0.7	0.3	1.1
その他	53.0	2.1	3.2	19.1	10.0	8.5	3.2	1.6	5.3
貸出金	13.4	0.5	0.8	4.8	2.5	2.2	0.8	0.4	1.3
その他資産	15.2	0.6	0.9	5.5	2.9	2.4	0.9	0.5	1.6
固定資産	0.4	0.01	0.02	0.14	0.07	0.06	0.02	0.01	0.04
資産の部合計	222.3	8.9	13.3	80.0	42.2	35.6	13.3	6.7	22.2

注1：貸借対照表はゆうちょ銀行、商工中金の合計。
注2：YSDネットワーク銀行の分社時に、システム関係の資産は譲渡。
資料：ゆうちょ銀行、商工中金の合計貸借対照表を地域別シェアに応じて分割したもの、

域行政区への移行を展望しつつ、YSDフィナンシャルグループのYSBC近畿銀行（仮名）の制度設計のあり方をケーススタディとして検討する。そのうえで、YSBC近畿銀行を他の7地域に当てはめて各地域の再編構想を展開する。

表5－9のように近畿地区の県別総生産額の合計は、2015年度81兆円で全国に占めるシェアは15.7％である。政府が目標とする2020年までの名目経済

(単位：兆円)

科目		北海道 4％	東北 6％	関東 36%	中部 19%	近畿 16%	中国 6％	四国 3％	九州 沖縄 10%
預貯金	184.5	7.4	11.0	66.4	35.0	29.5	11.0	5.6	18.4
債券	4.7	0.2	0.3	1.7	0.9	0.7	0.3	0.1	0.5
借用金	1.0	0.04	0.06	0.4	0.2	0.2	0.06	0.04	0.1
その他負債	19.4	0.8	1.2	7.0	3.7	3.1	1.2	0.6	1.9
負債の部	209.6	8.4	12.5	75.5	39.8	33.5	12.5	6.4	20.9
資本金	3.7	0.15	0.22	1.13	0.70	0.60	0.22	0.11	0.37
剰余金等	5.9	0.23	0.35	2.12	1.12	0.94	0.35	0.18	0.59
純資産の部	12.7	0.6	0.8	4.5	2.4	2.1	0.8	0.3	1.3
負債純資産の部	222.3	8.9	13.3	80.0	42.2	35.6	13.3	6.7	22.2

筆者作成

　成長率３％を近畿地区でも達成しようとすればその県内総生産の合計を14兆円増加させ、95兆円にまで押し上げなければならない。

　2017年３月末で、近畿地区における114兆円の預貯金は主として中央で有価証券として運用されている。一部は近畿地区に還元されているが、「地域の調達資金を地域で運用する」態勢を整備しないと県内総生産額の目標は達成できない。なかでも、ゆうちょ銀行の貯金29兆円は地域に還元されていな

表 5-9　近畿地区各府県の経済規模

近畿地区の新成長戦略目標…2020年度県別総生産額の合計95兆円

	県別総生産（兆円）（シェア：%）2015年度	2020年新成長戦略目標値（兆円）（2015年度対比）	マーケット指標		
			人口（百万人）	法人数（千社）	就業者数（百万人）
滋賀	5.9　(7.3)	6.9　(+1.0)	1.4	21	0.6
京都	10.0　(12.4)	11.8　(+1.8)	2.5	56	1.2
大阪	37.9　(46.9)	44.5　(+6.6)	8.6	229	4.2
兵庫	19.8　(24.5)	23.3　(+3.5)	5.5	99	2.3
奈良	3.5　(4.3)	4.1　(+0.6)	1.4	19	0.5
和歌山	3.6　(4.6)	4.4　(+0.8)	1.0	16	0.4
近畿合計	80.7　(100)	95　(+14.3)	20.4	440	9.2

注：近畿地区ならびに各府県の新成長戦略目標は2016年度以降、政府目標の名目GDP成長率3％を実現したとして算出した。
資料：金融ジャーナル各年度12月号より筆者作成

表 5-10　近畿地区府県別の業態別預貸金残高（2017/3）

	滋賀		京都		大阪	
	預貯金	貸出金	預貯金	貸出金	預貯金	貸出金
大手銀行など	0.3	0.1	6.0	1.9	51.9	22.9
地方銀行	4.3	2.5	6.5	3.7	9.8	11.5
第二地銀	1.0	0.7	0.3	0.3	3.0	3.4
信用金庫	1.2	0.7	7.0	3.9	9.3	5.1
信組・労金	0.3	0.2	0.5	0.3	3.0	2.0
農協	1.6	0.2	1.3	0.2	4.8	0.6
ゆうちょ銀行	1.7	—	3.7	—	12.4	—
合計	10.5	4.4	25.4	10.3	94.3	45.6

注：預貸金合計数は銀行勘定のみ、大手行などは都市銀行、信託銀行、その他銀行などの合
資料：金融ジャーナル2017年12月号より筆者作成

いので、これを是正する目的でYSBC近畿銀行の設立で近畿地区の平均預貸率を49％に高めれば、14兆円の貸出金を地域に還元することが可能となる。

(i) **近畿地区・ゆうちょ銀行と他の金融機関との全体像**

近畿地区の金融機関の預貸金規模をまとめたものが表5－10である。2017年3月末で、近畿地区の全金融機関の預貯金残高は196兆円、貸出金残高は82兆円である。ゆうちょ銀行の29兆円の貯金を除くと預貸率は49％と低い。預貸率を県別にみると、大阪府は57％と高いが滋賀49％、京都47％、兵庫43％、奈良37％、和歌山34％と50％を下回っている。京阪神地区に所在していた本社が東京に移転したことや、工場の海外移転によって空洞化が起こり貸出金が伸びていない。

業態別にみると、都市銀行などの大手銀行は77兆円もの預金を調達しているが、貸出金は31兆円しかない（預貸率40.3％）。一方、地銀は預貸率79％と健闘している。都市銀行の東京一極集中の弊害といえる。2025年の大阪万博の再開催は、大阪復権の経済対策として期待される。

（単位：兆円）

兵庫		奈良		和歌山		合計	
預貯金	貸出金	預貯金	貸出金	預貯金	貸出金	預貯金	貸出金
16.4	5.4	2.3	0.7	0.8	0.3	77.7	31.3
2.8	2.7	4.1	1.9	3.0	1.2	30.5	23.5
3.4	2.4	0.1	0.1	0.2	0.1	8.0	7.0
8.6	4.0	1.4	0.6	1.1	0.4	28.6	14.7
1.8	0.9	0.2	0.1	0.3	0.2	6.1	3.7
5.7	1.1	1.4	0.3	1.6	0.2	16.4	2.6
7.7	—	2.1	—	1.6	—	29.2	14.3
46.4	16.6	11.6	3.6	8.7	2.4	196.5	82.8

計。

YSBC近畿銀行がスーパーリージョナルバンクになることで14兆円強の運用残高が増加

表5-11　近畿地区のゆうちょ銀行対地銀の比較（2017/3）　　　（単位：兆円）

府・県名	預貯金残高 ゆうちょ	預貯金残高 地銀(イ)	地銀貸出残高(ロ)	預貸率(ロ)/(イ)(%)	店舗数 ゆうちょ	店舗数 直営店	店舗数 代理店	地銀店舗数
滋賀	1.7	5.3	3.2	60.4	259	1	258	160
京都	3.7	6.8	4.0	58.8	472	4	468	162
大阪	12.4	12.8	14.9	116.4	1,108	24	1,084	478
兵庫	7.7	6.2	5.1	82.2	956	12	944	268
奈良	2.1	4.2	2.0	47.6	318	2	316	107
和歌山	1.6	3.2	1.3	40.6	315	1	314	83
近畿合計	29.2	38.5	30.5	79.2	3,428	44	3,384	1,258

資料：金融ジャーナル2017年12月号より筆者作成

(ii) **近畿地区におけるゆうちょ銀行の対地銀競合状況**

　表5-11は2017年3月末の近畿地区における府県別ゆうちょ銀行対地銀比較と近畿地区の地銀の預貸金残高と店舗数を示したものである。

　預貯金残高は、ゆうちょ銀行が29兆円、地銀が38兆円である。地銀の残高には畿外地銀の支店残高7兆円も含まれているから、これを除くと近畿地区地銀10行で31兆円の預金となり、ゆうちょ銀行と同規模となる。貸出金は30兆円で畿外地銀の支店残高11兆円を除くと19兆円となり、地域での運用に寄与している。

(iii) **分割民営化によって設立されるYSBC近畿銀行**（地域スーパーリージョナルバンク）

　現実論として、YSBC近畿銀行が保有する国債は政府から償還されるか、日銀への売却によって貸出金資金を捻出しなければならないが、ゆうちょ銀行の日銀預け金51兆円のうち近畿シェア16％分、8.2兆円を貸出金へ回すことができる。

　近畿地区の店舗について、ゆうちょ銀行の直営店は44カ店、代理店は3,384

カ店あり、地銀は10行合計で畿内に1,258カ店ある。地銀再編後3グループになれば1行当たり400カ店となるが、YSBC近畿銀行も直営店を200カ店程度に拡大する必要がある。もともと郵便事業の集配局が近畿地区には200カ所程度あり、直営店に変更する店舗スペースは存在し、人材の受け皿ともなる。近畿地区の地銀の職員数は2万1,190名で、うち再編により淘汰される銀行は2行程度で職員数も1,000名程度と予測される。また、近畿郵政局時代から近畿の貯金業務は営業・事務システムの自立した組織運営をしているので、YSBC近畿銀行に分割することは容易である。

一方、YSBC近畿銀行の設立によって地銀との競合が懸念されているが、多額の国債を保有するYSBC近畿銀行は徐々に資産規模を縮小することになる。これに対して、府県別に存在する地銀は広域に合併することによって経営規模を拡大し、スケールメリットを発揮しなければ生き残っていけない。したがって、近畿地区において地方分権に見合った地域の金融機関が3〜4行で競争することこそ、地域の活性化に資するものと考える。

先に述べたプロセスによって設立されたYSBC近畿銀行の期首貸借対照表は、表5－12のようになる（比較のため近畿地区の地銀・第二地銀の合計貸借対照表を掲載）。

そして、資産36兆円の銀行が誕生する。商工中金との合併により融資部門の人材は確保され、商工中金からは中小零細企業融資担当の人材が確保される。しかし、YSBC近畿銀行は新たに200カ店の融資業務を行う直営店を設置することになると、融資部門の審査・管理人材を1カ店当たり10名程度雇用することとなり、2,000人の人員が必要になる。地銀再編によって生じる余剰人員はYSBC近畿銀行によって完全に雇用されるものと推測される。

YSBC近畿銀行と近畿地区の地銀10行合計の2017年3月末貸借対照表（表5－12）を比較すると、資産規模はほぼ同額となるが、その内訳をみると資金運用で国債等の有価証券への運用の差が、貸出金への運用の差となっている。このことは、近畿地区の個人預金が国債で運用され、直接的に近畿地区の企業に融資されず、信用創造されていないことをあらためて確認できる。

表5－12　YSBC近畿銀行と地銀の貸借対照表（2017/3） (単位：兆円)

YSBC近畿銀行の期首貸借対照表		滋賀銀行	京都銀行	関西みらいFG（近畿大阪・関西アーバン・みなと銀行）	池田泉州・南都・紀陽銀行	近畿地区合計
8.5	預金・預け金	0.5	0.8	1.2	2.1	4.7
22.4	有価証券	1.5	2.9	1.4	3.9	9.9
(11.1)	（うち国債）	(0.4)	(0.8)	(0.5)	(1.1)	(2.8)
2.2	貸出金	3.5	5.0	8.8	9.9	28.3
2.4	その他	0.1	0.2	0.2	0.3	0.9
35.6	資産合計	5.5	8.9	11.6	16.2	43.8
29.5	預金	4.5	6.6	10.4	13.4	36.4
4.0	その他負債	0.4	1.5	0.7	2.2	5.1
33.5	負債合計	5.2	8.1	11.1	15.5	41.5
2.1	純資産合計	0.4	0.8	0.5	0.7	2.3
35.6	負債・純資産合計	5.5	8.9	11.6	16.2	43.8

資料：地銀各行の決算書より筆者作成

　分割民営化したYSBC近畿銀行の収益状況を試算すると表5－13のように、ゆうちょ銀行の2017年3月期の当期純利益3,123億円のうち、近畿地区シェア16％分499億円が同行の当期純利益とみることができる。一方、近畿地区の地銀8行の2017年3月期損益計算書（表5－13参照）の合計では、当期純利益は942億円と1.8倍の利益となっている。この理由を検証するために、2017年3月期で総資産経常利益率をシミュレーションしてみると、関西みらい銀行グループは0.296％で、近畿地区の地銀合算では0.287％と低い水準にあるが、ゆうちょ銀行の近畿地区のシェア割りでシミュレーションしてみると、総資産35.6兆円、経常利益707億円でROAは0.198％となり、更に低い水準になる。この利益差は貸出金残高の差にあると思料される。
　ゆうちょ銀行の収益は、郵便貯金を国債や外債で運用することによって、

表5-13 近畿地区の地銀再編後の各グループ損益計算書 (2017/3)

(単位:百億円)

	京都	滋賀	計	関西みらいFG				池田泉州	南都	紀陽	計	近畿地区合計
				近畿大阪	関西アーバン	みなと	計					
経常収益	10.2	7.4	17.6	5.9	7.7	5.3	18.9	8.8	7.4	6.7	22.9	59.4
経常費用	7.7	5.5	13.2	5.2	6.0	4.3	15.5	7.1	5.8	5.5	18.4	47.1
経常利益	2.5	1.9	4.4	0.7	1.8	1.0	3.5	1.6	1.6	1.2	4.4	12.3
当期純利益	1.8	1.4	3.2	0.8	1.4	0.7	2.9	1.1	1.2	1.0	3.3	9.4

ゆうちょ銀行損益計算書 (2017/3)

(単位:百億円)

	ゆうちょ銀行の損益	うち近畿のシェア(16%)相当額
経常収益	189.7	30.4
経常費用	145.5	23.3
経常利益	44.2	7.1
当期純利益	31.2	5.0

総資産経常利益率 (ROA) 比較 (2017/3)
関西みらい銀行　0.296%
近畿地区合計　　0.287%
YSBC近畿銀行　0.198%

資料:地銀各行の決算書より筆者作成

低利鞘でリスクを負いながら収益を稼いでいるが、商工中金との事業再編によって貸出金運用が増加し、ポートフォリオが改善されれば、更に利益の上積みが可能となる。

　貸出金運用が実際にできるか心配する向きもあるが、筆者の銀行員時代の業務企画部長並びに3カ店の支店長経験の知見からすると、金融仲介機能をもつ商業銀行は多くの取引先企業とのビジネスマッチングを行うことによって、融資機会を得るチャンスを創造することは無限大であると考える。海外国内を問わず商取引の仲介を行い、新規事業を支援しIPOにつなげてゆく金融マンとしての醍醐味は、国や地域の経済に貢献しているという自負につながる。

②　全国8地域のYSBC地域銀行のシミュレーション

　YSDフィナンシャルグループのYSBC地域銀行（スーパーリージョナルバンク）構想のまとめとして、YSBC近畿銀行と同じ手順で算出した、8地域の

表5－14　事業再編後のYSBC地域銀行のシミュレーション（期首残高見込み、2017/3ベース）

（単位：兆円）

	YSBC地域銀行バランスシート			
	総資産	うち有価証券	うち貸出金	貯金
YSBC北海道	8.9	5.6	0.5	7.4
YSBC東北	13.3	8.4	0.8	11.0
YSBC関東	80.0	50.5	4.8	66.4
YSBC中部	42.2	26.7	2.5	35.0
YSBC近畿	35.6	22.4	2.2	29.5
YSBC中国	13.3	8.4	0.8	11.0
YSBC四国	6.7	4.2	0.4	5.6
YSBC九州・沖縄	22.2	14.0	1.3	18.4

資料：地銀各行の決算書より筆者作成

YSBC地域銀行の期首残高を一覧にした（表5－14参照）。

　近畿地区以外にも、広域の地銀再編が進行しているので、YSBC近畿銀行と同じシミュレーションが可能となっている。九州地区の福岡フィナンシャルグループは、福岡、長崎、熊本の3県にまたがる地銀再編を行っている。九州FGは鹿児島、熊本両県、関東地区のコンコルディアFGは神奈川、東京、めぶきFGは栃木、茨城にそれぞれまたがる再編を行っている。東北、中部、中国地区においてもシミュレーションは可能である。

　現実に民間銀行に起こっている統合・再編を分析し、着地のみえていない官製金融機関の民営化後をシミュレーションすることは、官製金融民営化3行の事業再編を行うことによって、業態別ROAの最適化をシミュレートすることになる。

第6章

財政健全化に資する
官製金融民営化3行の事業再編
と広域行政区域の地銀再編構想

2000年代に行われた財政投融資改革や政策金融改革、そして郵政民営化といった一連の金融財政改革の目的は、わが国の自由で公正かつ効率的な金融市場を形成することであった。

　郵政民営化は経済のわが国全体の資金フローを変え、成長性の高いセクターに資金が流れる仕組みをつくるためのものであった。巨額の資金が市場の埒外にある仕組みは効率的な資金の流れを遮断し、日本経済に悪影響を与える恐れがあり、更に暗黙の政府保証がもたらす民間金融機関との不公正な競争条件の土台となってきた。

　こうした民間金融機関と官製金融民営化3行の課題を解決すべく、第2章、第3章にてわが国の金融業態別・地域別総資産および総資産経常利益率（ROA）の実証分析を行い、わが国金融市場の業態間および業態内の最適化理論を構築した。特に業態間および業態内の格差是正については、総資産の規模とROAの相関関係を是正するために、業態ごとのポートフォリオ・セレクションが重要であることを示した。

　わが国の金融財政事情に鑑みると、長引く低金利政策の影響を強く受けている金融業態として、オーバーバンキング状態の地方銀行と、多額の定額貯金で調達した資金の大半を有価証券で運用し資産・負債サイドで金融リスクを抱えるゆうちょ銀行がある。

　第4章、第5章では、わが国の金融機関のなかで、官製金融民営化3行および地方銀行の再編について具体的に検討した。そしてそれぞれの組織や経営統合のあり方等について、地域金融における共存共栄を目的に制度設計を行った。共存共栄のための3つの基本条件は以下のとおり設定した。第1はイコールフッティングの競争条件となるために、総資産の規模をマーケットに応じて、同程度に地域統合または分割する。第2はROAの格差是正を行うべく、一定水準の規模に経営統合する。第3は地域の経営統合による地域銀行の融資シェアの偏りを是正すること、および余剰人員の受け皿として民営化3行の地域分割銀行を活用する。

　第2章、第3章における実証分析から導かれた理論をベースに第4章、第

5章で課題解決を図ったが、その際の基礎データを以下に示す。

わが国の金融機関の総資産は1,640兆円でROAは0.315%であるが、上記のように民間金融機関のROAは官製金融機関より高いことを確認しておく（ROAの推移は、表2－2を参照のこと）。この官・民のROA格差の存在が「民間にできることは民間に」という主張の根拠である。表6－1は先進国のなかで異常な官製金融のシェアを、如何に縮小するかを確認するデータでもある。更に、官・民のポートフォリオの違いも確認することができる。

表6－1　業態別ポートフォリオとROAの最適化を検討するための基礎データ
（2017年3月期）　　　　　　　　　　　　　　　　　　　　（単位：兆円、%）

	民間金融機関	うち地方銀行	官製金融機関	うち民営化3行	合計
預け金	321 (23.8)	39 (10.1)	60 (20.4)	54 (22.5)	381 (23.2)
有価証券	26 (19.7)	92 (23.8)	142 (48.5)	142 (59.2)	408 (24.9)
貸出金	646 (47.9)	244 (62.2)	69 (23.5)	26 (10.8)	715 (43.6)
その他資産	114	11	22	18	136
資産合計	1,347 (100)	386 (100)	293 (100)	240 (100)	1,640 (100)
預貯金	1,014 (75.3)	321 (83.2)	184 (62.8)	184 (76.7)	1,198 (73.0)
その他負債	251	43	76	40	327
純資産	82 (6.1)	22 (5.7)	33 (11.3)	16 (6.7)	115 (7.0)
負債純資産合計	1,347 (100)	386 (100)	293 (100)	240 (100)	1,640 (100)
ROA	0.330%	0.370%	0.215%	0.253%	0.315%

注：カッコ内は構成比
資料：財務省、政府系金融機関、全国銀行協会、全信連、全信組、全農連の統計より筆者作成

図6−1 存続する銀行の分布図（銀行名・総資産兆円／ROA%）

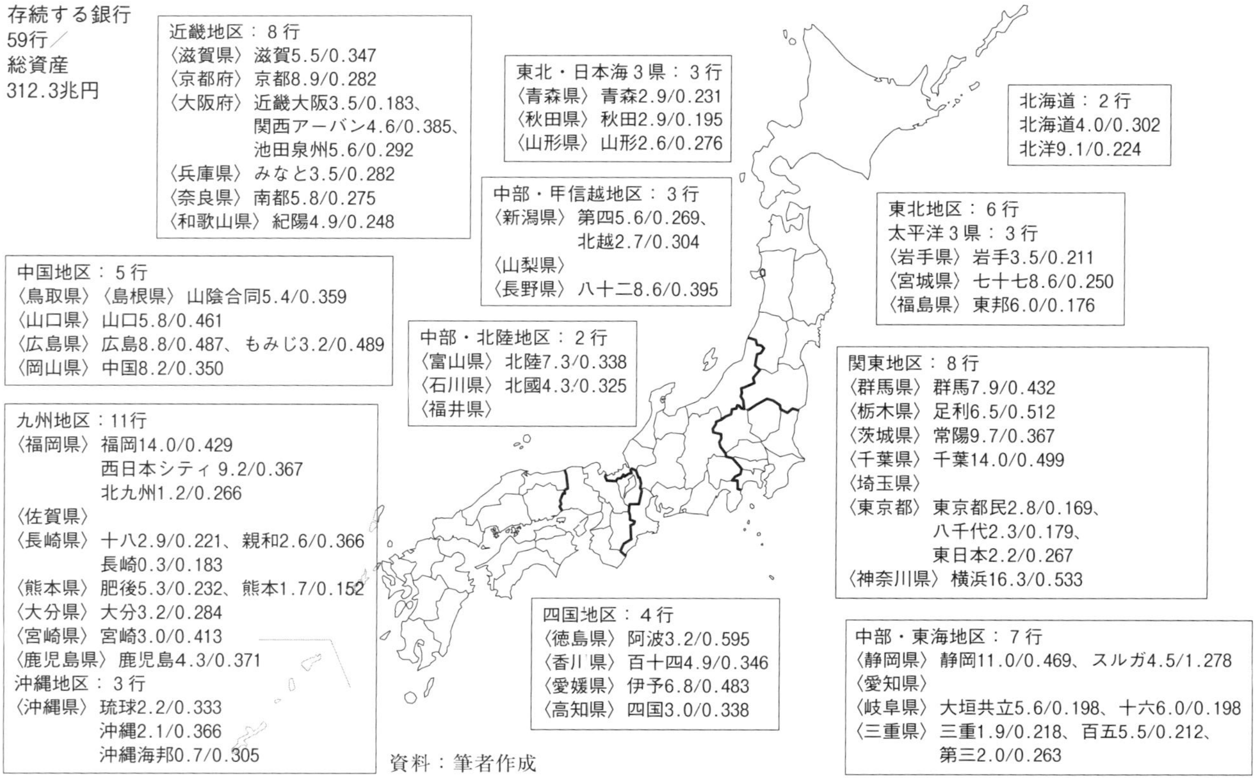

存続する銀行
59行／
総資産
312.3兆円

近畿地区：8行
〈滋賀県〉滋賀5.5/0.347
〈京都府〉京都8.9/0.282
〈大阪府〉近畿大阪3.5/0.183、関西アーバン4.6/0.385、池田泉州5.6/0.292
〈兵庫県〉みなと3.5/0.282
〈奈良県〉南都5.8/0.275
〈和歌山県〉紀陽4.9/0.248

中国地区：5行
〈鳥取県〉山陰合同5.4/0.359
〈山口県〉山口5.8/0.461
〈広島県〉広島8.8/0.487、もみじ3.2/0.489
〈岡山県〉中国8.2/0.350

九州地区：11行
〈福岡県〉福岡14.0/0.429、西日本シティ9.2/0.367、北九州1.2/0.266
〈佐賀県〉佐賀2.2/0.333 ※
〈長崎県〉十八2.9/0.221、親和2.6/0.366
〈長崎県〉肥後5.3/0.232、熊本1.7/0.152
〈熊本県〉大分3.2/0.284
〈大分県〉宮崎3.0/0.413
〈宮崎県〉鹿児島4.3/0.371
〈鹿児島県〉

沖縄地区：3行
〈沖縄県〉琉球2.2/0.333、沖縄2.1/0.366、沖縄海邦0.7/0.305

北海道：2行
北海道4.0/0.302
北洋9.1/0.224

東北・日本海3県：3行
〈青森県〉青森2.9/0.231
〈秋田県〉秋田2.9/0.195
〈山形県〉山形2.6/0.276

東北地区：6行
太平洋3県：3行
〈岩手県〉岩手3.5/0.211
〈宮城県〉七十七8.6/0.250
〈福島県〉東邦6.0/0.176

関東地区：8行
〈群馬県〉群馬7.9/0.432
〈栃木県〉足利6.5/0.512
〈茨城県〉常陽9.7/0.367
〈千葉県〉千葉14.0/0.499
〈埼玉県〉
〈東京都〉東京都民2.8/0.169、八千代2.3/0.179、東日本2.2/0.267
〈神奈川県〉横浜16.3/0.533

中部・東海地区：7行
〈静岡県〉静岡11.0/0.469、スルガ4.5/1.278
〈愛知県〉大垣共立5.6/0.198、十六6.0/0.198、百五5.5/0.212、
〈岐阜県〉三重1.9/0.218、
〈三重県〉第三2.0/0.263

中部・甲信越地区：3行
〈新潟県〉第四5.6/0.269、北越2.7/0.304
〈山梨県〉
〈長野県〉八十二8.6/0.395

中部・北陸地区：2行
〈富山県〉北陸7.3/0.338
〈石川県〉北國4.3/0.325
〈福井県〉

四国地区：4行
〈徳島県〉阿波3.2/0.595
〈香川県〉百十四4.9/0.346
〈愛媛県〉伊予6.8/0.483
〈高知県〉四国3.0/0.338

資料：筆者作成

図6−2 合併・経営統合される銀行の分布図（銀行名・総資産兆円／ROA%）

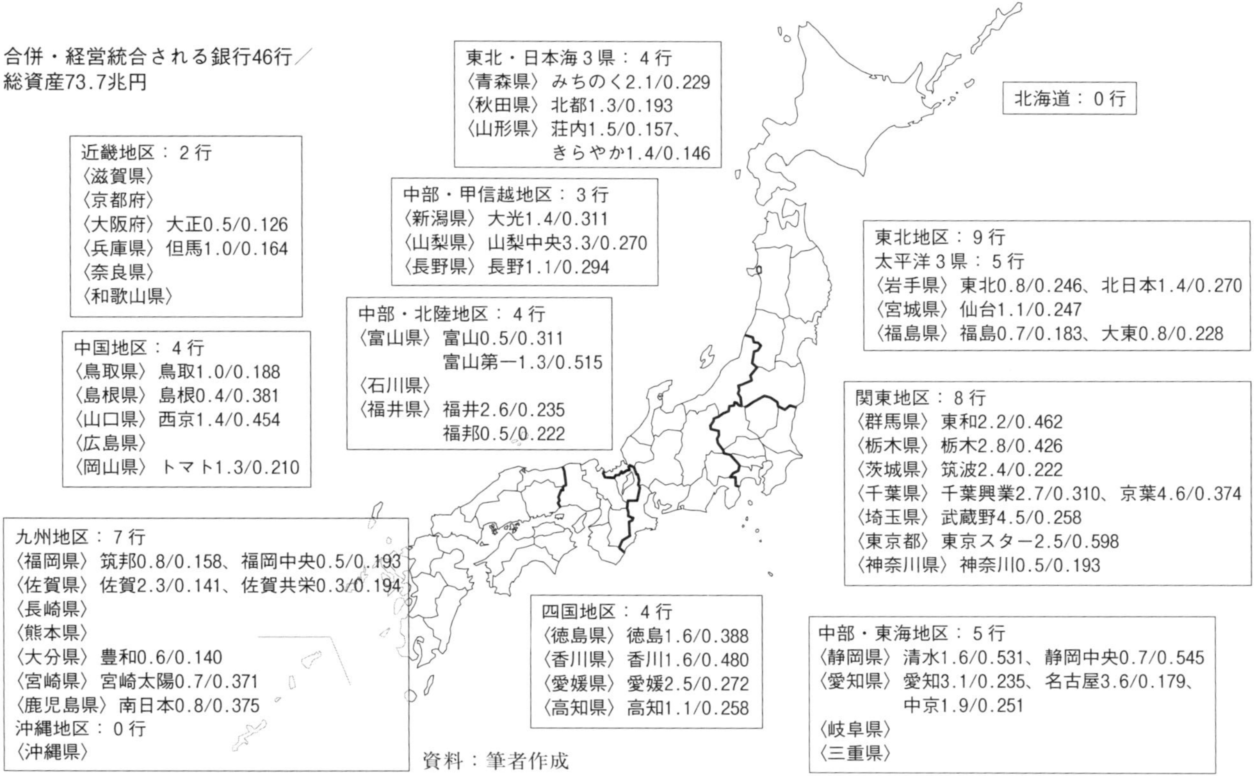

合併・経営統合される銀行46行／
総資産73.7兆円

北海道：0行

東北・日本海3県：4行
〈青森県〉みちのく2.1/0.229
〈秋田県〉北都1.3/0.193
〈山形県〉荘内1.5/0.157、
　　　　きらやか1.4/0.146

東北地区：9行
太平洋3県：5行
〈岩手県〉東北0.8/0.246、北日本1.4/0.270
〈宮城県〉仙台1.1/0.247
〈福島県〉福島0.7/0.183、大東0.8/0.228

関東地区：8行
〈群馬県〉東和2.2/0.462
〈栃木県〉栃木2.8/0.426
〈茨城県〉筑波2.4/0.222
〈千葉県〉千葉興業2.7/0.310、京葉4.6/0.374
〈埼玉県〉武蔵野4.5/0.258
〈東京都〉東京スター2.5/0.598
〈神奈川県〉神奈川0.5/0.193

中部・甲信越地区：3行
〈新潟県〉大光1.4/0.311
〈山梨県〉山梨中央3.3/0.270
〈長野県〉長野1.1/0.294

中部・北陸地区：4行
〈富山県〉富山0.5/0.311、富山第一1.3/0.515
〈石川県〉
〈福井県〉福井2.6/0.235、福邦0.5/0.222

中部・東海地区：5行
〈静岡県〉清水1.6/0.531、静岡中央0.7/0.545
〈愛知県〉愛知3.1/0.235、名古屋3.6/0.179、中京1.9/0.251
〈岐阜県〉
〈三重県〉

近畿地区：2行
〈滋賀県〉
〈京都府〉大正0.5/0.126
〈大阪府〉
〈兵庫県〉但馬1.0/0.164
〈奈良県〉
〈和歌山県〉

中国地区：4行
〈鳥取県〉鳥取1.0/0.188
〈島根県〉島根0.4/0.381
〈山口県〉西京1.4/0.454
〈広島県〉
〈岡山県〉トマト1.3/0.210

四国地区：4行
〈徳島県〉徳島1.6/0.388
〈香川県〉香川1.6/0.480
〈愛媛県〉愛媛2.5/0.272
〈高知県〉高知1.1/0.258

九州地区：7行
〈福岡県〉筑邦0.8/0.158、福岡中央0.5/0.193
〈佐賀県〉佐賀2.3/0.141、佐賀共栄0.3/0.194
〈長崎県〉
〈熊本県〉
〈大分県〉豊和0.6/0.140
〈宮崎県〉宮崎太陽0.7/0.371
〈鹿児島県〉南日本0.8/0.375

沖縄地区：0行
〈沖縄県〉

資料：筆者作成

図6－1～2と表6－2～4は民営化3行の事業再編と広域行政区域の地銀再編が共存共栄できることを示すものである。図6－1は、図4－1の再掲であるが、図6－2と比較するために敢えて再掲する。
　なお、上記の2図と3表の論拠となる各地域のシミュレーションによる事例検証について、前章に記載のとおり巻末の付属資料にて論じている。
　上記の3表は官製金融民政化3行と地方銀行が事業再編と地域分割を行い、そして経営統合・再編を行うことによって、広域行政区域内で共存する姿を示している。なお、共存共栄できるかどうかは金融仲介業務を強化し、貸出金増加ができるかにかかっている。適正な規模でイコールフッティングな競争条件が整えば、金融仲介業務は活性化され共存共栄が可能になると考える。
　上記の5図表は共存共栄のために、第一段階としてYSBC地域銀行と、再編によって存続を可能にした地銀の総資産をベースに、各地域の規模の小さい地銀を如何に吸収し活用するかが重要であることを示している。第二段階としては、体制を強化した各銀行が貸出金の増加によって、総資産を増加させ東京一極集中から均衡ある国土の形成を目指す。すなわち、YSBC地域銀行の2017年3月期ROA0.221％を地銀平均である0.370％に如何に引き上げるかということである。地域別ROAの格差や業態内の各銀行のROA格差が是正されることによって地域金融機関全体のROAは高まる。その結果、地域内の総生産額（GDP）は増加し税収が増える。
　なお、表6－4は経営統合・再編された地銀の余剰人員を、如何にYSBC地域銀行に受け継ぐことができるかを、シミュレーションする資料である。
　第4章、第5章で示したシミュレーションによれば、存続する地銀59行の従業員は12万3,967名、経営統合・再編される地銀46行の従業員は4万4,866名となる。淘汰される地銀は一旦、持株会社の傘下に入るが、将来的には吸収される可能性が高い。従業員についても、早期退職推奨を含めリストラの対象となることも考えられる。4万4,866名のうちどの程度の人材がYSBC銀行等に受け入れられるかは、YSBC銀行等の融資業務担当人員の数に左右

表 6 − 2　官製金融民営化 3 行と地銀再編後の広域行政区域における銀行数と総資産分布図

(単位：兆円、％)

2017年3月期		北海道	東北	関東	中部	広域行政区域 近畿	中国	四国	九州・沖縄	全国合計
YSBC地域銀行		8.9	13.3	80	42.2	35.6	13.3	6.7	22.2	222.2
		4.00%	6.00%	36%	19%	16%	6%	3%	10%	100%
地方銀行	北海道	2行/14.2 0								
	東北		6行/26.6 9行/11.5							
	関東			8行/61.9 8行/22.2						
	中部				12行/65.3 12行/21.5					
	近畿					8行/42.2 2行/1.6				
	中国						5行/32.7 4行/3.0			
	四国							4行/17.9 4行/6.8		
	九州・沖縄								14行/51.5 7行/7.1	
全国合計		2行/14.2 0	6行/26.6 9行/11.5	8行/61.9 8行/22.2	12行/65.3 12行/21.5	8行/42.2 2行/1.6	5行/32.7 4行/3.0	4行/17.9 4行/6.8	14行/51.5 7行/7.1	59行/312.3 46行/73.7
YSBC地域銀行と地銀(全国合計に占めるシェア)		2行/23.1 3.80%	7行/51.4 8.50%	9行/164.1 26.90%	13行/129.0 21.20%	9行/79.4 13.10%	6行/49.0 8.10%	5行/31.4 5.20%	15行/80.8 13.30%	67行/608.2 100%

注：上段は存続する銀行、下段は合併・経営統合含まれる銀行で大字
資料：筆者作成

表6－3　官製金融民営化3行と地銀再編後の広域行政区域別ROA

（単位：％、億円）

2017年3月期		広域行政区域								
		北海道	東北	関東	中部	近畿	中国	四国	九州・沖縄	全国合計
YSBC地域銀行		0.221	0.221	0.221	0.221	0.221	0.221	0.221	0.221	0.221
地方銀行	北海道	0.253								
		0								
	東北		0.223							
			0.21							
	関東			0.445						
				0.364						
	中部				0.395					
					0.291					
	近畿					0.29				
						0.177				
	中国						0.419			
							0.305			
	四国							0.441		
								0.346		
	九州・沖縄								0.349	
									0.207	
全国合計		0.253	0.219	0.423	0.369	0.287	0.406	0.415	0.335	0.354
		357	834	3,565	3,206	1,255	1,501	1,025	1,923	13,666

注：上段は存続する銀行、下段は合併・経営統合される銀行で太字
資料：筆者作成

される。YSBC銀行全体の直営店数は集配局に新たに設置されると1,500カ店程度になると想定される。融資業務の審査・管理人員が1カ店10名とすると1万5,000名が必要となる。残る2万9,866名がリストラ対象となる。全国を8地域別に検証するとリストラ対象者が多い地域は東北、関東、中部が多いと考えられる。地域全体からみればこの人数であれば残った地域銀行と他

表6-4 官製金融民営化3行と地銀再編構想後の広域行政区域別従業員分布図

(単位:人)

2017年3月期		広域行政区域								全国合計
		北海道	東北	関東	中部	近畿	中国	四国	九州・沖縄	
YSBC地域銀行		684	1,024	6,144	3,242	2,730	1,024	513	1,706	17,067
		4%	6%	36%	19%	16%	6%	3%	10%	100%
地方銀行	北海道	5,301								
		0								
	東北		10,293							
			7,364							
	関東			21,920						
				12,189						
	中部				26,249					
					12,737					
	近畿					20,143				
						1,047				
	中国						10,719			
							2,619			
	四国							7,573		
								4,212		
	九州・沖縄								21,766	
									4,701	
	全国合計	5,301	17,657	34,109	38,986	21,190	13,338	11,785	26,467	168,833
		3.10%	10.50%	20.20%	23.10%	12.50%	7.90%	7.00%	15.70%	100%
		0	**7,364**	**12,189**	**12,737**	**1,047**	**2,619**	**4,212**	**4,701**	**44,866**

注:上段は存続する銀行、下段は合併・経営統合される銀行で太字
資料:筆者作成

業態で吸収は可能であろう。

おわりに

　本著は官製金融民営化3行の再編と地銀再編が財政健全化に資することを総合的に論じたものであり、郵便貯金制度の歴史と現状の経営課題、加えて地域金融問題との関連について、総合的に分析を行ったものである。

　その分析結果は官製金融機関と民間金融機関に存在する3つの問題を提起した。

　第1の問題は郵便貯金が預託金制度廃止後も実質的に存続していることを明らかにし、そのことが財政健全化の課題が解決しない原因でもあることである。実質的に存続する預託金制度によって、郵便貯金は国債や日銀預け金として運用されている。わが国の政府債務残高はGDP比200％を超え、財政健全化への道のりは遠い（第1章第3節参照）。

　第2の問題は官製金融機関と民間金融機関の各業態間および業態内の格差是正である。総資産とROAの密接な関係に鑑みれば、業態ごとに最適なポートフォリオを構築することが重要な問題であることを示した。官製金融民営化3行および小規模地銀のROAは構造的に低い水準にあり、その原因が銀行経営上のALMにあることも明確にした（第2章第2節〜第3節参照）。

　第3の問題はゆうちょ銀行が抱えるリスクである。まず金利リスクについては資産・負債の両面の分析と金利上昇モデルを参考に多様なシナリオを描き、その問題解決方法を示した。信用リスクについては、高配当を維持するために外債運用比率を上げ、リスクアセットを増大させ信用リスクが高くなったことを挙げ、信用リスクを低下させるためには、高くなっている配当性向を30％程度へ下げ社外流出を抑制することによって自己資本比率を高めることの必要性を説いた（第3章第2節〜第3節参照）。このような状況のもと、政府・日銀の低金利政策が、ゆうちょ銀行のROA逓減をもたらし、経営の本質にかかわる状況にあることが明らかとなった。

　これら3つの現状分析から問題解決の考え方を導き出し、「財政健全化に

資する官製金融民営化3行と地銀再編」という視点から以下2つの問題解決方法を明らかにした。

　第1の問題解決方法は官製金融民営化3行の経営を最適化するために、例えばNTTの事業再編が示すように、官製金融民営化3行を経営統合し適正な規模に地域分割することによって、資産・負債のバランスのとれた調達・運用を行い、適正なALMを構築することである。特にゆうちょ銀行はポートフォリオの多様化によりROAの水準を上昇させ持続的な収益拡大を続ける必要がある。

　第2の問題解決方法は東京一極集中状態と産業集積度が地方に分散していることに鑑み、再編により多くの地銀が持株会社の傘下に入り、企業グループとしてポートフォリオを最適化することである。換言すれば、大久保豊［2006：p148］がいうように最適なポートフォリオ・セレクションによって、ALMを再構築し安定性と収益性を得ていく必要がある。

　以上のプロセスを経て、わが国の地域金融は業態別構成を変化させ、業態別の総資産シェアを最適化し、その結果としてROAの全体最適も達成されることになる。

　しかし、官製金融民営化3行の持株会社化による事業再編構想について、実現が難しいのではないかという見方もあるが、政府は平成13年12月に「163の特殊法人等整理合理化計画」を立て、政策金融8機関の半減と貸出残高の半減を実行した。例えば、国民金融公庫、農林漁業金融公庫、中小企業金融公庫の3行庫は日本政策金融公庫に統合され、国際協力銀行の国際金融部門は、一旦日本政策金融公庫に統合されたが、その後国際協力銀行として独立した。同行の海外経済協力部門は独立行政法人国際協力機構に統合された。このように政府出資の金融機関については特殊法下にあり、国会の承認を得て法律を変えることによって統合・再編は可能である。官製金融民営化3行にあっても、現在の政府持株比率であれば、持株会社化は政府の意向で実現は十分可能である。商工中金の不正融資問題や日本郵政グループのコンプライアンス問題等、民営化2行の経営はROAやリスク管理と相まって厳しい

経営環境にあり、近い将来国民負担が生じる可能性もある。政府は完全民営化の前、つまり経営の主導権を握っているうちに、官製金融民営化3行の金融機関として最適なALMを構築し、経営のあるべき姿とロードマップを示しながら国民に説明する必要がある。

一方、金融庁の監督や公正取引委員会の認可といった問題はあるが、地方銀行においては長引く低金利政策下にあって、オーバーバンキング状態のなかで生き残るために、総資産拡大の経営統合等を判断せざるを得ない状況が続く。地銀再編は経済原則にのっとって適正な総資産シェアの水準に落ち着くものと考える。

以上の理由により官製金融民営化3行の再編と地銀の再編は実現すると考えるが、わが国の金融市場において、このことを実現するためには繰り返しになるがイコールフッティングの競争条件を確保することが重要である。その解は特殊法をなくし銀行法の下で金融機関が競争することである。このことが実現すればわが国の経済は更に活性化しGDPやGNIの増加につながり、税収が増えれば財政健全化に資するものと思料する。

明治以来続いた預託金制度のもと、ゆうちょ銀行を「入口」とし、政策金融機関を「出口」とした世界に類をみない官有民営の官製金融民営化3行が、完全に民間金融に収斂することと、地銀再編が完了することによって、日本の金融機関の業態間の課題が是正され最適化されたなら、日本の金融市場は自由で公正かつ効率的な市場になり、財政健全化の課題は克服されるであろう。

■付属資料■

わが国の広域行政区域における地銀再編構想

1　先行する広域大型地銀再編

①　九州地区の地銀再編について

　九州地区には地方銀行11行、第二地銀7行、合計18行の地銀がある。2017年3月期同地区の地銀総資産は59兆円であり、1行当たりの資産規模の平均は3.2兆円と小さい。九州地区の総資産のシェアは15.2％を占め、ROAは0.335％と地銀平均の0.354％より低い。

　金融庁のモデル試算によると、2行での競争は困難であるが、1行単独であれば存続が可能な県は熊本県と沖縄県である。1行単独であっても不採算な県は、大分県、宮崎県、佐賀県、長崎県の4県である。福岡県、鹿児島県は2行が存在可能となっている。

　表付－1－(1)のように、ふくおかフィナンシャルグループの傘下（十八銀行を含む）の合算総資産は21兆円で、九州地区の36.1％のシェアとなる。収益についてはふくおかFG4行の経常利益合計は787億円となり、ROAは0.372％と高い。営業基盤は福岡、熊本、長崎の3県にわたり、広域な営業エリアをカバーしている。北部九州の経営基盤を固めASEAN等への地の利を生かし海外に進出することも可能である。傘下の3兆円未満の3行の人材3,747名（熊本銀行1,051名、親和銀行1,387名、十八銀行1,309名）を生かし経営効率を高めれば、総資産20兆円の銀行グループとして成長することができると考える。

　九州フィナンシャルグループは持株会社方式で鹿児島銀行（2017年3月期の総資産4.3兆円、ROA0.371％、以下各銀行名のカッコ内の数字は、同時期の総資産とROA、従業員数を示す）と肥後銀行（5.3兆円、0.232％）を傘下に、10兆円規模の銀行グループを形成した。両行は再編の判断として、人口減少へ

表付－1－(1) 九州地区の地銀再編シミュレーション (2017/3)

〈貸借対照表〉
(単位：兆円)

	ふくおかFG					九州FG				西日本FH		
	福岡	熊本	親和	十八	合計	肥後	鹿児島	合計	西日本シティ	長崎	合計
有価証券	2.5	0.3	0.7	1.0	4.5	1.6	1.0	2.6	1.7	0	1.7
(うち国債)	(1.3)	(0.2)	(0.6)	(0.4)	(2.5)	(0.7)	(0.3)	(1.0)	(0.6)	(0)	(0.6)
貸出金	8.9	1.2	1.5	1.5	13.1	3.1	3.1	6.2	6.6	0.2	6.8
その他	2.6	0.2	0.4	0.4	3.6	0.6	0.2	0.8	0.9	0.1	1.0
資産合計	14.0	1.7	2.6	2.9	21.2	5.3	4.3	9.6	9.2	0.3	9.5
預金	9.6	1.4	2.2	2.5	15.7	4.3	3.6	7.9	7.4	0.2	7.6
その他負債	3.8	0.2	0.2	0.3	4.5	0.7	0.4	1.1	1.3	0.1	1.4
負債合計	13.4	1.6	2.4	2.8	20.2	5.0	4.0	9.0	8.7	0.3	9.0
純資産合計	0.6	0.1	0.1	0.2	1.0	0.3	0.3	0.6	0.5	0.02	0.5
負債・純資産合計	14.0	1.7	2.6	2.9	21.2	5.3	4.3	9.6	9.2	0.3	9.5

〈損益計算書〉
(単位：百億円)

	福岡	熊本	親和	十八	合計	肥後	鹿児島	合計	西日本シティ	長崎	合計
経常収益	17.3	2.4	3.6	4.3	27.6	7.7	7.3	15.0	13.6	0.5	14.1
経常利益	6.0	0.3	0.9	0.7	7.9	1.2	1.6	2.8	3.4	0.05	3.4
当期利益	4.4	0.15	0.74	0.52	5.8	0.87	1.08	1.95	2.51	0.04	2.55
ROA (%)	0.429	0.152	0.366	0.221	―	0.232	0.371	―	0.367	0.183	―

資料：地銀各行の決算書より筆者作成

表付-1-(2) 九州地区の地銀再編シミュレーションポートフォリオと損益の動向

(単位：％)

《貸借対照表》

	ふくおかFG						九州FG						西日本FH			
	2017/3期					2019/3期 ふくおかFG	2017/3期				2019/3期 九州FG		2017/3期			2019/3期 西日本FH
	福岡	熊本	親和	十八	合計		肥後	鹿児島	合計				西日本シティ	長崎	合計	
有価証券	17.9	17.6	26.9	34.5	21.2	13.9	30.1	23.3	27.1	19.2	18.5	0	17.9	12.5
(うち国債)	(9.3)	(11.8)	(23.1)	(13.8)	(11.8)	(7.7)	(13.2)	(7.0)	(10.4)	(4.8)	(6.5)	(0)	(6.3)	(3.8)
貸出金	63.6	70.5	57.7	51.7	61.8	62.8	58.8	72.1	64.6	66.3	71.7	66.7	71.6	70.2
その他	18.5	11.9	15.4	13.8	17.0	23.3	11.4	4.6	8.3	14.5	9.8	33.3	10.5	17.3
資産合計	100	100	100	100	100	100	100	100	100	100	100	100	100	100
預金	68.6	82.4	84.6	86.2	74.1	67.8	81.1	83.7	82.3	79.8	80.4	66.7	80.0	77.9
その他負債	27.1	11.8	11.1	10.3	21.2	28.3	13.2	9.3	11.5	14.0	14.2	32.6	14.7	17.3
負債合計	95.7	94.2	96.2	96.5	95.3	96.1	94.3	93.0	93.8	93.8	94.6	99.3	94.7	95.2
純資産合計	4.3	5.8	3.8	3.5	4.7	3.9	5.7	7.0	6.2	6.2	5.4	0.7	5.3	4.8
負債・純資産合計	100	100	100	100	100	100	100	100	100	100	100	100	100	100

(単位：百億円)

《損益計算書》

	2017/3期					2019/3期 ふくおかFG	2017/3対比	2017/3期			2019/3期 九州FG	2017/3対比	2017/3期			2019/3期 西日本FH	2017/3対比
	福岡	熊本	親和	十八	合計			肥後	鹿児島	合計			西日本シティ	長崎	合計		
経常収益	17.3	2.4	3.6	4.3	27.6	24.6	−3.0	7.7	7.3	15.0	17.3	+2.3	13.6	0.5	14.1	14.4	+0.3
経常利益	6.0	0.3	0.9	0.7	7.9	7.4	−0.5	1.2	1.6	2.8	3.4	+0.6	3.4	0.05	3.4	3.4	0
当期利益	4.4	0.15	0.74	0.52	5.8	5.2	−0.6	0.87	1.08	1.95	2.26	+0.69	2.51	0.04	2.55	2.31	−0.24
ROA(％)	0.429	0.152	0.366	0.221	0.372	0.363	−0.009	0.232	0.371	0.292	0.328	+0.036	0.367	0.183	0.358	0.337	−0.021

資料：地銀各行の決算書より筆者作成

の対応と県境を越える広域での地元密着ビジネスモデル構想を掲げている。同規模同士の銀行が経営効率を上げることは可能であり、南九州の地域活性化に資するものとなる。

　西日本シティ銀行は第二地銀の長崎銀行やカード会社、証券会社、信用保証会社等、8社を傘下に、西日本フィナンシャルホールディングスを形成している。

　九州地区には大分県の大分銀行（3.2兆円、0.284％）と宮崎県の宮崎銀行（3兆円、0.413％）が残っている。金融庁が示したモデル試算によれば両県は1行でも不採算になる県であり、再編必至と考えられる。どの金融機関と再編するかであるが、いずれも西日本シティ銀行をパートナーとする選択肢はある。或いは両行が九州FGと同様、隣県同士の同規模地銀として持株会社方式で再編することも考えられる。

　西日本FHは大分や宮崎の第二地銀（豊和銀行：0.6兆円、0.140％、497名／宮崎太陽銀行：0.7兆円、0.371％、628名）を傘下に置き、営業基盤を拡大することも選択肢としてある。

　九州地区の地銀再編のシナリオは定まっていないが、選択肢は多くない。3〜4つの持株会社方式でナンバーワンを目指した競争が始まる。沖縄県については、3行の合算資産は4.7兆円である。琉球銀行を核に再編が始まるのではないか。

　表5－10、表5－11に示した近畿地区と同様に、表付－2のように九州地区にYSDフィナンシャルグループのYSBC九州・沖縄銀行（総資産22兆円）が設立されれば、ふくおかFGと同規模の銀行となり、九州の3〜4の地銀FGとイコールフッティングな競争が可能となる。

　残る九州地区の地銀が寡占状態になったとしても、YSBC九州・沖縄銀行が顧客の選択肢となる銀行として存在し、公正取引委員会の懸念[44]は払しょくされると思われる。

　筑邦（0.7兆円、0.158％、594名）、佐賀共栄（0.3兆円、0.194％、408名）、南日本（0.8兆円、0.375％、658名）の3行がYSBC九州・沖縄銀行の傘下に入

表付－2　YSBC九州・沖縄銀行と九州・沖縄地区の地銀再編（2017/3）

〈貸借対照表〉　　　　　　　　　　　　　　　　　　　　　　　　　（単位：兆円）

YSBC九州・沖縄銀行（期首貸借対照表）		ふくおかFG	九州FG	西日本FH	九州・沖縄合計
14.0	有価証券	4.5	2.6	1.7	13.1
(7.0)	(うち国債)	(2.5)	(1.0)	(0.6)	(5.5)
1.3	貸出金	13.1	6.2	6.8	37.9
6.8	その他	3.6	0.8	1.0	7.6
22.2	資産合計	21.2	9.6	9.5	58.6
18.4	預金	15.7	7.9	7.6	46.9
2.5	その他負債	4.5	1.1	1.4	8.6
20.9	負債合計	20.2	9.0	9.0	55.5
1.3	純資産合計	1.0	0.6	0.5	3.1
22.2	負債・純資産合計	21.2	9.6	9.5	58.6

〈損益計算書〉　　（単位：百億円）

	ゆうちょ銀行の損益	うち九州沖縄のシェア10%
経常収益	189.7	18.9
経常利益	44.2	4.4
当期純利益	31.2	3.1

〈損益計算書〉　　（単位：百億円）

	ふくおかFG	九州FG	西日本FH
経常収益	27.6	15.0	14.1
経常利益	7.9	2.8	3.4
当期利益	5.8	1.95	2.55

資料：地銀各行の決算書より筆者作成

ることも考えられ、その場合は、双方にメリットがあるだろう。融資基盤と融資体制を傘下に収めたYSBC九州・沖縄銀行はポートフォリオを早期に多様化する足掛かりを得ることとなり、大型地銀並みのポートフォリオ・セレ

クションが可能となる。

②　近畿地区における地銀再編について

　表付－3のように、2017年3月期における近畿地区の地銀10行の資産規模は44兆円で、うち地銀7行で35兆円、第二地銀3行で8.6兆円となっている。

　金融庁のモデル試算によると、滋賀県、京都府、兵庫県は2行での競争は困難であるが、1行単独であれば存続が可能な府県となっている。奈良県、和歌山県は1行単独であっても不採算な県とされた。このモデルを参考にし、すでに近畿地区で行われている地銀再編の実績を踏まえ、筆者の知見から総合的に判断し、以下に近畿地区の地銀再編の方向性をシミュレーションしてみたい。

　2017年9月に近畿大阪銀行（3.5兆円、0.183％）、関西アーバン銀行（4.6兆円、0.385％）とみなと銀行（3.5兆円、0.282％）は段階を経て、最終的に関西みらいフィナンシャルグループ（3行合算同資産12兆円、0.293％）の傘下に入ることを発表した。2019年4月には近畿大阪銀行と関西アーバン銀行が合併し関西みらい銀行となった。そして、関西みらいFGの大株主としてりそなホールディングスが51％、SMBCが21％程度の株式シェアをもつことになっている。

　SMBCは資本関係、人的関係の強い関西アーバン銀行とみなと銀行を、りそなHDが主導権を握る関西みらいFGに手放したことになる。この関西みらいFGの再編は4つのことを示唆している。第1に、SMFGは将来この3行は規模の面から存続が困難になる可能性があると判断したこと。第2に、りそなHDがこの3行をホールセール業務を補完する銀行と位置づけたこと。第3に、SMBCは他メガバンクの追随を許さないために滋賀県、大阪府、兵

---

[44] 2018年8月24日公正取引委員会は、株式会社ふくおかフィナンシャルグループ（以下、FFG）による株式会社十八銀行の株式取得について、FFGから独占禁止法の規定に基づく計画届出書の提出を受け、審査を行ってきたところ、FFGおよび十八銀行が申し出た問題解消措置を講じることを前提とすれば、一定の取引分野における競争を実質的に制限することとはならないと認められたので、FFGに対し、排除措置命令を行わない旨の通知を行い、本件審査を終了した。

表付－3　近畿地区の主要地銀再編シミュレーション (2017/3)

〈貸借対照表〉
(単位：兆円)

| | 滋賀 | 京都 | 計 | 関西みらいFG | | | | | 池田泉州 | 南都 | 紀陽 | 計 | 近畿地区合計 |
				近畿大阪	関西アーバン	みなと	計						
預金・預け金	0.5	0.8	1.3	0.4	0.4	0.4	1.2		0.7	0.7	0.7	2.1	4.7
有価証券	1.5	2.9	4.3	0.7	0.2	0.5	1.4		1.0	1.7	1.3	4.0	9.9
(うち国債)	(0.4)	(0.8)	(1.2)	(0.3)	(0.03)	(0.2)	(0.5)		(0.06)	(0.6)	(0.4)	(1.1)	(2.8)
貸出金	3.5	5.0	8.5	2.4	3.9	2.5	8.8		3.8	3.3	2.8	9.9	28.3
その他資産	0.1	0.2	0.3	0.1	0.1	0.1	0.2		0.1	0.1	0.1	0.3	0.9
資産合計	5.5	8.9	14.4	3.5	4.6	3.5	11.6		5.6	5.8	4.9	16.2	43.8
預金	4.5	6.6	11.2	3.2	4.0	3.2	10.4		4.8	4.7	3.8	13.4	36.4
その他負債	0.4	1.5	2.1	0.2	0.4	0.2	0.7		0.5	0.8	0.8	2.1	5.1
負債合計	5.2	8.1	13.3	3.4	4.4	3.4	11.2		5.3	5.5	4.6	15.6	41.5
純資産合計	0.4	0.8	1.1	0.2	0.2	0.1	0.5		0.2	0.3	0.2	0.7	2.3
負債・純資産合計	5.5	8.9	14.4	3.5	4.6	3.5	11.6		5.6	5.8	4.9	16.2	43.8

資料：地銀各行の決算書より筆者作成

庫県の営業エリアを重視する営業戦略を明確にしたこと。第 4 は、メガバンクの一角であるSMBCは国内の地域リテール戦略よりも海外戦略を重視していることである。

　残る奈良県と和歌山県は、金融庁のモデル試算で 1 行単独でも不採算になる県であるため、南都銀行（5.8兆円、0.275％）、紀陽銀行（4.9兆円、0.248％）の動向が注目される。歴史的に両行と株主として深い関係にある三菱UFJ銀行は、関西みらいFGの動向を注視しながら、再編の舵取りに動くことも予想される。大阪の池田泉州銀行（5.6兆円、0.292％）の株主でもある、三菱UFJ銀行は大阪、奈良、和歌山の営業エリア強化のため、 3 行再編を視野に入れる可能性もある（ 3 行合算で総資産16兆円、0.274％となる）。

　滋賀県、京都府は滋賀銀行（5.5兆円、0.347％）と京都銀行（8.9兆円、0.282％）が、それぞれ地域金融機関として確固たる地位を築いている。モデル試算とも合致しているが、京滋地区の発展のために、京都銀行が主体的に再編の狼煙を上げることも考えられる。京都銀行は世界的な優良企業を育成してきた。京都にはオムロン、村田製作所、村田機械、堀場製作所、ローム、京セラ、日本電産、ワコール等が本社を置き、東証 1 部の製造業として21社が上場している。産学連携型のユニークな京都企業の多くは、ものづくりの歴史があり、常に海外市場を注視してきた結果、今や資産の半分を海外にもち、収益も半分以上海外からあげている。本社は京都に存在しつづけ地域活性化に貢献してきた。京都銀行が地域の資金を地域で運用し、更に発展するためには、総資産とROAの更なる拡大が必要になる。川北英隆［2015：p 3 、pp24～25］は「今後の日本にとって大きな課題である地方経済の再生と発展を考えるとき、京都企業と地域経済や文化との関係が良い事例となりうる」「京都銀行はそれらの企業の株式を積極的に保有した。京都企業のうち31社に取引銀行上位 5 行として京都銀行の名前があるのには、このような歴史的経緯が影響していると考えていい」と分析している。

　近畿地区の地銀の再編は、以上の現状分析を踏まえれば 3 ～ 4 つのグループとなるであろう。

③ 関東地区の地銀再編について

関東地区には地方銀行9行、第二地銀7行合計16行の地銀がある。同地区の資産合計は84兆円であり、1行平均では5.2兆円の資産規模となる。すでに6行が再編されている。関東地区の総資産は84兆円でシェアは21.8％を占める。ROAは0.423％と全国トップの高収益地域となっている。金融庁のモデル試算によると、1行単独であれば存続可能な県は茨城県であり、1行単独であっても不採算な県は群馬県と栃木県である。残る埼玉県、千葉県、神奈川県は2行が存続可能な県であり、東京都は例外となっている。

表付－4－⑴　関東地区の主要地銀再編状況（2017/3）

〈貸借対照表〉　　　　　　　　　　　　　　　　　　　　　　　　　　　　　（単位：兆円）

	めぶきFG			東京きらぼしFG			コンコルディアFG		
	足利	常陽	合計	東京都民	八千代	合計	東日本	横浜	合計
有価証券	1.4	2.8	4.2	0.5	0.6	1.1	0.4	2.3	2.7
（うち国債）	(0.3)	(0.9)	(1.2)	(0.3)	(0.1)	(0.4)	(0.1)	(0.5)	(0.6)
貸出金	4.3	6.0	10.3	1.8	1.6	3.4	1.7	10.3	12.0
その他	0.8	0.9	1.7	0.5	0.1	0.6	0.1	3.8	3.9
資産合計	6.5	9.7	16.2	2.8	2.3	5.1	2.2	16.4	18.6
預金	5.3	8.2	13.5	2.3	2.2	4.5	1.9	13.2	15.1
その他負債	0.9	0.9	1.8	0.4	0	0.4	0.2	2.2	2.4
負債合計	6.2	9.1	15.3	2.7	2.2	4.9	2.1	15.4	17.5
純資産合計	0.3	0.6	0.9	0.1	0.1	0.2	0.1	1.0	1.1
負債・純資産合計	6.5	9.7	16.2	2.8	2.3	5.1	2.2	16.4	18.6

〈損益計算書〉　　　　　　　　　　　　　　　　　　　　　　　　　　　　　（単位：百億円）

	足利	常陽	合計	東京都民	八千代	合計	東日本	横浜	合計
経常収益	9.8	14.1	23.9	4.3	3.6	7.9	3.8	24.6	28.4
経常利益	3.3	3.7	7.0	0.5	0.4	0.9	0.6	8.7	9.3
当期純利益	2.4	2.4	5.1	0.3	0.4	0.6	0.4	6.1	6.5
ROA（％）	0.512	0.367	0.425	0.169	0.179	0.174	0.267	0.533	0.501

資料：地銀各行の決算書より筆者作成

表付－4－(1)、表付－4－(2)のように北関東では茨城県の常陽銀行（総資産9.7兆円、ROA0.367％）と栃木県の足利銀行（6.5兆円、0.512％）が持株会社方式で再編され、めぶきフィナンシャルグループ（16兆円、0.425％）となった。両行の大株主でもあり過去より周辺業務でも関係がある三菱UFJ銀

表付－4－(2)　関東地区の主要地銀再編状況（ポートフォリオと損益の動向）

〈貸借対照表〉　　　　　　　　　　　　　　　　　　　　　　　　　　　　　（単位：％）

	めぶきFG				コンコルディアFG			
	2017/3期			2019/3期	2017/3期			2019/3期
	足利	常陽	合計	めぶきFG	東日本	横浜	合計	コンコルディアFG
有価証券	21.5	28.8	25.9	24.8	18.1	14.0	14.3	13.2
（うち国債）	(4.6)	(9.3)	(7.4)	(4.0)	(4.5)	(3.0)	(3.2)	(2.6)
貸出金	66.1	61.8	63.5	64.1	77.2	62.8	64.5	66.6
その他	12.4	9.4	10.6	11.1	4.7	23.2	21.2	20.2
資産合計	100	100	100	100	100	100	100	100
預金	81.5	84.3	83.3	82.6	86.3	80.4	81.1	84.1
その他負債	13.5	9.5	11.1	12.2	9.1	13.5	12.9	9.5
負債合計	95.3	93.8	94.4	94.8	95.4	93.9	94.0	93.6
純資産合計	4.7	6.2	5.6	5.2	4.6	6.1	6.0	6.4
負債・純資産合計	100	100	100	100	100	100	100	100

〈損益計算書〉　　　　　　　　　　　　　　　　　　　　　　　　　　　　（単位：百億円）

	2017/3期			2019/3期	2017/3対比	2017/3期			2019/3期	2017/3対比
	足利	常陽	合計	めぶきFG		東日本	横浜	合計	コンコルディアFG	
経常収益	9.8	14.1	23.9	28.8	＋4.9	3.8	24.6	28.4	30.6	＋2.2
経常利益	3.3	3.7	7.0	6.9	－0.1	0.6	8.7	9.3	8.0	－1.3
当期純利益	2.4	2.4	5.1	4.6	－0.5	0.4	6.1	6.5	5.4	－1.1
ROA（％）	0.512	0.367	0.425	0.407	－0.018	0.267	0.533	0.501	0.427	－0.074

資料：地銀各行の決算書より筆者作成

行は不良債権問題の処理で足利銀行を支援した経緯もあり、この再編に影響を及ぼしてきたとの見方もある。メガバンクが経営基盤を固めるため、地銀との関係を深める動きをしてもおかしくない。

　北関東の群馬銀行（8兆円、0.432％）はSMBCと株式や周辺業務で関係が深いが、再編に当たってもその動向が注目される。群馬銀行は東京マーケットを重視しているため、すでに再編を終えた東京きらぼしFG東京都民銀行（2.8兆円、0.169％）、八千代銀行（2.3兆円、0.179％）と再再編することもシナリオとして考えられる。

　東関東には千葉銀行（14兆円、0.499％）があるが、すでに埼玉県の武蔵野銀行（4.5兆円、0.258％）と業務提携している。更に同行は横浜銀行（16.4兆円、0.533％）との間でも業務提携を行っている。東京市場の大きさ、魅力を考えた場合、持株会社方式で30兆円規模の銀行グループを目指しても不思議ではない。

　南関東ではコンコルディアFG（横浜銀行：16.4兆円、0.533％／東日本銀行：2.2兆円、0.267％）が誕生している。再編の理由として東京マーケットにおけるビジネスチャンスは大きく、神奈川を地盤とする横浜銀行は東日本銀行をてこに資金運用の増強を挙げている。

　関東地区においてはほぼ地銀再編の見通しがついたが、関東を主戦場とする3メガバンクFGとりそなFGが、地銀再編を含めた国内戦略をどのようにマネジメントするかが注目される。

　表付−5のように官製金融民営化3行の事業再編によって、YSDフィナンシャルグループのYSBC関東銀行（80兆円、0.221％）とDBJ日本政策投資銀行（16兆円、0.683％）が関東マーケットに参入することになるが、暗黙の政府保証がなくなり、銀行法に基づくイコールフッティングな競争下に置かれることになる。YSBC関東銀行がもつ商工中金の機能は即戦力として発揮され、中堅・中小企業や零細企業への融資拡大が期待される。関東、特に東京マーケットの懐は深く過当競争にはならないであろう。将来、融資業務が順調に拡大すれば、YSBC関東銀行はりそな銀行と同等のメガバンクに近い

表付-5　YSBC関東銀行と関東地区の地銀再編（2017/3期をもとに試算）

〈貸借対照表〉　　　　　　　　　　　　　　　　　　　　　　　　（単位：兆円）

YSBC関東銀行（期首貸借対照表）		めぶきFG	東京きらぼしFG	コンコルディアFG	合計
50.5	有価証券	4.2	1.1	2.7	16.8
(25.1)	（うち国債）	(1.2)	(0.4)	(0.6)	(4.6)
4.8	貸出金	10.3	3.4	12.0	55.9
24.7	その他	1.7	0.6	3.9	11.4
80.0	資産合計	16.2	5.1	18.6	84.1
66.4	預金	13.5	4.5	15.1	70.9
9.1	その他負債	1.8	0.4	2.4	8.5
75.5	負債合計	15.3	4.9	17.5	79.4
4.5	純資産合計	0.9	0.2	1.1	4.7
80.0	負債・純資産合計	16.2	5.1	18.6	84.1

〈損益計算書〉　　（単位：百億円）

	ゆうちょ銀行	うち関東のシェア36%
経常収益	189.7	68.3
経常利益	44.2	15.9
当期純利益	31.2	11.2

〈損益計算書〉　　　　　　　　　（単位：百億円）

	めぶきFG	東京きらぼしFG	コンコルディアFG
経常収益	23.9	7.9	28.4
経常利益	7.0	0.9	9.3
当期純利益	5.1	0.6	6.5

資料：地銀各行の決算書より筆者作成

銀行になる可能性は十分にある。

　DBJ日本政策投資銀行はメガバンクと競争することになるが、政府の後ろ盾がなくなることはデメリットになるかもしれない。しかし、優良企業との取引が主であるため収益力はある。今後、メガバンクとは競争にならない資

産規模なので、YSDグループの大企業や優良企業の投資銀行業務や海外進出等で、YSBC各地区銀行と相乗効果を発揮していくことが重要となってくる。

2 その他広域行政区域の地銀再編

　前項にて、地銀再編が進む九州地区、近畿地区、関東地区について、金融庁のモデル試算を参考に分析を行った。経営統合が道半ばである残り5地区、北海道、東北、中部、中国、四国の地銀再編プロセスについても、金融庁のモデル試算をもとに、道県別・個別行の動向を踏まえながら、シミュレーションしてみた。地銀再編の考え方にのっとり、一定の規模とROA水準を広域目標とし、個別行の事情を勘案し推論していきたい。

① 北海道地区の地銀再編について

　北海道地区の地銀の総資産は14兆円でシェアは3.7％であり、ROAは0.252％と低い。北海道銀行（5.1兆円、0.302％）と北洋銀行（9.1兆円、0.224％）2行の寡占状態となっている。北海道銀行は遠隔地の北陸銀行（7兆円、0.338％）と「ほくほくFG」という持株会社方式での再編を行った。北洋銀行は1998年破綻した北海道拓殖銀行から、北海道地域の営業を譲渡され道内最大の銀行となった。2001年に第二地銀の札幌銀行と札幌北洋ホールディングスを設立したが、2008年に札幌銀行と合併し再編は完了した。バブル崩壊後の北海道地区の生き残りをかけた地銀再編は終わったかにみえる。しかし、金融庁のモデル試算にみられるように、北海道は1行単独なら存続可能な地域であることに鑑みれば、先行きほくほくFG（北海道銀行と北陸銀行の統合）の遠隔地経営統合が見直された場合、北洋銀行と北海道銀行の再再編の可能性もあると考えられる。

　表付－6のように官製金融民営化3行の事業再編によって、YSBC北海道銀行が設立されると総資産8.9兆円の銀行となる。北海道の全国における総生産額シェア3.6％に対して道内預貸金シェアは2.8％しかない。マーケットにおける金融機関がシェアアップする余地はまだ残されているので、YSBC

表付－6　YSBC北海道銀行と北海道地区の地銀再編（2017/3期をもとに試算）

〈貸借対照表〉　　　　　　　　　　　　　　　　　　　　　　　　（単位：兆円）

YSBC北海道銀行（期首貸借対照表）		ほくほくFG（北海道）	北洋	合計
5.6	有価証券	1.0	1.7	2.7
(2.8)	（うち国債）	(0.4)	(0.6)	(1.0)
0.5	貸出金	3.3	6.1	9.4
2.7	その他	0.8	1.3	2.1
8.9	資産合計	5.1	9.1	14.2
7.4	預金	4.5	8.1	12.6
1.0	その他負債	0.4	0.6	1.0
8.4	負債合計	4.9	8.7	13.6
0.5	純資産合計	0.2	0.4	0.6
8.9	負債・純資産合計	5.1	9.1	14.2

〈損益計算書〉（単位：百億円）

	ゆうちょ銀行	うち北海道のシェア4％
経常収益	189.7	7.6
経常利益	44.2	1.8
当期純利益	31.2	1.3

〈損益計算書〉（単位：百億円）

	北海道	北洋	合計
経常収益	7.9	12.0	19.9
経常利益	1.5	2.1	3.6
当期純利益	1.1	1.6	2.7
ROA（％）	0.302	0.224	—

資料：地銀各行の決算書より筆者作成

北海道銀行の参入により2行の寡占状態から競争関係が生まれ、農業の6次産業化をはじめ観光業、再エネ関係等で地域活性化に資する等、融資拡大へのポテンシャルは高い。

② 東北地区の地銀再編について

　東北地区は地政学的には、太平洋側3県の地銀8行総資産23兆円と、日本海側3県の地銀7行総資産15兆円に分かれる。総資産は15行合計で38兆円、シェアは9.9％、地域のROAは0.219％と低い。金融庁のモデル試算によると、青森県、秋田県は1行単独でも不採算の県であり、岩手県、山形県、福島県は2行での競争は困難で、1行単独では存続が可能な県となっている。東北地区では第二地銀が存続をかけた再編を行っているが、第一地銀は現状維持のままである。震災復興に目途がつけば人口減少問題がクローズアップされ、モデル試算のように、第一地銀を核に県境を越えた再編が起こると考えられる。

　すでに秋田県の北都銀行（1.3兆円、0.193％、911名）と山形県の荘内銀行（1.5兆円、0.157％、894名）はフィデアホールディングスの傘下で再編している。そして、山形県のきらやか銀行（4兆円、0.146％、997名）と宮城県の仙台銀行（1.1兆円、0.247％、704名）はじもとホールディングスの傘下で再編している。しかし、いずれも総資産は3兆円で、ROAは低く従業員も少ない。さらなる再編が必要になるであろう。

　青森県と秋田県は1行単独でも不採算になる県であり、すでに青森銀行（2.9兆円、0.231％）、秋田銀行[45]（3兆円、0.195％）は岩手銀行[46]（3.5兆円、0.211％）と3行で業務提携を結び、共通事務やシステム等を共同で行い効率化を図っている。この3行が持株会社方式で再編すれば10兆円規模の地銀グループが誕生する。

　山形県、福島県は1行単独で存続するかもしれないが、山形銀行（2.6兆円、0.276％）は県内の第二地銀がすでに再編しているため、県外の地銀との再編となり経営基盤を拡大するのではないか。福島県において東邦銀行

45　2015年7月20日付日本経済新聞「地銀の越境支店相次ぐ、秋田銀行31年ぶりに県外出店」
46　2015年4月4日付日本経済新聞「岩手銀行田口幸雄頭取談；地域の人口は減少。企業支援ファンドを設立し、地元就職率を高める取り組みを行う」

表付-7 YSBC東北銀行と東北地区の地銀再編（2017/3期をもとに試算）

〈貸借対照表〉 （単位：兆円）

YSBC東北銀行（期首貸借対照表）		岩手・青森・秋田グループ	山形銀行	七十七銀行	東邦銀行	東北地区合計
8.4	有価証券	3.2	0.7	3.2	1.5	11.7
(4.2)	（うち国債）	(1.0)	(0.3)	(1.2)	(0.6)	(4.1)
0.8	貸出金	5.0	1.7	4.5	3.2	21.7
4.1	その他	1.2	0.1	0.9	1.3	4.6
13.3	資産合計	9.4	2.6	8.6	6.0	38.0
11.0	預金	7.8	2.2	7.4	5.2	32.6
1.5	その他負債	1.1	0.2	0.7	0.6	3.6
12.5	負債合計	8.9	2.4	8.1	5.8	36.2
0.8	純資産合計	0.5	0.2	0.5	0.2	1.8
13.3	負債純資産合計	9.4	2.6	8.6	6.0	38.0

〈損益計算書〉 （単位：百億円）

	ゆうちょ銀行	うち東北のシェア6％
経常収益	189.7	11.4
経常利益	44.2	2.7
当期純利益	31.2	1.9

〈損益計算書〉 （単位：百億円）

	岩手・青森・秋田グループ	山形銀行	七十七銀行	東邦銀行
経常収益	12.2	3.9	9.6	6.5
経常利益	2.0	0.7	2.2	1.1
当期純利益	1.5	0.5	1.7	0.7
ROA（％）	—	0.276	0.250	0.176

資料：地銀各行の決算書より筆者作成

（6兆円、0.176％）が再編を仕掛けるとすれば、県内の第二地銀2行（福島銀行：0.8兆円、0.183％、540名／大東銀行：0.8兆円、0.228％、540名）の資産規

模がいずれも1兆円未満であることから、北関東の第二地銀との提携となると思われる。

金融庁のモデル試算によると宮城県は2行でも存在が可能な県であり、七十七銀行（8.6兆円、0.250％）は単独でも10兆円規模に成長できる。宮城県には七十七銀行以外に仙台銀行（1.1兆円、0.247％）があるが、経営規模に鑑みれば先行き不安が残る。

表付－7のように事業再編によるYSBC東北銀行は資産規模13兆円で、宮城県内に2.6兆円、福島県内に2.5兆円の貯金残高を有することになる。当面、宮城県と福島県で貸出金を増やせば地銀と共存できる。

東北地区には小規模、低収益の地銀が多く存在するが、YSBC東北銀行の運用多様化を図り、融資基盤、融資体制を構築するためにもこれら地銀と経営統合するメリットはある。地域活性化の切り札として、第一地方銀行に代わってYSBC東北銀行が受け皿となり、地域のROAの改善を図ることが重要であると考える。

③ 中部地区の地銀再編について

中部地区は地政学的には、3つの経済エリアに分れている。甲信越（新潟県、山梨県、長野県）と東海（静岡県、愛知県、岐阜県、三重県）、北陸（富山県、石川県、福井県）の3地域10県である。地銀は甲信越で6行（23兆円、0.325％）、東海で12行（48兆円、0.393％）、北陸で6行（16兆円、0.329％）合計24行で総資産の合計は86兆円、シェアは22.5％、ROA0.363％となっている。金融庁のモデル試算によると、1行単独であれば存続が可能な県は新潟県、長野県であり、1行単独であっても不採算な県は山梨県、岐阜県、三重県、富山県、石川県、福井県と経済基盤の弱い県が多い。2行での存在が可能な県は愛知県、静岡県である。

東海地区において、すでに三重県内の三重銀行（2兆円、0.218％）と第三銀行（2兆円、0.263％）が持株会社三十三フィナンシャルグループの傘下に入り、再編を終えた。この再編にはSMBCが関与しているので、将来名古屋市内の第二地銀と再編成し、三重県および愛知県の営業エリアを展望してい

表付－8　YSBC中部銀行と中部地区の地銀再編（2017/3期をもとに試算）

〈貸借対照表〉　　　　　　　　　　　　　　　　　　　　　　　（単位：兆円）

YSBC中部銀行（期首貸借対照表）		甲信越	東海		北陸	中部地区合計
		新潟・長野・山梨県	静岡・愛知県	岐阜・三重県	富山・石川・福井県	
26.7	有価証券	7.2	4.5	5.9	3.9	21.5
(13.2)	（うち国債）	(3.0)	(1.2)	(1.7)	(1.6)	(7.4)
2.5	貸出金	12.7	18.2	13.5	9.8	54.2
13.0	その他	2.9	3.7	1.7	2.8	11.1
42.2	資産合計	22.8	26.4	21.1	16.5	86.8
35.0	預金	18.3	23.0	18.1	13.4	72.9
4.8	その他負債	3.1	1.5	1.8	2.3	8.6
39.8	負債合計	21.4	24.5	19.9	15.7	81.5
2.4	純資産合計	1.4	1.9	1.2	0.8	5.3
42.2	負債・純資産合計	22.8	26.4	21.1	16.5	86.8

〈損益計算書〉　　（単位：百億円）

	ゆうちょ銀行	うち中部のシェア19%
経常収益	189.7	68.3
経常利益	44.2	15.9
当期純利益	31.2	11.2

資料：地銀各行の決算書より筆者作成

るものと推測できる。三重県には百五銀行（6兆円、0.212％）が残ることになる。

　名古屋マーケットへの参入を目指す岐阜の大垣共立銀行（5.6兆円、0.341％）と十六銀行（6兆円、0.198％）は名古屋市内の第二地銀との再編を

目指し、多様なシナリオが考えられる。静岡銀行（11兆円、0.469％）は東京志向の銀行で、かつ実力もあり、単独での成長が可能である。スルガ銀行（4.5兆円、1.278％）は、不正融資問題のゆくえによっては自力再生ができるか、見通しがつかない状況にある。

　甲信越地区の地銀については、すでに新潟県の第四銀行（5.6兆円、0.269％）と北越銀行（2.7兆円、0.304％）が持株会社方式の再編を決めている。県内で再編したことは、モデル試算を実行に移したことに等しい。長野県の八十二銀行（8.6兆円、0.395％）は単独で存続するが、山梨県の山梨中央銀行（3.3兆円、0.270％）は東京志向であり、単独で存続が困難となった場合、関東の地銀グループの傘下に入ることになると考える。

　北陸地区の地銀については、富山県の北陸銀行（7兆円、0.338％）がすでに北海道銀行と再編し経営基盤を固めている。残る石川県の北國銀行（4.3兆円、0.325％）が、富山県の第二地銀や福井県の小規模地銀とどのような再編の姿を描くかが注目される。

　以上のように中部地区の地銀は3地域で違った形の再編が行われるが、県境を越えた再編シナリオも考えられる。

　表付－8のようにYSBC中部銀行は広域営業エリアであるため、総資産は40兆円になる。うち貯金残高は31兆円で、地域別には東海で20兆円、甲信越7兆円、北陸4兆円である。YSBC中部銀行は名古屋を中心に融資体制を整え、地銀と共存しながら、中堅中小企業や農林水産業の活性化を図ることが課題となる。中部地区についても、YSBC中部銀行は小規模、低収益の地方銀行との経営統合を視野に入れ融資基盤、融資人材等の確保が可能になる。そして、ROAの改善を図りポートフォリオの多様化を図ることが可能となる。

④　中国地区の地銀再編について

　中国地区の地銀9行の総資産は35兆円でシェア9.3％となる。ROAは0.411％と高い。モデル試算によると、1行単独であれば存続が可能な県はなく、1行単独であっても不採算な県は島根県、鳥取県、山口県、岡山県で

表付－9　YSBC中国銀行と中国地区の地銀再編（2017/3期をもとに試算）

〈貸借対照表〉　　　　　　　　　　　　　　　　　　　　　　　　　　（単位：兆円）

YSBC中国銀行（期首貸借対照表）		鳥取・島根県グループ	山口FG3行	広島銀行	中国銀行	中国地区合計
8.4	有価証券	2.2	1.9	1.8	2.7	15.9
(4.2)	(うち国債)	(1.0)	(0.5)	(0.8)	(0.9)	(5.4)
0.8	貸出金	3.8	6.8	5.6	4.4	36.3
4.1	その他	0.8	1.5	1.4	1.2	8.2
13.3	資産合計	6.8	10.2	8.8	8.3	60.4
11.0	預金	5.2	8.5	7.0	6.2	48.2
1.5	その他負債	1.2	1.1	1.4	1.6	8.6
12.5	負債合計	6.4	9.6	8.4	7.8	56.8
0.8	純資産合計	0.4	0.6	0.4	0.5	3.6
13.3	負債・純資産合計	6.8	10.2	8.8	8.3	60.4

〈損益計算書〉　（単位：百億円）

	ゆうちょ銀行	うち中国のシェア6％
経常収益	189.7	11.4
経常利益	44.2	2.7
当期純利益	31.2	1.9

〈損益計算書〉　　　　　　　（単位：百億円）

	鳥取・島根県グループ	山口FG3行	広島銀行	中国銀行
経常収益	10.1	14.8	13.5	12.5
経常利益	2.3	4.6	4.3	2.9
当期純利益	1.5	3.2	3.0	1.9
ROA（％）	—	0.447	0.487	0.350

資料：地銀各行の決算書より筆者作成

あり、広島県のみが2行での存続が可能な県になっている。

　地政学的には日本海側と瀬戸内海側に分かれる。日本海側の島根県と鳥取県はモデル試算によれば、いずれも1行単独でも不採算になるので、県境を

超えて再編することが考えられる。島根県の山陰合同銀行（5.4兆円、0.359％）は両県を経営の基盤としている。山陰合同銀行の石丸文男頭取[47]は「再編は現在はメリットのある話がなく考えていない。ただ、他行と一緒になってプラスになるのであれば検討する。再編を全く考えていない経営者はいないであろう」と含みをもたせた発言をしている。

山陰合同銀行が他の地銀、島根銀行（0.4兆円、0.381％）と鳥取銀行（1兆円、0.188％）を統合したとして、独占禁止法に触れると考えられるが、ふくおかフィナンシャルグループへの公正取引委員会の対応を考慮すれば問題はないと思料する。

すでに、瀬戸内海側の山口銀行（5.8兆円、0.461％）は隣県の広島県のもみじ銀行（3.2兆円、0.489％）と福岡県の北九州銀行（1.2兆円、0.266％）とで、広域の山口フィナンシャルグループを形成している。

岡山県の中国銀行（8.3兆円、0.350％）は単独でも存続が可能な銀行であるが、先行きの経営基盤に鑑みれば、隣県の第二地銀との再編を視野に入れ、営業エリアの拡大を図る必要がある。

広島銀行（8.8兆円、0.487％）は単独で存続できる銀行であり、営業基盤も将来性があるので更なる発展のためには規模拡大が必要である。

表付－9のようにYSBC中国銀行は広域ながら資産規模は13兆円と小さい。貯金残高11兆円であるが、瀬戸内3県で9兆円を占めている。当面は、マーケットの大きい広島市を中心に融資体制を整え、瀬戸内海側の営業基盤を固めることが重要である。中国地区には小規模地銀が少なく、YSBC中国銀行は自力で融資体制を構築する必要がある。

⑤　四国地区の地銀再編について

四国には地方銀行4行（18兆円）、第二地銀4行（6.7兆円）合計8行があり、総資産25兆円でシェアは6.4％を占める。ROAは0.415％と高い。金融庁のモデル試算によると、1行単独でも不採算な県は香川県、徳島県、高知

---

[47] 2017年7月4日付日本経済新聞「山陰合同銀行石丸頭取：再編メリットある話はない」

表付-10 YSBC四国銀行と四国地区の地銀再編（2017/3期をもとに試算）

〈貸借対照表〉 （単位：兆円）

YSBC四国銀行（期首貸借対照表）		阿波銀行	百十四銀行	伊予銀行	四国銀行	四国地区合計
4.2	有価証券	1.1	1.4	1.7	1.0	6.9
(2.1)	（うち国債）	(0.3)	(0.4)	(0.6)	(0.3)	(2.0)
0.4	貸出金	1.8	2.8	4.0	1.7	14.7
2.1	その他	0.2	0.7	1.1	0.3	3.0
6.7	資産合計	3.2	4.9	6.8	3.0	24.6
5.6	預金	2.7	4.0	5.0	2.6	19.8
0.8	その他負債	0.2	0.6	1.2	0.3	3.3
6.4	負債合計	2.9	4.6	6.2	2.9	23.1
0.3	純資産合計	0.3	0.3	0.6	0.1	1.6
6.7	負債・純資産合計	3.2	4.9	6.8	3.0	24.7

〈損益計算書〉 （単位：百億円）

	ゆうちょ銀行	うち四国のシェア3％
経常収益	189.7	5.7
経常利益	44.2	1.3
当期純利益	31.2	0.9

〈損益計算書〉 （単位：百億円）

	阿波銀行	百十四銀行	伊予銀行	四国銀行
経常収益	5.4	8.2	9.9	4.8
経常利益	1.9	1.7	3.3	1.0
当期純利益	1.2	0.9	2.1	0.7
ROA（％）	0.595	0.346	0.483	0.338

資料：地銀各行の決算書より筆者作成

県であり、愛媛県のみが1行単独であれば存続が可能な県である。
　すでに、香川銀行（1.6兆円、0.480％）と徳島銀行（1.6兆円、0.388％）の第二地銀が、トモニホールディングスとして再編し、更に大阪の大正銀行（0.5兆円、0.126％）を傘下に加えた。

残る地銀は現状維持のままであるが、地方銀行の阿波銀行（3.2兆円、0.595％）、百十四銀行（4.9兆円、0.346％）、伊予銀行（6.8兆円、0.483％）、四国銀行（3兆円、0.338％）は4行で緩やかな業務提携を結び、事務処理の共通化などで効率化を図っている。先行き業務提携が進み再編に発展するシナリオも考えられる。

　表付－10のようにYSBC四国銀行は資産規模7兆円で、四国全県を営業エリアとするが、瀬戸内側で4.5兆円の貯金があり、貯金全体の85％を占める。地銀の再編シナリオにもよるが、独占禁止法問題をクリアするためにも、YSBC四国銀行は愛媛銀行（2.5兆円、0.273％、1,383名）や高知銀行（1.1兆円、0.258％、852名）の経営統合を視野に入れ、ROAの改善やポートフォリオの見直しを検討する必要があると考える。

　以上、第2章の業態別銀行の現状分析を勘案し、第5章、第6章の業態別統合・再編の考え方に基づいて、官製金融民営化3行の事業再編と地銀再編の共存共栄の道筋を、進行中の再編動向を注視しながら8地域についてシミュレーションをした。その結果を表付－11にまとめた。

　表付－11のように地方銀行は再編途上にあり、この表にシミュレーションされていない小規模地銀の総資産が再編で生き残った地銀の総資産に加わることになると考えられる。一方、地域のYSBC銀行8行の総資産は国債や外債、預け金への運用が貸出金へと多様化する過程で、縮小する可能性が高いと考えられる。したがって、この段階でのシミュレーションで、大都市において各銀行の総資産は大きな隔たりがあるものの、大都市では地銀のみならず都市銀行との競争があり、イコールフッティングの競争条件が整うのは難しいであろう。しかし、地方においてはおおむね総資産が10兆円規模となり、先行き地銀再編および官製金融民営化3行の再編が収束すれば、イコールフッティングの競争が可能になると考えられる。

表付-11 YSBC各地区地域銀行と再編後の地銀の理論値（出来上がりベース）(2017/3期をもとに試算)

(単位：兆円)

	資産合計	うち貸出金	貯金		資産合計	うち貸出金	貯金
北洋	9.1	6.1	8.1	YSBC中部	42.2	2.5	35.0
YSBC北海道	8.9	0.5	7.4	滋賀	5.5	3.5	4.5
岩手・青森・秋田 3行	9.4	5.0	7.8	京都	8.9	5.0	6.7
山形	2.6	1.7	2.2	関西泉州・みらいFG	11.6	8.8	10.4
七十七	8.6	4.5	7.4	池田泉州・南都・紀陽	16.2	9.9	13.4
東邦	6.0	3.2	5.2	YSBC近畿	35.6	2.2	29.5
YSBC東北	13.3	0.8	11.0	山陰合同	5.4	2.8	4.0
めぶきFG	16.2	10.3	13.5	山口FG	10.2	6.8	8.5
東京きらぼしFG	5.1	3.4	4.5	広島	8.8	5.6	7.0
コンコルディアFG	18.6	12.0	15.1	中国	8.3	4.4	6.2
群馬	8.0	5.2	6.5	YSBC中国	13.3	0.8	11.0
千葉	14.0	9.3	11.6	伊予・四国	9.8	5.7	7.6
YSBC関東	80.0	4.8	66.4	阿波・百十四	8.1	4.6	6.7
第四・北越FG	8.5	4.7	6.9	YSBC四国	6.7	0.4	5.6
八十二	8.6	4.9	6.4	ふくおかFG	21.2	13.1	15.7
静岡	11.0	8.0	9.3	九州FG	9.6	6.2	7.9
スルガ	4.5	3.3	4.1	西日本FH	9.5	6.8	7.6
三十三EG	4.0	2.6	3.5	大分・宮崎	6.2	3.6	4.9
百五	5.5	2.9	4.6	沖縄3行	5.0	3.5	4.5
十六・大垣共立	11.6	7.9	10.1	YSBC九州・沖縄	22.2	1.3	18.4
ほくほく（北陸＋北海道）FG	12.4	7.7	10.6	地方銀行35行＋YSBC銀行8行　合計43行			
北國	4.3	2.3	3.2	資料：地銀各行の決算書より筆者作成			

あとがき

　本著の上梓に至るまで多くの皆様からご指導とご協力をいただいている。本著の草稿を作成する段階において京都大学大学院経済学研究科や同大学経済学会、同大学学術出版会の方々からアドバイスや励まし、ご批判をいただくことによって、数度の書き直し作業を経てようやく最終稿に到達することができた。ここで感謝の意を申し述べさせていただく。

　私は住友銀行に入社以来、社会人となって55年になる。住友銀行員時代、銀行経営の実務を経験し、経営者として多くの優秀な諸先輩からご指導を受けてきたことは、本著の土台となり知見として生きている。

　その後、郵政民営化の仕事に転じたが、郵政事業民営化においてゆうちょ銀行民営化の立ち上げにかかわったことで似て非なる銀行経営を体験し、民間金融と官製金融とを比較するうえで貴重な経験となった。そして、金融庁や総務省出身の多くの官僚の方々との協働を通じて、非対称なる事象や二律背反する事柄を学ばせてもらった。

　ゆうちょ銀行退任後、機会があって京都大学大学院経済学研究科の塩地洋教授（現在鹿児島県立短期大学学長）にお世話になり、同大学経済学研究科の特任教授となった。大学では学生諸兄姉に「官製金融と民間金融概論」という講座で教鞭をとった。この講座も今年で12年目となり、1,200余名の教え子をもつことができた。学生に教えることを通じてわが国の金融機関のあり方について深く考えることができ、政策提言や制度設計についても熟慮することができた。当初、講義資料作成に当たっては東京大学でも教鞭をとっておられた橋本総業ホールディングス株式会社の社長橋本政昭様にご協力いただいた。産学連携のあり方については株式会社三社電機製作所の会長四方邦夫様からご助言をいただいた。

　そして、講座開設から6年目の2015年に、私にとっては初めての著書となる『官製金融改革と地銀再編』を一般社団法人金融財政事情研究会の出版部

長谷川治生理事様のご指導ご鞭撻を得て何とか出版することができた。出版の狙いは筆者の産・官・学のキャリアを生かし社会に貢献できる経済学、具体的には官製金融の民営化と地銀再編をいかに促進し政策提言と制度設計を行うかであった。その結果、郵政グループの上場の促進や広域行政区域における総資産拡大の地銀再編が加速するなど、少なからず影響を及ぼしたものと自負している。2016年になって前著はStanford、Harvard等の多くの大学図書館および米国議会図書館、中国国家図書館に収蔵された。

　出版のきっかけを作っていただいたのは、当時の京都大学大学院経済学研究科長で副学長の植田和弘教授であり、再生可能エネルギーの固定価格買取価格制度に関する政策提言に至る理論と実際を多くのシンポジウムから学ばせていただいたことであった。同時に塩地洋教授からは自動車産業の成長戦略に関する政策提言に至る理論と実際を、諸外国での自動車産業調査や世界自動車産業学会（GERPISA）への参加を通じて学ばせていただいたことであった。この再生可能エネルギーと自動車産業は地産地消の電気と電気自動車（EV）とを融合し、地域活性化政策となり筆者の新たな理論と実際を追求する研究テーマとなっている。これらの経験と学びはわが国の金融政策改革の要である官製金融論、すなわち、ゆうちょ銀行に関する学術論文執筆への挑戦を志向させるものとなった。

　しかし、この間ご指摘いただき気づいたことは「前著はわが国の金融機関のあり方に関する政策提言と制度設計を主たる内容としたものであり、理論的根拠に裏付けられているものでなかった」ことであった。その後、論点整理を行い、理論構成を考え、本著のほぼ半分にあたる章において、わが国の金融機関構造の業態別最適化に関する理論を論ずることができた。本著の理論的基礎を形成する過程において京都大学公共政策大学院院長の岩本武和教授と京都大学大学院経済学研究科長の江上雅彦教授から、学術論文作成の方法について懇切丁寧なご指導をいただいた。

　そして、2年前より前著の改訂版として英語版の著書を出版する企画を考えた。そのいきさつは、金融庁主催の発展途上国の中央官庁および中央銀行

の幹部を対象にした「日本の金融規制監督研修会」や「地域金融システム安定化政策研修会」等において、筆者が前著の内容の講義を行ったところ、受講者（67カ国85名）から前著の英語版出版を求められたことである。この企画についてDMG森精機株式会社の社長森雅彦様（東京大学工学博士）に相談したところ、日本の特殊金融の諸課題について英語で発信することの重要性にご賛同をいただき、翻訳について研究助成を賜ることになった。

　2018年10月英語版の著書は、江上雅彦教授の全面的なご指導を得て、理論に裏付けられた政策提言と制度設計になり、前著とは内容的にも異なる学術書として上梓することができた。

　出版社選定については、元京都大学大学院経済学研究科長の田中秀夫名誉教授と東京大学大学院経済学研究科野原慎司准教授から、Springer Japanのシニア・エディター平地豊様をご紹介いただいた。審査の過程においては京都大学副学長で経済学研究科の德賀芳弘教授のご推薦をいただいた。種々の審査を経て2019年8月Springer社と出版契約を締結することができた。そして、2019年9月からSpringer Japan、SPi Globalと原稿校正に入り2020年6月に完了し、7月「Japan Post Bank：Current Issues and Prospects」を出版する運びとなった。

　英語版の原稿をベースに、2019年5月京都大学経済学会の「経済論叢」に論文「ゆうちょ銀行の諸問題の本質と地域金融論」の査読を申請した。二人のレフェリーによる厳しいご指導と温かいご助言をいただき、再審後ようやく10月審査に合格した。11月「経済論叢」に論文が掲載されたので、これを発展させて本著を執筆した。その狙いは英語と同時に日本語の著書が出版されれば、世界中の図書館に収蔵され日本の金融構造の実情が、内外の多くの研究者や実務家によって、引用されるであろうことを期待するものである。

　執筆にあたり前著の時から6年間にわたり、学界音痴の私を粘り強くご指導いただいた江上雅彦教授に再び監修していただき、申し訳なく思うとともに心より感謝申し上げる次第である。

　最後になったが、前著に引き続き出版をお引き受けいただいた、株式会社

きんざいの小田徹専務様、谷川治生取締役様には本著の構成や表現上の改善等について、親切丁寧なご指導をいただき有難く厚く御礼申し上げる。そして、長年にわたる学術書作成にあたり、共に挫折を乗り越え応援してくれた妻・富久子にありがとう。

 2020年8月15日

宇　野　　輝

■参考文献■

1) 池尾和人『連続講義・デフレと経済政策』日経BP社、2013年7月
2) 池尾和人・柳川範之『市場型間接金融の経済分析』日本評論社、2006年5月、p17
3) 池尾和人「官製金融改革と地銀再編の書評」週刊金融財政事情、2017年2月27日
4) 岩本康志「公的部門の改革、金融『中小』以外民営化早く」論文、2003年9月、p1
5) 岩本康志「政府累積債務の帰結 危機か再建か」論文、2013年5月
6) 岩本康志・大竹文雄・齊藤誠・二神孝一『経済政策とマクロ経済学』日本経済新聞社、1999年10月、p136
7) 岩本康志「政府系金融機関改革の論点、民業圧迫を回避し時間軸に応じた改革を」日本経済研究センター会報、2002年6月pp30〜33
8) 石井寛治「日本郵政史研究の現状と課題」郵政資料編研究紀要創刊号、2010年3月
9) 猪木武徳『戦後世界経済史』中央公論新社、2009年5月
10) 上杉素直・玉木淳『金融庁2.0』日本経済新聞社、2019年4月
11) 梅谷真一郎『ポストバンクのマスリテール金融サービス：ヨーロッパ主要国の事例調査』地域財産創造、2006年7月
12) 植田和弘・梶山恵司『国民のためのエネルギー原論』日本経済新聞出版社、2011年12月
13) 宇野輝『官製金融改革と地銀再編』金融財政事情研究会、2015年3月
14) 江口克彦『地域主権型道州制』PHP研究所、2007年4月
15) 大久保豊『実践 銀行ALM』金融財政事情研究会、2006年2月
16) 鹿野嘉昭『日本の金融制度』東洋経済新報社、2006年8月
17) 鹿野嘉昭「郵政上場の課題・収益力向上が急務」日経新聞・経済教室、2015年7月
18) 葛西敬之『未完の「国鉄改革」』東洋経済新報社、2001年1月
19) 神崎正樹『NTT民営化の功罪』日本工業新聞社、2006年1月、p55
20) 加藤寛『行革は日本を変える』春秋社、1982年10月
21) 加藤寛『官業改革論』中央経済社、1984年1月、p203
22) 加藤寛・山同陽一『郵貯は崩壊する』ダイヤモンド社、1984年2月、p8
23) 川北英隆『京都企業が世界を変える』金融財政事情研究会、2015年5月、

p3、pp24〜25

24) 金融財政事情研究会「週刊金融財政事情」[第62巻37号] 2011年10月3日
25) 金融庁「中小地域金融機関向け監督方針」2013年9月
26) 金融ジャーナル『月刊金融ジャーナル増刊号　金融マップ2018年版』2017年3月
27) 行政改革推進事務局「特殊法人等整理合理化計画」2001年12月18日
28) 金融仲介業務の改善に向けた検討会「地域金融の課題と競争の在り方」2018年4月
29) 北村行伸・井堀利宏・岡崎哲二・齊藤誠・二神孝一『現代経済学の潮流2014』第7章日本国債：東洋経済新報社、2016年6月
30) 経済財政諮問会議第24回議事録「郵政民営化の基本方針」2004年9月10日
31) 経済財政諮問会議第26回議事録「政策金融改革の基本方針」2005年11月22日
32) 経済産業省「株式会社商工組合中央金庫への行政処分の実施等について」2017年10月25日
33) 経済産業省政策局「日本の稼ぐ力」創出研究会資料、2014年10月15日、p105
34) 経済同友会『郵政民営化こそ日本を変える』PHP研究所、2005年6月
35) 小池恒男・麻野尚延『農協の存在意義と新しい展開方向』昭和堂、2008年12月
36) 小林正義『知られざる前島密』郵研社、2009年4月
37) 小林慶一郎・土居丈朗・池尾和人『日本経済再生25年の計・金融・資本市場の新見取り図』日本経済新聞出版、2017年6月
38) 齊藤誠「ヘリコプターマネーと異次元金融緩和の比較考」2016年8月
39) 齊藤誠『危機の領域』勁草書房、2018年4月、pp336〜347
40) 佐々木信夫『新たな「日本のかたち」―脱中央依存と道州制―』角川マガジンズ、2013年3月
41) 財務省「財政投融資リポート」2017年
42) 財務省『日本の財政関係資料』各年度版
43) 佐藤隆文編著『バーゼルIIと銀行監督』東洋経済新報社、2007年3月
44) 常陽銀行、足利ホールディングス「㈱常陽銀行と㈱足利ホールディングスの株式交換による経営統合に関する最終合意について」2016年4月25日
45) 神野直彦『地域再生の経済学』中央公論新社、2008年4月
46) 自民党「日本再興戦略」「日本再生ビジョン」2014年5月
47) 杉浦勢之「大衆的零細貯蓄機関としての郵便貯金の成立」社会経済史学52

巻、1986年
48) 政策金融改革推進本部「政策金融金融改革に係る制度設計」2006年6月27日
49) 全国銀行協会「われわれが考える郵便貯金の将来像」2001年3月、p1
50) 全国銀行協会「郵政改革に対する基本的な考え方」郵政民営化委員会への提出資料、2010年、p2
51) 全国地方銀行協会「郵便貯金銀行及び郵便保険会社の新規業務の調査審議に関する所見」2007年2月
52) 滝川好夫『郵政民営化の金融社会学』日本評論社、2006年2月
53) 滝川好夫『どうなる「ゆうちょ銀行」「かんぽ生保」』日本評論社、2007年9月
54) 武英直「ドイツポストの企業価値創造」野村證券産業戦略調査室、2005年12月
55) 高橋洋一『財政改革の経済学』東洋経済新報社、2007年10月
56) 高橋克英『最強という名の地方銀行』中央経済社、2007年12月
57) 竹中平蔵『「改革」はどこへ行った？』東洋経済新報社、2009年11月
58) 遞信省貯金局『六十年間に於ける郵便貯金経済史観』1935年
59) 戸原つね子『公的金融の改革　郵貯問題の変遷と展望』農林統計協会、2001年9月、p15
60) 唐成『中国の貯蓄と金融』慶應義塾大学出版会、2005年8月、p201
61) 富樫直樹『金融大統合時代のリテール戦略』ダイヤモンド社、2009年6月、p79
62) 内閣官房郵政民営化準備室「諸外国の郵便事業の動向」第18回経済財政諮問会議説明資料、2004年8月2日
63) 日本銀行調査統計局「資金循環統計：参考図表」2017年度
64) 日本銀行『日本銀行百年史』［第1〜6巻］1982〜86年
65) 日本銀行・吉野俊彦『わが国の金融制度』日本銀行調査局、1966年7月
66) 日本郵政公社「財務諸表」各年度版
67) 日本郵政株式会社「日本郵政公社の業務等の承継に関する実施計画」2007年9月
68) 日本経済新聞2013年10月6日「日銀・消えた国債購入ルール」
69) 日本経済新聞2014年1月6日「2014年ここを攻める銀行」全国地方銀行協会
70) 日本経済新聞2016年6月30日「店舗網地銀最大の強み」
71) 日本経済新聞2017年6月10日「商工中金：問題解決のために何をなすべきか」

72) 日本経済新聞2017年9月27日「関西最大の地銀連合誕生」
73) 日本電信電話株式会社レポート「NTT民営化と再編成について」2004年6月16日
74) 日本電信電話株式会社アニュアルレポート「主な変遷資料」2014年、pp133〜177
75) 日本電信電話株式会社アニュアルレポート「自己改革を遂げてきたNTTグループ」2017年、pp1〜13
76) 日経コミュニケーション『2010年NTT解体』日経BP社、2007年3月
77) 根岸康夫『現代ポートフォリオ理論講座』金融財政事情研究会、2006年11月
78) 農林中央金庫総合企画部「農林中央金庫REPORT2013」
79) 岩崎俊博『地方創生に挑む地域金融』金融財政事情研究会、2015年5月
80) 林宜嗣・21世紀政策研究所『地域再生戦略と道州制』日本評論社、2009年8月
81) 肥後銀行、鹿児島銀行「㈱肥後銀行と㈱鹿児島銀行の経営統合に関する基本合意」2016年11月10日
82) 淵田康之『地方創生に挑む地域金融（Ⅱ－2米国における地銀M&Aの展開）』金融財政事情研究会、2015年5月
83) ふくおかフィナンシャルグループ、十八銀行「経営統合に関する最終合意について」2016年2月26日
84) 藤井秀樹「日本郵政の経営分析と企業価値評価」通信研究会、2012〜2017年
85) 星野興爾『世界の郵便改革』郵研社、2004年7月
86) 宮本憲一「大蔵省預金部改革前後」經濟論叢113号、1974年
87) 三和良一『概説日本経済史近現代』東京大学出版会、1993年4月、pp169〜170
88) 三重銀行、第三銀行「㈱三重銀行と㈱第三銀行の共同株式移転の方式による経営統合に関する最終契約締結および株式移転計画作成」2017年9月15日
89) 三菱総合研究所レポート「郵政民営化の持つ意味」2005年8月23日、p3
90) 森棟公夫・照井伸彦『統計学』有斐閣、2008年12月、p61、p310
91) ゆうちょ銀行「ディスクロージャー誌」2008年度〜2018年度
92) ゆうちょ財団「貯蓄・金融・経済研究論文集」2011年度版、2012年度版
93) ゆうちょ財団『郵貯資金等の動向』2013年度版、2014年度版
94) ゆうちょ財団『海外の郵便貯金等リテール金融サービスの現状』2013年3月、2015年3月

95) 郵政省編『郵政百年史第15巻30巻：60年間における郵便貯金経済史観』吉川弘文館、1968年3月
96) 郵政省編『郵政百年史』［第30巻］「百年史統計資料」吉川弘文館、1971年3月
97) 郵政改革研究会『続・郵政民営化と郵政改革―新たな郵政民営化』金融財政事情研究会、2012年9月
98) 郵便貯金振興会『主要4か国の貯蓄金融機関』太陽美術、2007年8月
99) 郵貯資金研究協会『郵便貯金の経営動向』㈶郵便貯金資金研究協会、2006年4月、p43
100) 横浜銀行、東日本銀行「㈱横浜銀行と㈱東日本銀行の経営統合検討に関する基本合意について」2014年11月14日
101) 米澤潤一『国債膨張の戦後史』金融財政事情研究会、2013年12月、p137
102) 吉田和男『銀行再編のビジョン』日本評論社、2000年3月、p108
103) 吉川洋『構造改革と日本経済』岩波書店、2003年10月、p46

1) Andrew Gordon「POSTWAR JAPAN AS HISTORY」University of California Press 1993 p.7,p.12,p.33
2) Canadian Museum of History「A Chronology of Canadian Postal History」
3) Cassa Depositie Prestiti 2011.10 Supporting the Century
4) La Banque Postale ANNUAL REPORT 2010
5) Le Groupe La Poste, Registration Document 2011
6) London School of Economics and Political Science 2010.11.12
7) Organizatoin chart The Structures of Deutsche Post bank AG
8) Post Bank Group Annual Report 2012
9) Posteitaliane, Annual Report 2001
10) Postal Saving System 2008/7

事項索引

【英字】

Bancoposta ································ 104
France Télécom ······················· 102
GHQ ··· 20
IPO ··· 206
La Banque postale ··················· 103
La Poste ································· 102
NTTの事業再編 ························ 4
Post Bank ······························· 101
Poste Italiane ·························· 103
Post Office Ltd ························ 100
Royal Mail Holdings ················ 100

【あ行】

預入限度額 ······························ 185
暗黙の政府保証 ························ 11
閾値 ··· 79
イコールフッティングの競争条件 ··· 58
異次元金融緩和 ·························· ii
一県一行主義 ······························ 5
インターネットバンキング ········ 190
失われた20年 ·························· 150
営業経費率 ································ 78
大蔵省国債局 ···························· 10
大蔵省預金部等損失補償特別処理法 ································ 10, 19
オーバーバンキング状態 ············ 83
親子上場 ································· 184

【か行】

格付ランク ······························ 160
株制・都市銀行 ······················· 169
完全民営化 ································ 94
危機対応業務 ···························· 39
基礎的財政収支 ···················· 6, 30
帰無仮説を棄却する ·················· 79
キャッシュレス社会 ················ 108
ギャロッピングインフレ ············ 44
行政推進改革法 ·························· 2
京都企業 ································· 228
業務改善計画書 ······················· 138
銀行法施行規則 ·························· 4
金融機能安定化緊急措置法 ········ 28
金融機能再生法 ························ 28
金融システム改革法 ·················· 96
金融仲介業務 ······························ 2
金融の自由化 ···························· 95
金融ビッグバン ························ 96
金利リスク ······························ 115
グラス・スティーガル法 ············ 96
軍費郵便貯金制度 ······················ 14
経済財政諮問会議 ······················ 83
決算短信 ····································· 4
県内総生産額 ······························ 7
広域行政区 ································ 73
厚生経済学的 ······························· i
コーポレートガバナンス ············ 2
国際協力機構（JICA） ·········· 2, 3
国際協力銀行 ························ 2, 3
国債の残存期間 ······················· 120
国鉄改革関連8法案 ················· 110
国内総生産 ································· i
国民総支出（gross national expenditure、GNE） ··············· 10
国民総所得（gross national income、GNI） ························ 28
国立銀行 ··································· 13

国立銀行条例 ………………… 155	政府見通しシナリオ …………… 117
個人金融資産 ………………… i, 32	ゼロ金利政策 …………………… 2
護送船団方式 …………………… 82	全体最適 ………………………… i
国家総動員法 …………………… 17	相関係数 ………………………… 78
固定相場制 ……………………… 25	早期健全化法 …………………… 28
	総資産経常利益率（収益力：
【さ行】	return on assets、ROA）……… i
財特法 …………………………… 39	
サッチャー政権 ………………… 95	【た行】
サブプライムローン …………… 167	第1次オイルショック ………… 25
産業集積度 ……………………… 73	第一地銀 ………………………… 86
資金運用部資金法 ……………… 23	第二地方銀行 …………………… 86
自己資本当期純利益率（return	他人資本 ………………………… 62
on equity、ROE）……………… 3	中央省庁等改革基本法 ………… 30
自己資本比率規制 ……………… 5	中国国家開発銀行 ……………… 105
資産・負債総合管理（Asset li-	中国人民銀行 …………………… 104
ability management、ALM）…… 4	中国農業発展銀行 ……………… 105
自主運用 ………………………… 30	中国郵政 ………………………… 99
市場主義経済 …………………… 95	中国郵政貯蓄銀行 ……………… 94
実施計画の骨格 ………………… 115	中国郵電部 ……………………… 104
シャウプ税制改正 ……………… 20	中国輸出入銀行 ………………… 105
集配人取集貯金 ………………… 14	中長期経済財政運営の試算 …… 6
周辺業務 ………………………… 231	貯蓄銀行 ………………………… 13
純粋持株会社 …………………… 179	通常貯金（普通預金）………… 16
商業銀行改革検討会 …………… 104	定額貯金 ………………………… 11
商業銀行法 ……………………… 104	デュレーション ………………… 120
商工組合中央金庫 ……………… ii	東京一極集中 …………………… 73
商工中金の在り方 ……………… 40	道州制基本法案 ………………… 85
少数株主利益 …………………… 184	特殊銀行 ………………………… 14
昭和金融恐慌 …………………… 155	特殊法人改革 …………………… 43
殖産興業 ………………………… 11	特殊法人整理合理化計画 ……… 30
人口減少問題 …………………… 156	特定投資業務 …………………… 39
スーパーリージョナルバンク … 83	ドッジライン …………………… 20
据置貯金（定期預金）…… 14, 16	トランザクションバンキング … 108
ステークホルダー ……………… 161	
政策金融民営化 ………………… i	【な行】
政府債務残高 …………………… i	中曽根康弘首相 ………………… 95

日銀預け金 …………………………… 33
日本銀行券預入令公布（預金封鎖）
　………………………………………… 19
日本国有鉄道 ………………………… 95
日本国有鉄道清算事業団 ………… 113
日本再興戦略 ………………………… 150
日本再生ビジョン …………………… 150
日本政策金融公庫 …………………… 2,3
日本政策投資銀行 …………………… ii
日本専売公社 ………………………… 95
日本電信電話公社 …………… 95,110
日本版ビッグバン …………………… 31
農業の6次産業化 …………………… 234

【は行】
配当性向 ……………………………… 68
配当政策 ……………………………… 68
配当利回り …………………………… 68
ハイリスク・ハイリターン ………… 68
ハイリスク・ローリターン ……… 126
東日本大震災 ………………………… i
ビジネスマッチング ……………… 206
ビッグ・データ …………………… 190
フィンテック ……………………… 190
富国強兵 ……………………………… 11
不正融資問題 ……………………… 138
附則第14条 …………………………… 65
復興財源確保法 ……………………… 65
プラザ合意 …………………………… 26
不良債権比率 ………………………… 5
分散投資ポートフォリオ ………… 172
ヘリコプターマネー ………………… ii

変動相場制 …………………………… 25
ポートフォリオ・セレクション …… i
骨太の方針2018 ……………………… 83

【ま行】
マイナス金利政策 …………………… 2
マクファデン法 ……………………… 96
ミドルリスク・ローリターン …… 125
民業圧迫 …………………………… 192
民業補完 ……………………………… i
無集配特定局 ………………………… 18
メインバンク制度 …………………… 24
モデル試算 …………………………… 71

【や行】
郵政株式の売却凍結法案 …………… 39
郵政公社 …………………………… 136
郵政事業民営化 ……………………… i
郵政民営化委員会 ………………… 115
郵便預所 ……………………………… 11
ユニバーサルサービス ……………… 98
預金部 ………………………………… 10
預貸率 ………………………………… 50
預託金制度 …………………………… i

【ら行】
リーマンショック …………………… i
リスクアセット …………………… 126
リテールバンキング ……………… 190
レーガノミックス …………………… 95
レーガン大統領 ……………………… 95
ローリスク・ローリターン ……… 126

〈著者略歴〉

京都大学経済学部 特任教授
宇野　輝（うの　あきら）

京都市出身。1966年京都大学経済学部卒、住友銀行入行、Visa Japan企画部長（出向）、住友銀行店舗開発部長、業務開発部長、新宿支店長、取締役人形町支店長、等を歴任。

取締役本店支配人退任後、三井住友カード代表取締役副社長、SMBCコンサルティング代表取締役会長を経て、2006年日本郵政㈱執行役員となり郵政民営化に従事。

ゆうちょ銀行常務執行役退任後、2010年より京都大学経済学部特任教授、「官製金融と民間金融概論」の講義を担当。2011年京都大学大学院経済学研究科・経済学部フェローの称号を授与され現在に至る。

現任役職：DMG森精機㈱シニアエグゼクティブフェロー、橋本総業ホールディングス㈱社外取締役、㈱三社電機製作所社外取締役、一般社団法人金融経済みらい研究所代表理事

ゆうちょ銀行の諸問題の本質と地域金融論

2020年10月8日　第1刷発行

　　　　　　　　　　　　著　者　宇　野　　　輝
　　　　　　　　　　　　発行者　加　藤　一　浩

〒160-8520　東京都新宿区南元町19
発　行　所　一般社団法人 金融財政事情研究会
企画・制作・販売　株式会社きんざい
　　　　出 版 部　TEL 03(3355)2251　FAX 03(3357)7416
　　　　販売受付　TEL 03(3358)2891　FAX 03(3358)0037
　　　　　　　　　URL https://www.kinzai.jp/

校正：株式会社友人社／印刷：株式会社太平印刷社

・本書の内容の一部あるいは全部を無断で複写・複製・転訳載すること、および磁気または光記録媒体、コンピュータネットワーク上等へ入力することは、法律で認められた場合を除き、著作者および出版社の権利の侵害となります。
・落丁・乱丁本はお取替えいたします。定価はカバーに表示してあります。

ISBN978-4-322-13582-4